JN005934

達人だけが
知っている！

PC＆ネットのずるテク大全

ずるいテクニック

パソコン博士TAIKI
日経PC21 編

日経BP

はじめに

パソコンやインターネットに関する知識を身につけて、もっと便利に効率良く、ITを使いこなしたい――。そう思っている人は多いのではないでしょうか。一方で、「パソコンやWi-Fiが遅くて使いにくい」「難しい専門用語ばかりでわからない」「ウイルスや詐欺が横行しているのが心配」などと不満や不安を抱いている人も少なくないはずです。

そんな皆さんの望みをかなえ、悩みを解消するのが本書の目的です。パソコンをはじめとするIT機器やウェブサービスを、安心・快適に使いこなすための"プロの知恵"を伝授いたします。

指南役としてお迎えしたのは、チャンネル登録者数50万人超の人気を誇るパソコン解説系YouTuber「パソコン博士TAIKI」さん。わかりやすくて役に立つと絶賛されているYouTube動画をベースに、「日経PC21」編集部が書籍化を実現しました。

本書は、TAIKIチャンネルの中でも反響の大きかった動画をピックアップして、最新情報や補足説明などを盛り込みつつ、1冊に凝縮したものです。パソコンを高速&快適にするテクニックから、ネットショッピングで損をしないためのノウハウ、ウイルスや詐欺から身を守るためのセキュリティ対策、仕事がはかどる各種アプリの活用ワザまで、盛りだくさんの内容です。

「読む」+「見る」の相乗効果で、知恵とスキルが確実に身につく本書を、毎日のパソコンライフにお役立てください。

日経PC21編集長　田村規雄

CONTENTS

本書は、パソコン博士TAIKIのYouTubeチャンネルと連動しています。各パートの末尾には、連動するYouTube動画のURLを掲載しています。本書を読んでじっくり学ぶもよし、動画を見て楽しく学ぶもよし。本と動画の合わせ技で、あなたのパソコンスキルを向上させてください。

パソコン快適化 編

01

遅いパソコンを速くする！

プロが教える解決策10選

❶バックグラウンドアプリを止める
❷透明効果をオフにする
❸視覚効果をオフにする
❹スタートアップの整理
❺OneDriveが起動しないようにする
❻パソコンのゴミを削除する
❼ディスクのクリーンアップ
❽電源プランの管理
❾HDDをSSDに交換／メモリーの増設
❿PCを初期状態に戻す

パソコンを使い続けていると、なぜかだんだん動作が重くなってきます。ソフトをたくさんインストールして負荷が高くなったり、パソコンの中にゴミがたまったりするためです。パソコンが遅くて困っている皆さんに、パソコンが速くなる10種類の解決策を紹介します。

パソコンの動きが遅いとイライラしますよね。パソコンを買い替えようかな……と考える前に、パソコンを速くする設定やカスタマイズのワザを試してみませんか。あなたのパソコンは、本来の性能を発揮できていないだけなのかもしれません。なぜでしょうか。それはパソコンの裏で必要のない処理がたくさん行われていて、無意味にパソコンの処理能力を使ってしまっているためです。不要な処理を止めたり、奥深くに隠れているゴミを削除してスッキリさせたりすれば、あなたのパソコンはもっと高速になる可能性があ

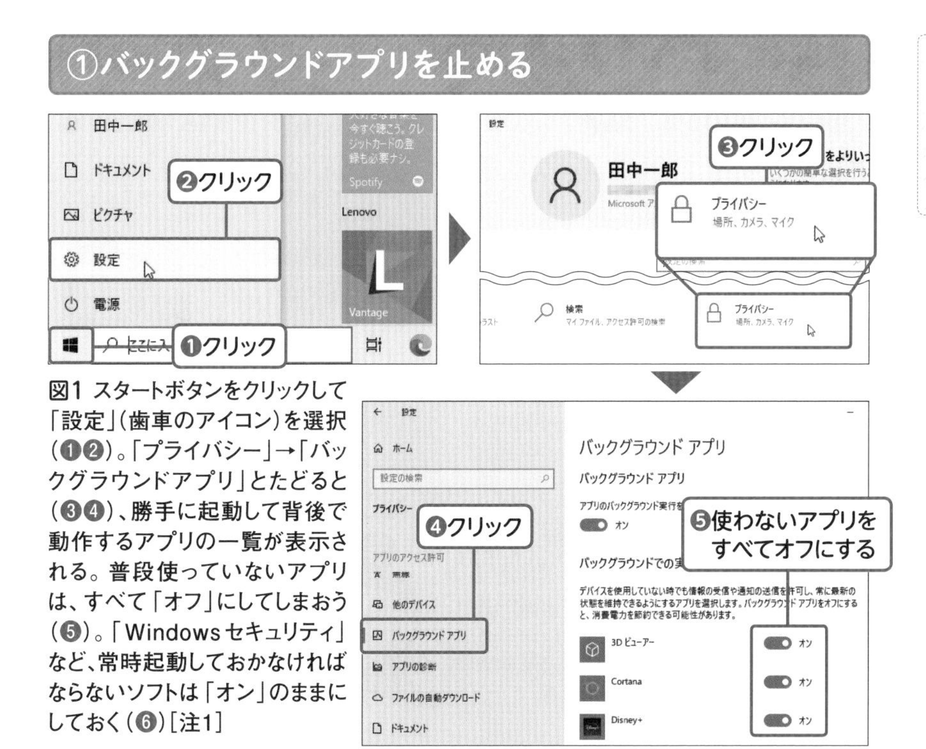

図1 スタートボタンをクリックして「設定」(歯車のアイコン)を選択(❶❷)。「プライバシー」→「バックグラウンドアプリ」とたどると(❸❹)、勝手に起動して背後で動作するアプリの一覧が表示される。普段使っていないアプリは、すべて「オフ」にしてしまおう(❺)。「Windows セキュリティ」など、常時起動しておかなければならないソフトは「オン」のままにしておく(❻)[注1]

ります。ここでは10種類の代表的な高速化テクニックを紹介します。

背後で動く余計なアプリを止める

まずは、知らないうちに起動して背後で動作する「バックグラウンドアプリ」を停止します。Windows 10では「設定」画面を開いて「プライバシー」→「バックグラウンドアプリ」とたどると、自動で起動するバックグラウンドアプリの一覧が表示されます(**図1**)。使わないアプリは「オフ」にすることで、無駄にパソコンの処理能力を消費することがなくなります。ただし、セキュリティ対策ソフトまでオフにしてしまうと、ウイルスの侵入をリアルタイムで検

[注1] Windows 11では、「設定」画面で「アプリ」→「インストールされているアプリ」を選び、使わないアプリの名前の右側の「…」から「詳細オプション」を選択。「バックグラウンドアプリのアクセス許可」を「常にオフ」にする

②透明効果をオフにする

設定 ▶ 個人用設定 ▶ 色

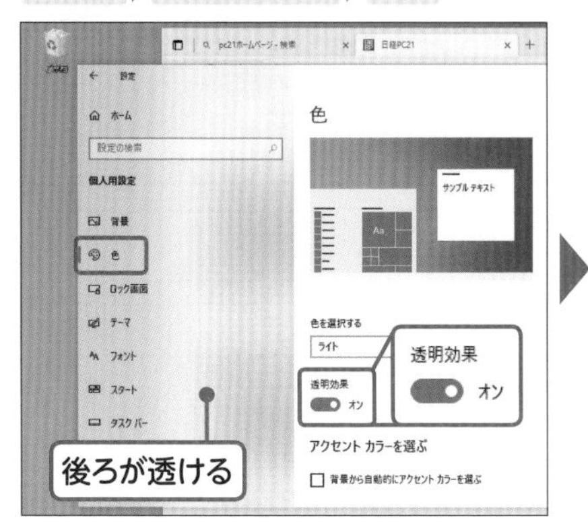

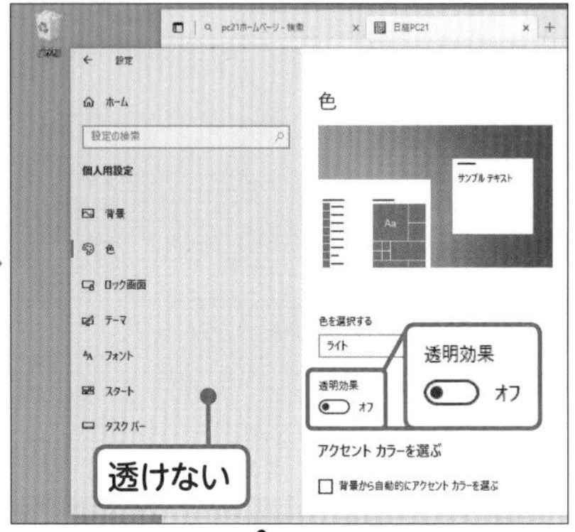

図2 「設定」画面で「個人用設定」→「色」とたどり、「透明効果」の設定を「オフ」にする。この設定がオンだと、ウインドウの一部が透けて後ろにあるものがうっすら表示される。オフにすると透明感がなくなり、文字などが見やすくなる。パソコンの負荷も軽減される

知する機能が動作しなくなってしまうので注意してください。セキュリティ対策ソフトはオンのままにすることをオススメします。

透明効果や視覚効果をオフにする

次に、ウインドウの「透明効果」をオフにしましょう。「設定」画面の「個人用設定」で「色」の項目を開くと、その中に「透明効果」というスイッチがあります（**図2**）。これは、ウインドウの一部を半透明にして、背後にあるものが透けて見えるようにする設定です。見た目はキレイなのですが、実は透明効果には、パソコンの処理能力が結構使われています。設定をオフにすることで、パソコンへの負荷を下げて高速化できます。

ほかにも、パソコンの負荷を無駄に高めている視覚効果があります。そ

③視覚効果をオフにする

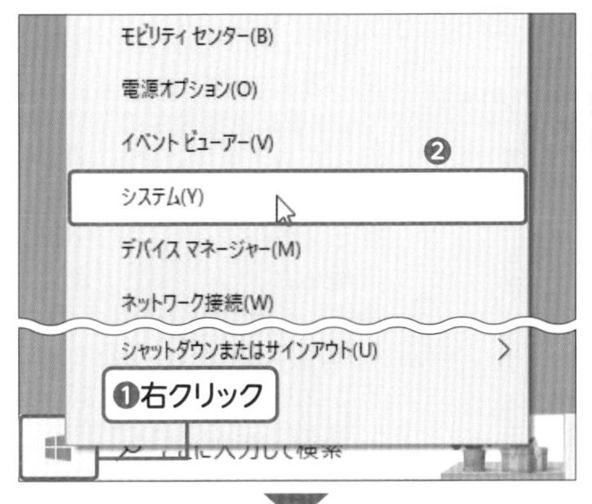

図3 スタートボタンを右クリックして「システム」を選択（❶❷）。開く設定画面の右側または下のほうにある「システムの詳細設定」をクリックする（❸）

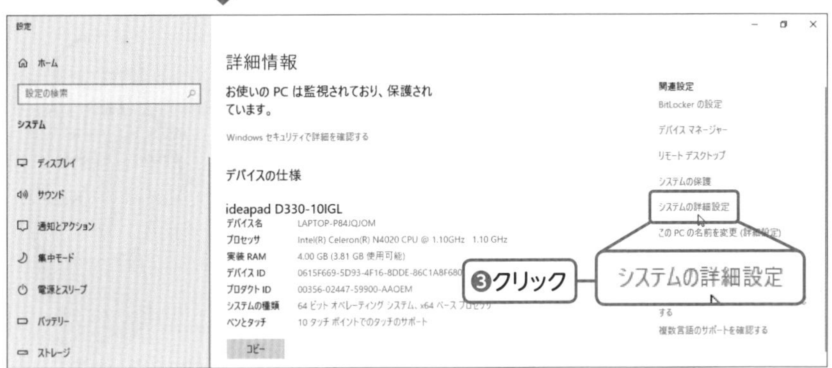

れらをオフにするには、スタートメニューを右クリックして「システム」を選び、開く画面で「システムの詳細設定」をクリックします（**図3**）。「システムのプロパティ」画面の「詳細設定」タブが表示されたら、「パフォーマンス」欄の「設定」を押すと、視覚効果を個別にオン／オフできる画面が開きます（次ページ**図4**）。ただし、すべてをオフにすると、文字の表示が汚くなるなど不都合も生じるので注意してください。「スクリーンフォントの縁を滑らかにする」などはオンのままにするのがオススメ。いろいろ試して必要なものだけ残してください。

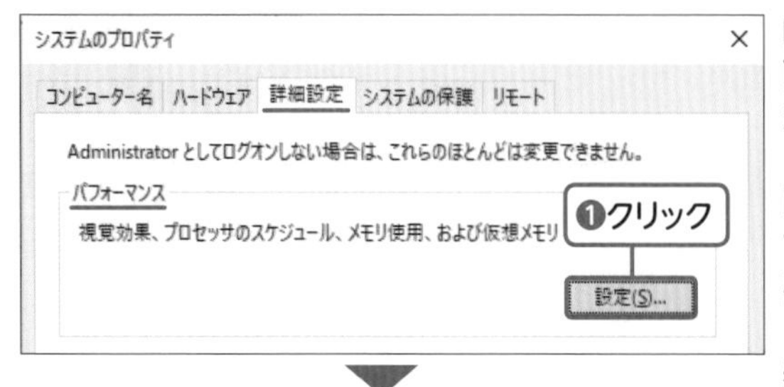

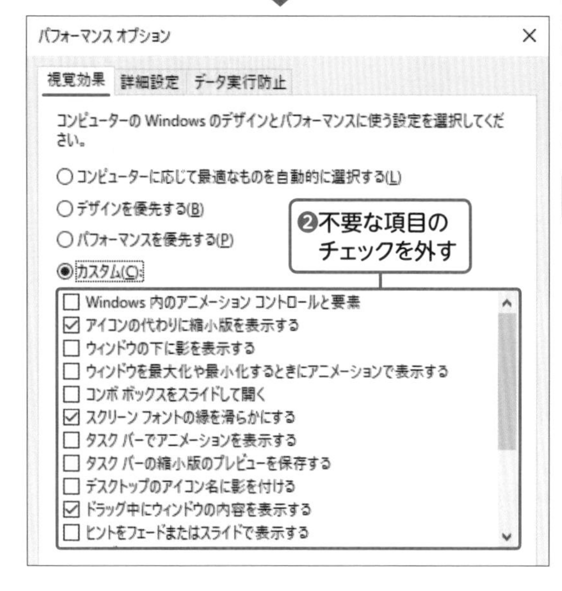

図4「システムのプロパティ」画面の「詳細設定」タブが開いたら、「パフォーマンス」欄にある「設定」ボタンをクリック（❶）。開く画面の「視覚効果」タブで、一覧にある項目のうち、不要なものをオフにする（❷）。「アイコンの代わりに縮小版を表示する」「スクリーンフォントの縁を滑らかにする」「ドラッグ中にウィンドウの内容を表示する」の3つはチェックしたままにするのがオススメだ。選択したら画面下にある「OK」を押す

スタートアップアプリを停止する

続いて、スタートアップアプリを整理しましょう。スタートアップアプリとは、Windowsが起動したときに自動的に起動するアプリのことです。勝手に起動して背後で動作するので、パソコンの処理を遅くする原因となります。

スタートアップアプリにどんなものがあるかは、「タスクマネージャー」で「スタートアップ」を選ぶと確認できます（**図5**）。そこには、パソコン起動時に自動的に立ち上がる可能性のあるアプリがリスト表示されます。「状態」

④スタートアップの整理

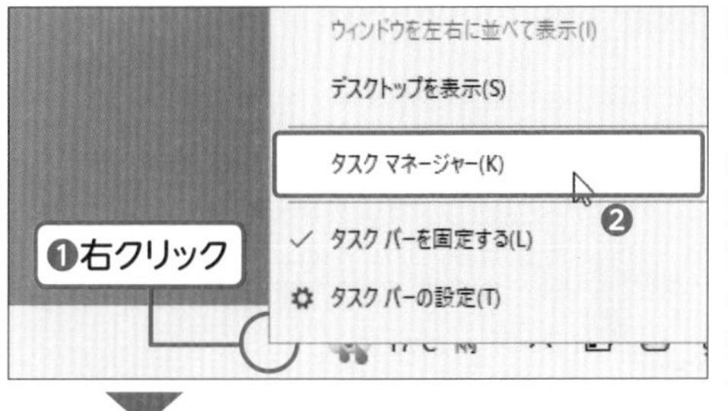

図5 タスクバーの何もない場所で右クリックし、「タスクマネージャー」を選択(❶❷)。左下のような画面が開いた場合は「詳細」をクリックし(❸)、詳細画面を開く。「スタートアップ」タブを選ぶと(❹)、自動で起動するアプリが一覧表示される。使わないものが「有効」になっていたら、選択して「無効にする」を押す(❺❻)[注2]

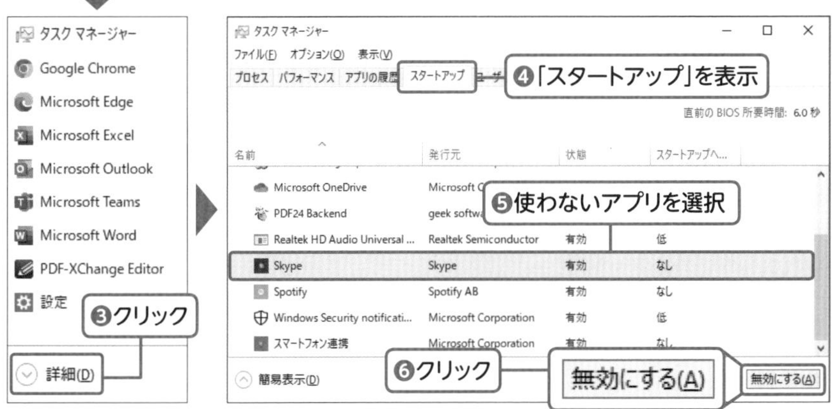

の列に「有効」と表示されているものは、自動的に起動するアプリです。このうち使わないもの、不要なものは「無効」にすることをオススメします。

なお、スタートアップを無効にするとパソコンの動作に支障が出る場合もあります。そのため、これは不要だと自信を持っていえるものだけを無効にし、よくわからないものはそのまま有効にしておいてください。

OneDriveを起動させない

勝手に起動してうっとうしいものといえば、マイクロソフトのクラウドストレージ「OneDrive」のアプリではないでしょうか。画面の右下に雲のアイコンが表示されていますが、OneDriveを使っていない人であれば、毎回勝

[注2]Windows 11では、左側のメニューで「スタートアップアプリ」を選んで一覧を表示。アプリを選択したら、上部のメニューで「無効化」を選ぶ

⑤OneDriveが起動しないようにする

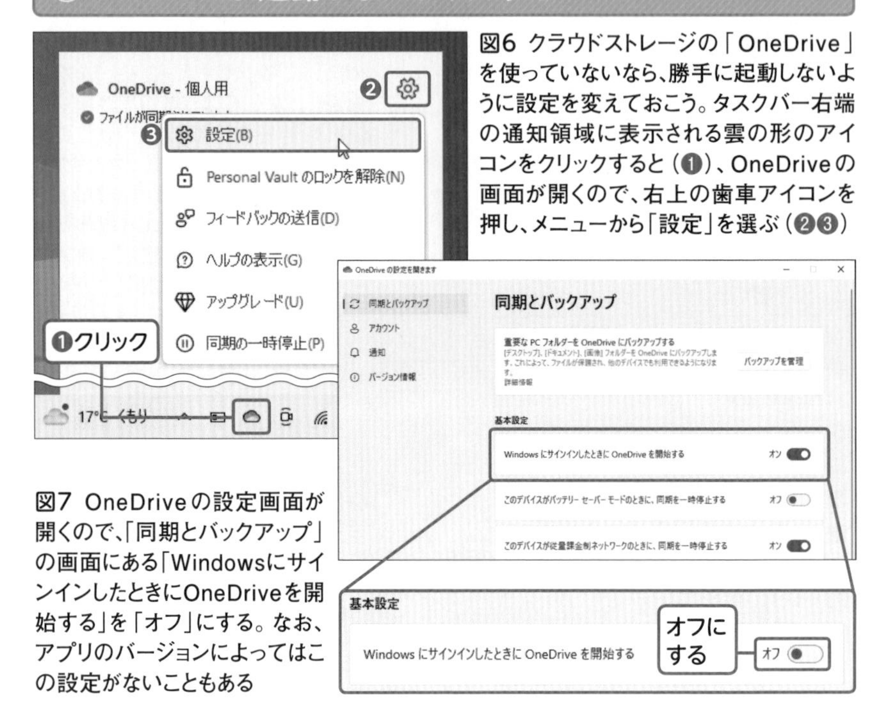

図6 クラウドストレージの「OneDrive」を使っていないなら、勝手に起動しないように設定を変えておこう。タスクバー右端の通知領域に表示される雲の形のアイコンをクリックすると（❶）、OneDriveの画面が開くので、右上の歯車アイコンを押し、メニューから「設定」を選ぶ（❷❸）

図7 OneDriveの設定画面が開くので、「同期とバックアップ」の画面にある「Windowsにサインインしたときに OneDriveを開始する」を「オフ」にする。なお、アプリのバージョンによってはこの設定がないこともある

手に起動するのを阻止したいですよね。それには雲のアイコンをクリックして歯車アイコンから「設定」を選び、開く設定画面で「Windowsにサインインしたときに OneDriveを開始する」をオフにします（**図6、図7**）。これで、以降は自動で立ち上がることがなくなります。

不要なゴミを削除する

次は、パソコンの中にたまっている余計なゴミを削除します。スタートボタンを右クリックして「ファイル名を指定して実行」を選び、「temp」と入力して「OK」を押しましょう（**図8**）。すると、「Temp」フォルダーがエクスプローラーで開きます。そこには、意味不明の名前が付いた謎のフォルダーやファイ

⑥パソコンのゴミを削除する

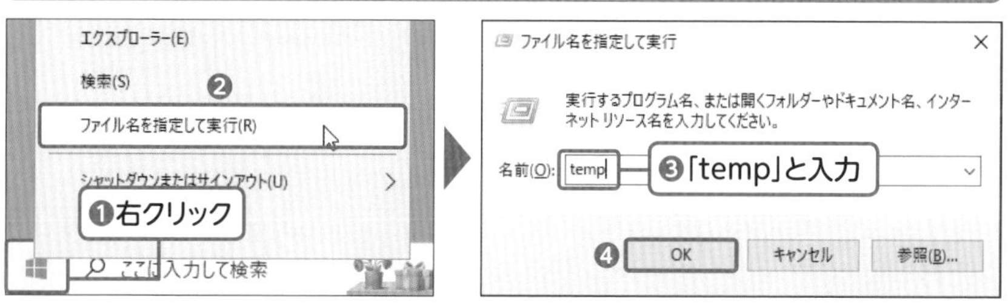

図8 スタートボタンを右クリックして「ファイル名を指定して実行」を選ぶ（❶❷）。開く画面で「temp」と半角で入力して「OK」を押す（❸❹）。「…許可がありません」と表示されたら「続行」を押す

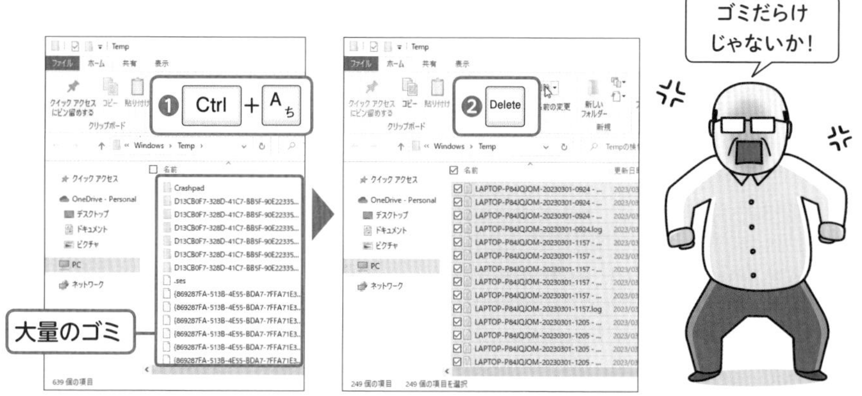

図9 エクスプローラーで「Temp」フォルダーが開く。意味不明な名前のフォルダーやファイルが大量にあるが、いずれも不要なゴミだ。「Ctrl」+「A」キーを押してすべて選択し（❶）、「Delete」キーを押して削除する（❷）

ルが大量に入っていますが、実はこれ、すべて不要なゴミです。

「Temp」というのは「一時的な」という意味の英単語「Temporary」の略です。ここには、Windowsがアップデートを実行する際などに仮に作成したデータが収められていて、作業が終わって不要になったものが捨てられずに残っているのです。ストレージの容量を無駄に使う存在なので、削除しておきましょう。「Ctrl」キーを押しながら「A」キーを押してすべて選択し、「Delete」キーを押すのが簡単です（**図9**）。途中で「…操作を完了できませ

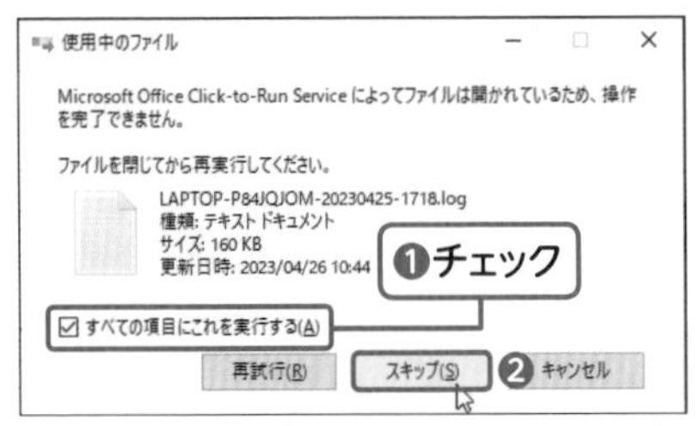

図10 途中で、「… 開かれているため、操作を完了できません」というメッセージが出たら、「すべての項目に …」にチェックを入れて（❶）、「スキップ」を押す（❷）

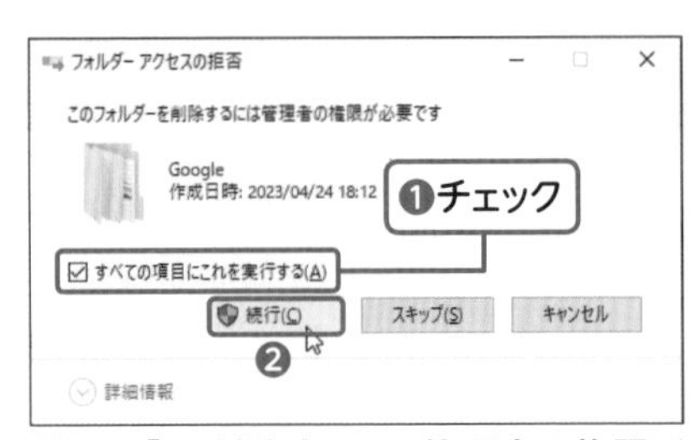

図11 「… 削除するには管理者の権限が必要です」というメッセージが表示されたら、「すべての項目に …」にチェックを入れて（❶）、「続行」を押す（❷）

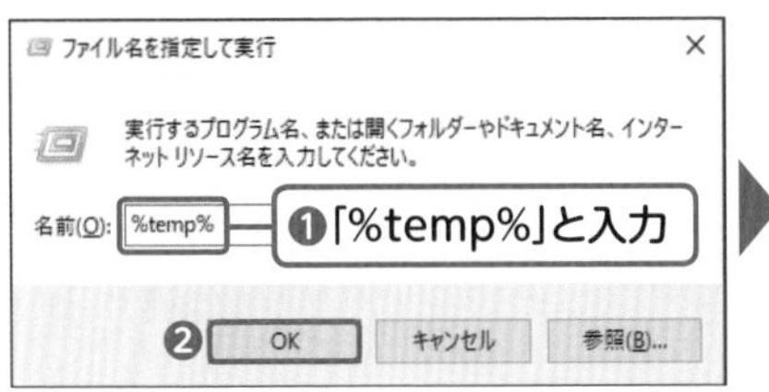

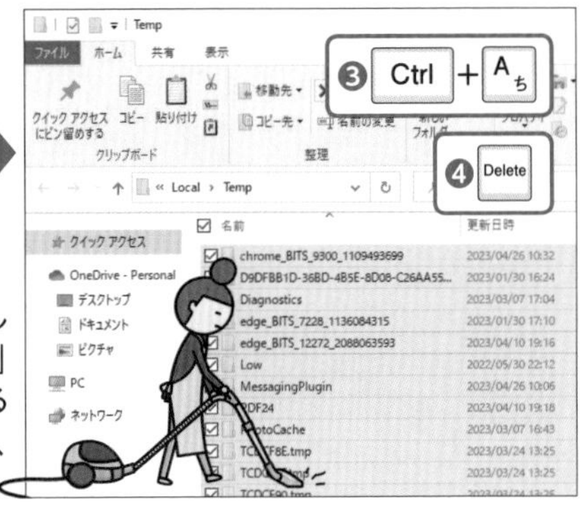

図12 図8左の要領で「ファイル名を指定して実行」画面を開いたら、今度は「% temp%」と半角で入力して「OK」を押す（❶❷）。すると別の「Temp」フォルダーが表示されるので、中身をすべて選択して削除する（❸❹）

ん」というメッセージが表示されたら、「スキップ」を選びます（**図10**）。また、「… 管理者の権限が必要です」と表示された場合は、「続行」をクリックします（**図11**）。

同様に、「ファイル名を指定して実行」画面で「%temp%」とすべて半角で入力して「OK」を押すと、別の「Temp」フォルダーが開きます（**図12**）。ここにも、一時的に使っただけの不要なデータが大量にあり、パソコンによっては数GBになることもあります。すべて選択して削除してしまいましょう。

「ディスククリーンアップ」を使う

Windowsが標準で搭載する「ディスククリーンアップ」というツールを

⑦ディスクのクリーンアップ

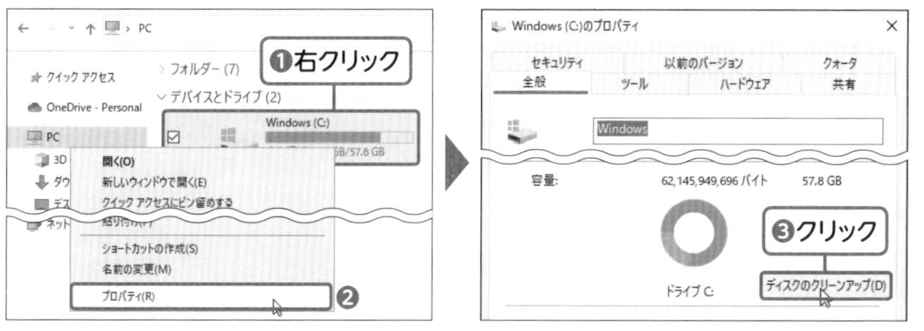

図13 エクスプローラーでCドライブを右クリックして「プロパティ」を選択（❶❷）。開く画面の「全般」タブにある「ディスクのクリーンアップ」ボタンを押す（❸）［注3］

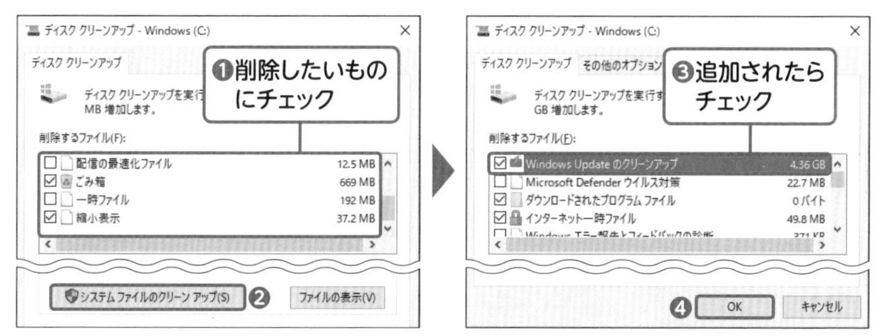

図14 「削除するファイル」の一覧で、削除したいものにチェックする（❶）。その際、「システムファイルのクリーンアップ」ボタンを押すと（❷）、「Windows Updateのクリーンアップ」といった項目が現れることがある。これは数GBに上ることもあるので、削除しておくとよい（❸❹）

使ってゴミを削除するのも有効です。Cドライブを右クリックして「プロパティ」を選び、開く画面で「ディスクのクリーンアップ」ボタンを押すと、ツールが起動します（**図13**）。「削除するファイル」の一覧で消す対象を選択できますが、「システムファイルのクリーンアップ」ボタンを押すと、さらに「Windows Updateのクリーンアップ」といった項目が追加される場合があります（**図14**）。これは数GBに達することもあるので、削除するとディスクの空きを大幅に増やせます。

［注3］Windows 11では、エクスプローラーでCドライブを選択した後、右上の「…」ボタンのメニューから「クリーンアップ」を選ぶ

⑧電源プランの管理

設定 ▶ システム ▶ 電源とスリープ

図15 「設定」画面で「システム」→「電源とスリープ」を選び、「電源の追加設定」をクリック(❶)。「電源オプション」画面が開いたら、「プラン設定の変更」をクリックする(❷)[注4]

電源設定を変更して性能アップ

次は電源プランを変更してパソコンを速くするテクニックです。**図15**、**図16**の手順で「電源オプション」の画面を開いてください。すると通常は、上部のメニューが「バランス」になっていると思います。ここで「ハイパフォーマンス」という項目を選べる場合は、それを選択するだけで、性能重視のモードに切り替えることができます。「バランス」しか選べない場合は、その下の欄で個別に設定を変更します。

「プロセッサの電源管理」をクリックして開くと、「最小のプロセッサの状態」という項目があります。標準では「5%」となっていますが、これはかなり

[注4]Windows 11では、タスクバーの検索欄で「電源プランの編集」を探して開くのが早い

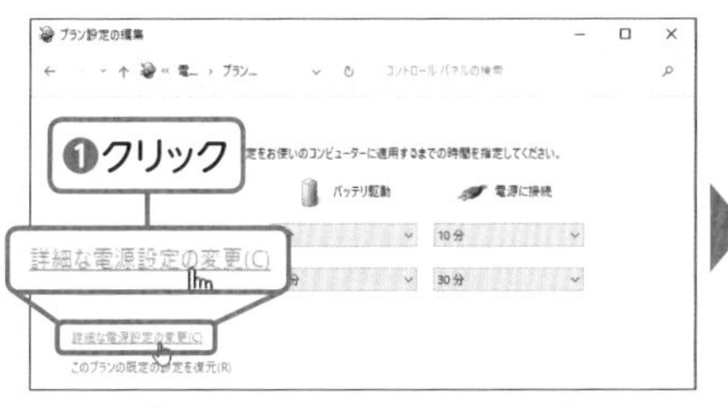

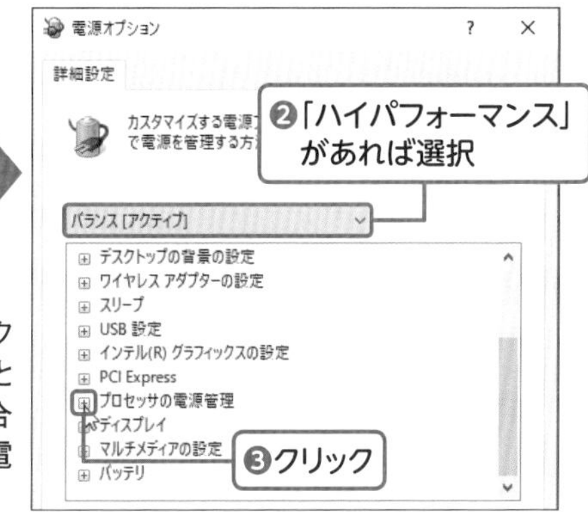

図16 「詳細な電源設定の変更」をクリック（❶）。「電源オプション」画面の「バランス」という欄で「ハイパフォーマンス」を選べる場合は、それに切り替える（❷）。「プロセッサの電源管理」の左の「＋」をクリックする（❸）

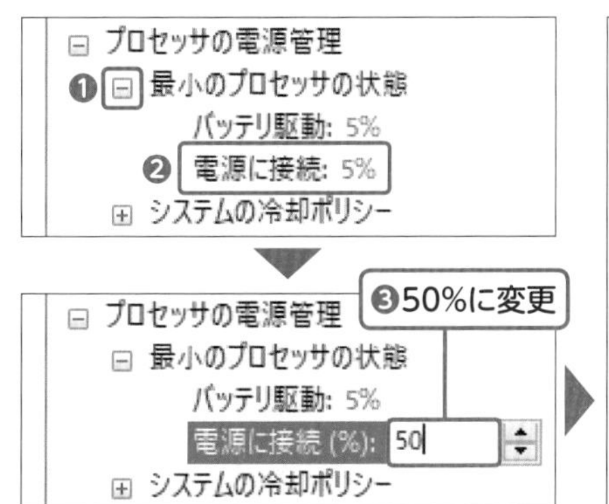

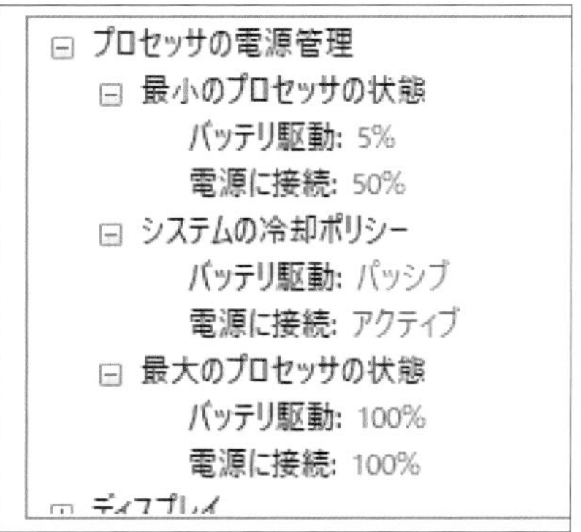

図17 「最小プロセッサの状態」の「＋」をクリックして開き（❶）、「電源に接続」の欄をクリック（❷）。「50％」に変更する（❸）。そのほか「システムの冷却ポリシー」や「最大のプロセッサの状態」が右図のようになっていない場合は変更して画面下の「OK」を押す

省エネの設定です。プロセッサを動作させるには電力が必要になるので、常に100％で動作させると、バッテリー消費が早まったり電気代が高くなったりします。そのため、普段は5％といった最低限の動作に抑えることで、電力消費を少なくしています。逆にいうと、この最小値を上げてプロセッサの動作を速くしておけば、電力消費は増えますが、最初から高い性能を引き出せるようになります。ノートパソコンの場合は、バッテリー寿命が縮まらないように、「電源に接続」のほうだけ数値を上げるとよいでしょう（**図17**）。

⑨HDDをSSDに交換／メモリーの増設

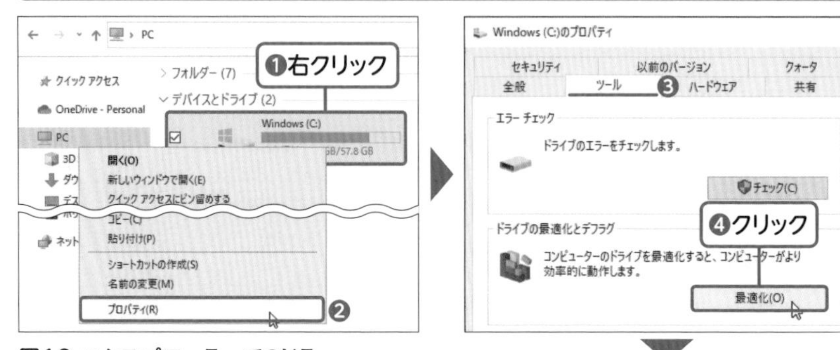

図18 エクスプローラーでCドライブを右クリックして「プロパティ」を選ぶ(❶❷)。開く画面で「ツール」タブにある「最適化」をクリック(❸❹)。「ドライブの最適化」画面に「ソリッドステートドライブ」と表示されていれば、SSDだ(❺)。ここが「ハードディスクドライブ」のときは、SSDへの交換を検討するとよい

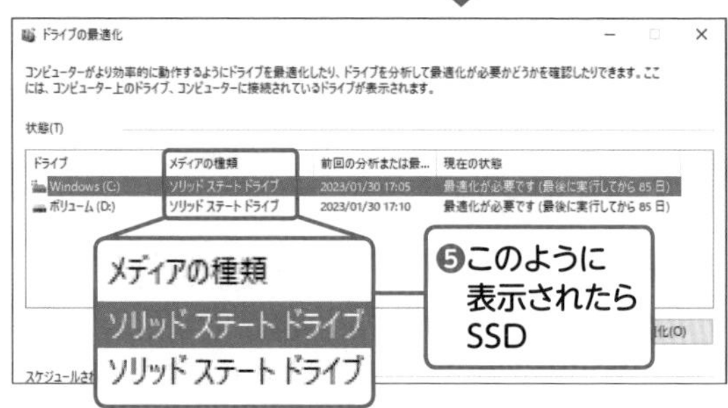

HDDをSSDに交換する

ここまで、いろいろなテクニックを紹介してきましたが、設定を変えたりゴミを削除したりするだけでパソコンを速くすることには限界があります。そもそもパソコンが持っている能力が低ければ、それ以上の性能は出せません。CPU、メモリー、ストレージ（記憶媒体）といった、パソコンを構成するパーツ自体を見直さなければならない場合もあります。なかでもポイントになるのが、ストレージとメモリーです。これらを改善することで、パソコンが劇的に速くなる可能性があります。

まずはパソコンのストレージとして何が使われているかを確認してみましょう。以前はHDD（ハードディスク）が一般的でしたが、最近はSSDが増

設定 ▶ システム ▶ 詳細情報

図19 図3と同様、スタートボタンを右クリックして「システム」を選ぶか、「設定」画面で「システム」→「詳細情報」とたどる［注5］。「デバイスの仕様」欄にある「実装RAM」の容量が、搭載されているメモリー容量だ。パソコンを快適に使うには8GB以上は欲しい

動画も見てね！

https://www.youtube.com/watch?v=hMSA89rt4DI

https://www.youtube.com/watch?v=ZoFCFqZGVyU

図20 パソコンのHDDをSSDに交換する方法や、メモリーを増設する方法は、上記URLのYouTube動画で解説しているので参考にしてほしい

えています。もしHDDが使われているようなら、それをSSDに交換することで、体感速度が2倍以上になるでしょう。交換できるかどうかはパソコンによりますが、自分で作業すれば数千円の予算で交換することも可能です。

パソコンが使用しているストレージは**図18**の手順で確認できます。そこに「ソリッドステートドライブ」と書かれていればSSDです。「ハードディスクドライブ」と書かれている場合は、SSDへの交換を検討してみましょう。

もう1つ、パソコンが遅くなる大きな要因として、メモリーの不足があります。搭載しているメモリーの容量は、**図19**の画面などで確認できます。そこにもし4GBと書かれていた場合は、圧倒的にメモリーが足りていません。8GB以上ない場合は、パソコンを快適に動かすのは難しいです。ぜひ増

［注5］Windows 11では「設定」画面の「システム」で「バージョン情報」を選ぶと表示される

⑩PCを初期状態に戻す

設定 ▶ 更新とセキュリティ ▶ 回復

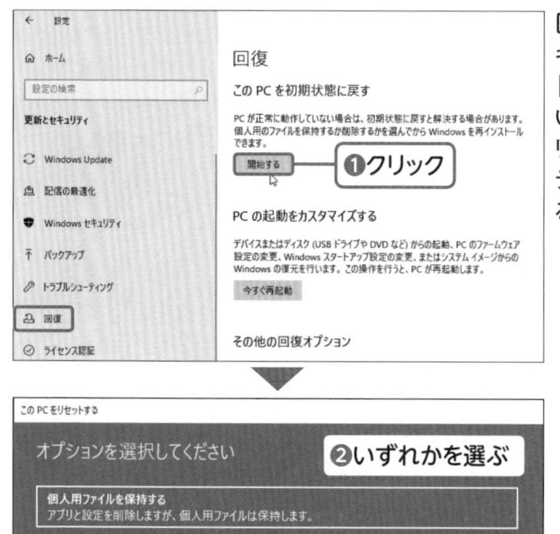

図21 「設定」画面で「更新とセキュリティ」→「回復」とたどると、「このPCを初期状態に戻す」という項目がある。「開始する」をクリックすると（❶）［注6］、個人のデータを残すか、すべて削除するかを選ぶ画面が開く（❷）

設を考えてください。

HDDをSSDに交換する方法や、メモリーの増設方法は、前ページ**図20**で示したYouTube動画で詳しく解説しています。そちらを参考にしてください。

パソコンを初期状態に戻す

最後に「パソコンを初期状態に戻す」という方法を紹介します。これまでに説明した設定変更やゴミ削除を行っても全然速くならない場合の最終手段です。「初期化」や「リセット」とも呼ばれます。これは、パソコンの性能は十分にあり、買ったばかりのころはサクサク動いていたのに、使っているうちに遅くなったという方が対象です。購入時のサクサクの状態に戻すことができます。

［注6］Windows 11では「システム」→「回復」とたどり、「PCをリセットする」をクリックする

	追加したアプリ	設定	個人データ	ユーザーアカウント
個人用ファイルを保持する	×消える	△一部残る	○残る	○残る
すべて削除する	×消える	×消える	×消える	×消える

図22 「個人用ファイルを保持する」を選ぶと、個人データやアカウントを残したままリセットできる。ただし、すべて削除したほうが、完全に初期状態に戻るので快適になる。その場合、データのバックアップは必須だ

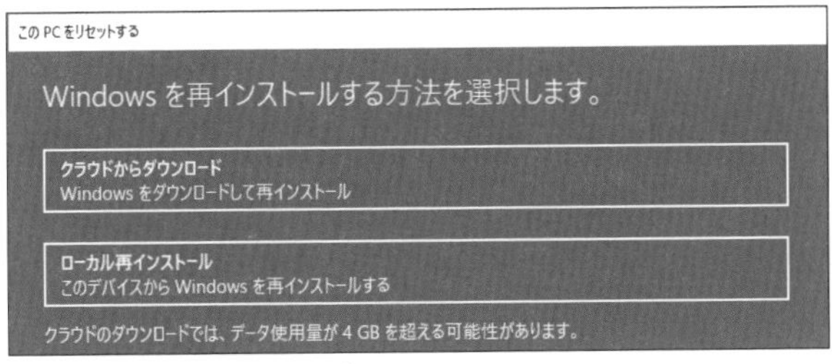

図23 図21下の画面でいずれかを選ぶと、再インストールの方法を尋ねられる。「クラウドからダウンロード」を選ぶと、最新版のWindowsをインストールできるが、通信環境によっては時間はかかる

注意したいのは、後からインストールしたアプリはすべて消えてしまう点です。自分で作成したデータは残すことも可能ですが、万一のトラブルに備えて、あらかじめデータをバックアップしてから実行するとよいでしょう。

実際の操作は、「設定」画面にある「回復」から行います（**図21**）。「開始する」をクリックし、開く画面で個人のデータを残すかどうかを選択します（**図22**）。続く画面で「クラウドからダウンロード」を選ぶと、クラウドから最新のWindowsをダウンロードして初期化することもできます（**図23**）。

初期化の効果は絶大ですが、アプリやデータが消えてしまう点にはくれぐれも注意しましょう。ご自身の判断と責任の下で実施してください。

YouTubeで動画による解説を見る

https://www.youtube.com/watch?v=8n03NV3RpYE

02

システムの健康診断

パソコンがおかしいときはコレを試せ！

パソコンの動作が不安定で、どうも調子が悪い。ひょっとしたら故障の前兆かも……。なんて思ったこと、一度はありますよね。そんなときは、お使いのパソコンの健康状態をチェックしてみることをオススメします。

そもそもパソコンは、CPUやメモリーといったパーツの集合体、つまりハードウエアに、OSというソフトウエアが入ることで成立しています。このパートではまず、ソフトウエア面の健康診断を実施していきましょう。ここでいうソフトウエアとは、Windowsのことです。OSであるWindowsが正常な

2つのツールでシステムを健康に

DISM
(展開イメージのサービスと管理ツール)

SFC
(システムファイルチェッカーツール)

現在のシステム状態をチェックして、
もし壊れていたら修復してくれる

図1 Windowsの健康をチェックするには、「DISM」「SFC」という2つの定番ツールがある。どちらもWindowsに標準で付いているものだ。これらを実行すると、システムの状態を診断でき、壊れている場合には修復できる可能性がある

●注意点
- インターネットに接続されている状態で実行する
- ウイルス対策ソフトはオフにしておく
- パソコンを使う予定がないときに実行する
- システムの復元ポイントを作成しておく

図2 DISMとSFCを実行するときは、左の点に注意する。パソコンによっては結構な時間がかかるので、時間に余裕があるときに行おう。念のため、「復元ポイント」も作成しておくとよい

状態を保てているのかをチェックしたいと思います。

利用するのは「DISM」と「SFC」という2つのツールです(**図1**)。両者の違いを説明しようとすると長くなるので割愛しますが、どちらも現在のシステムを調べて、エラーがあったら修正してくれるものです。普段は目にすることのないツールですが、どちらもWindowsに標準で付属していて、誰でも使うことができます。

なお、今回利用する方法は、パソコンがインターネットに接続している必要があります(**図2**)。またウイルス対策ソフトの機能は一時的にオフにしておいたほうが無難です。そして非常に時間がかかる可能性もありますので、長時間パソコンを使う必要がないタイミングで実施するとよいでしょう。

万一に備えて「復元ポイント」を作成

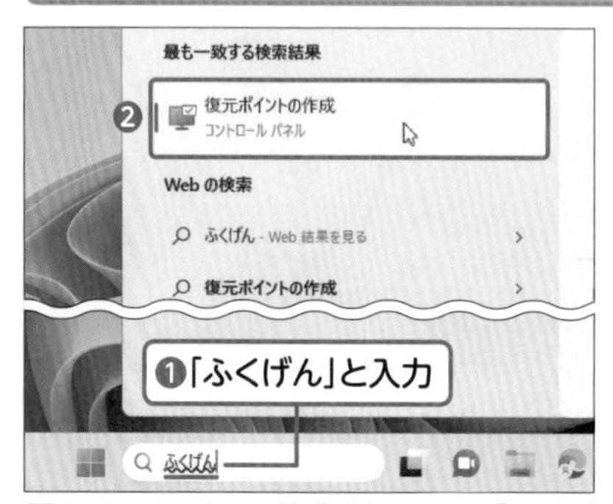

図3 タスクバーの検索ボックスに「ふくげん」と入力し（❶）、表示される「復元ポイントの作成」を選ぶ（❷）

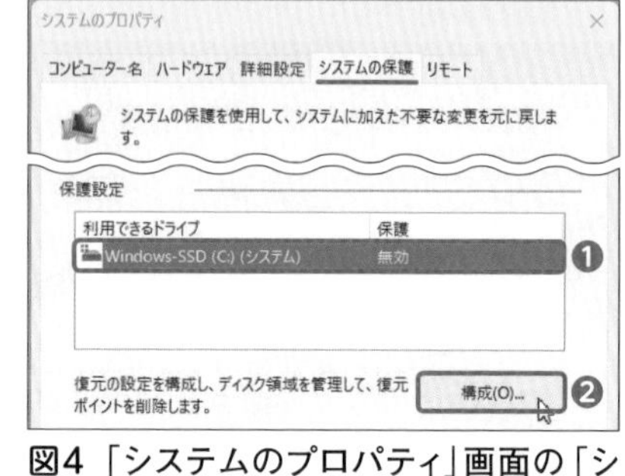

図4 「システムのプロパティ」画面の「システムの保護」タブが開く。標準では「無効」になっているので、Cドライブを選択して（❶）、「構成」ボタンを押す（❷）

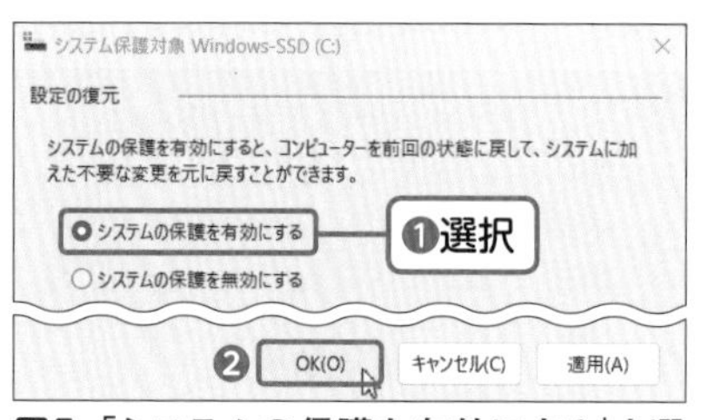

図5 「システムの保護を有効にする」を選び（❶）、「OK」をクリックする（❷）

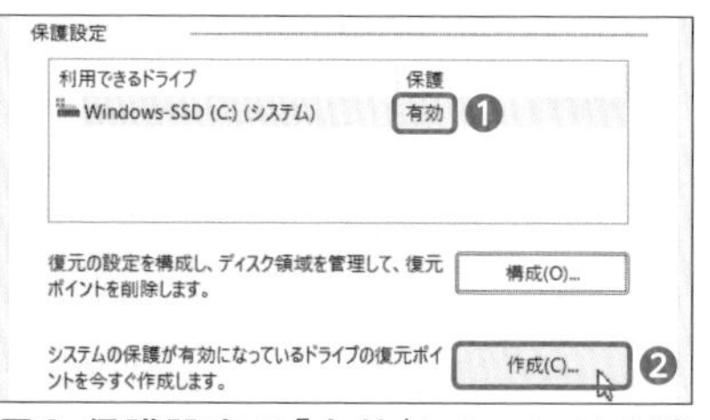

図6 保護設定が「有効」になったことを確認（❶）。「作成」ボタンをクリックする（❷）

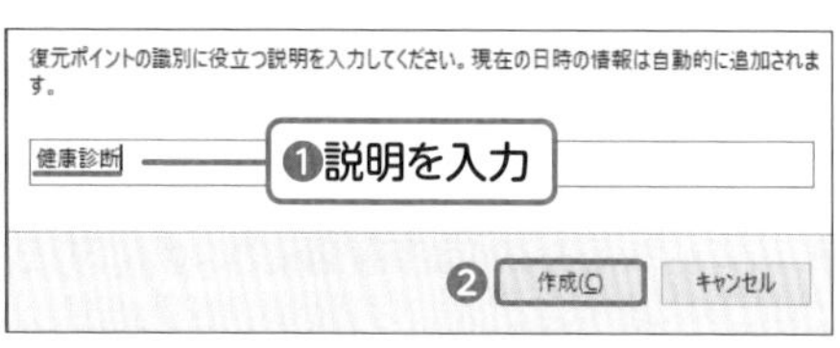

図7 復元ポイントの説明を入力し（❶）、「作成」ボタンを押す（❷）

長年これらのツールを利用してきましたが、この作業を行ってパソコンがおかしくなった経験は一度もありません。でも、システムを修復する作業となりますので、「復元ポイント」は作成しておきましょう。万一の場合に、システムを元の状態に戻せるからです。その手順は**図3～図7**の通りです。

ウイルス対策ソフトについても、オンのまま実行して何か問題が起きたと

ウイルス対策ソフトをオフにする

図8 Windowsに標準で付属する「Windows Defender」の場合、タスクバーの右のほうにある「∧」をクリックして（❶）、開く一覧で盾のアイコンをクリックする（❷）

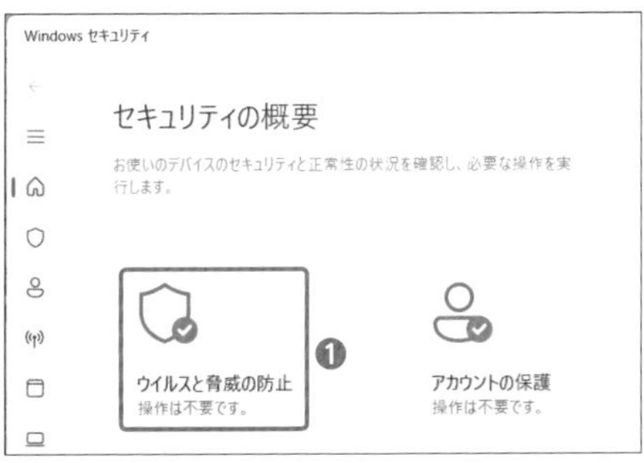

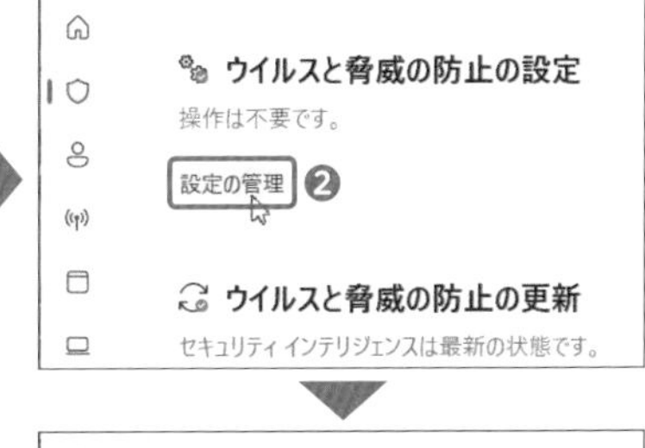

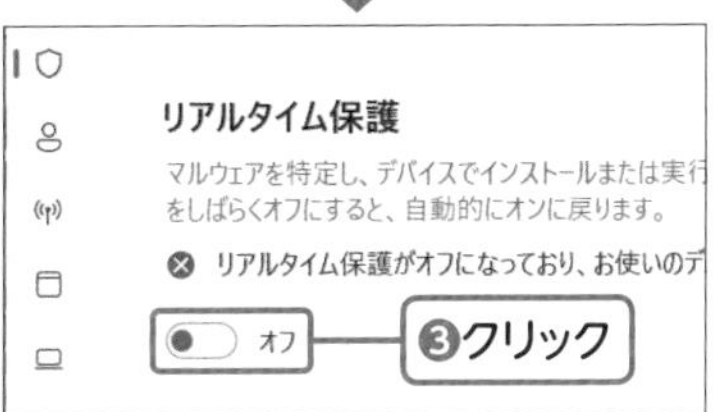

図9 「Windowsセキュリティ」の画面が開いたら、「ウイルスと脅威の防止」を選び（❶）、続く画面で「ウイルスと脅威の防止の設定」にある「設定の管理」をクリック（❷）。設定画面が開いたら、「リアルタイム保護」を「オフ」にする（❸）

いう話は聞いたことがありません。しかし、一応、オフにして実行するのが基本となっています。オフにする手順はウイルス対策ソフトによって異なりますが、Windowsに標準で付いている「Windows Defender」の場合は、**図8**、**図9**の要領で、「リアルタイム保護」をオフにします。Defenderの場合、しばらくすると自動的にオンに戻りますので、作業が終わった後で設定を戻す手間はかかりません。

「コマンドプロンプト」でツールを実行

さて、ここからが本番です。健康診断に使うDISMとSFCは、「コマンドプ

「コマンドプロンプト」を管理者として起動

図10 タスクバーの検索ボックスに「こまんど」と入力すると（❶）、候補として「コマンドプロンプト」が表示されるので（❷）、右側の「管理者として実行」を選ぶ（❸）

図11 上端に「管理者:コマンド プロンプト」と表示された黒いウインドウが開く。これがコマンドプロンプトの画面。フォルダー（ディレクトリ）の場所を表す文字列（パス）の右に「>」記号が表示されている点に注目しよう。ここにコマンドを入力して使う

ロンプト」というものを使って実行します。タスクバーの検索ボックスに「こまんど」と入力すると候補に現れるので、選択して「管理者として実行」を選びます（**図10**）。単純に開くと、実行に失敗するので注意してください。

コマンドプロンプトは、英字の文字列をコマンド（命令）として入力することでパソコンを操作する画面です（**図11**）。標準では黒い画面に白い文字だけが表示されます。一見、難しそうに感じるかもしれませんが、これからやることは、めちゃくちゃ簡単なので安心してください。

今回実行するコマンドは、**図12**の2つです。ちょっと長いので、1文字ず

DISMのコマンドを実行する

今回実行する2つのコマンド

❶ DISM.exe /Online /Cleanup-image /Restorehealth

❷ sfc /scannow

図12 システムの健康診断では、DISMとSFCという2つのツールをコマンドプロンプトで実行する。それぞれ、上記2つのコマンドを半角文字で入力して実行する（スラッシュの前はいずれも半角スペース）

図13 上記のコマンドを間違いなく入力するのは大変なので、YouTubeの動画ページに、テキストを記載してある。左記URLのページで灰色の概要欄をクリックして開き、まずは「DISM.exe…」というコマンドをコピーする（❶❷）

図14 コピーしたコマンドをコマンドプロンプトに貼り付けるには、「Ctrl」キーを押しながら「V」キーを押す（❶）。貼り付けたら「Enter」キーを押すと実行できる（❷）

つ入力していくと、間違ってしまうかもしれません。そこで、YouTube動画の概要欄に、コマンドのテキストを掲載しています。それをコピーして使ってください（**図13**）。コマンドプロンプトに貼り付ける際は、メニューが使えません。「Ctrl」キーを押しながら「V」キーを押して貼り付けます（**図14**）。貼り付けた後に「Enter」キーを押せば実行されます。

「操作は正常に完了しました。」と表示されればチェックと復元は完了です

SFCのコマンドを実行する

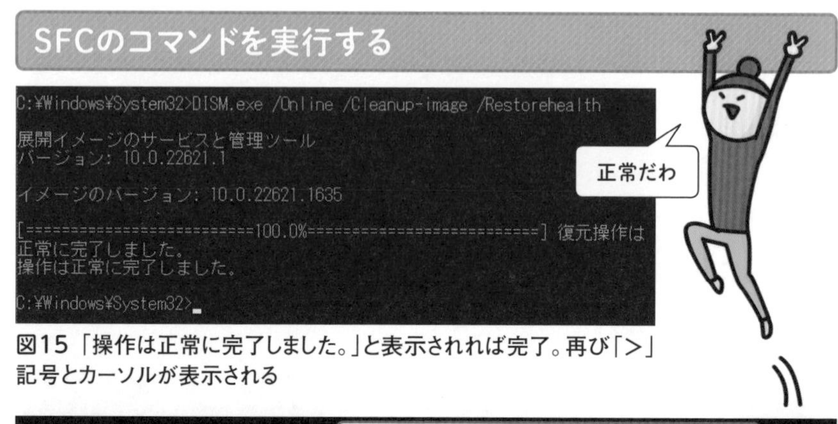

図15 「操作は正常に完了しました。」と表示されれば完了。再び「>」記号とカーソルが表示される

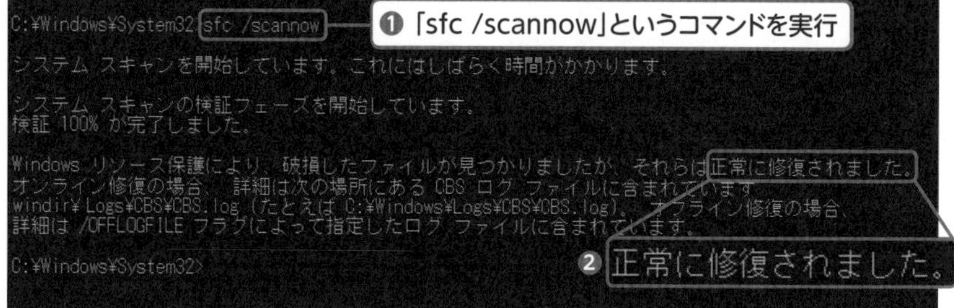

図16 同様に「sfc /scannow」というコマンドを実行する。図13の動画ページにあるテキストをコピーし、「Ctrl」+「V」キーで貼り付けて実行すると確実だ(❶)。「破損したファイルが見つかりましたが、それらは正常に修復されました。」と表示されれば、修復が完了(❷)。特に問題が見つからなかった場合は、「整合性違反を検出しませんでした。」と表示される。コマンドプロンプトを終了するには、右上の「×」ボタンを押して画面を閉じればよい

(**図15**)。続いて、SFCのコマンドを実行しましょう。これも、図13の動画ページにテキストを掲載していますので、それをコピーしてコマンドプロンプトに貼り付け、実行してください(**図16**)。問題が見つかった場合は修復が実行され、「正常に修復されました。」と表示されます。

なぜこうしたチェック作業が必要になるかというと、例えばWindows Updateなどを通じたシステムの更新時に、ファイルの書き換えに失敗したり、ファイルが壊れたりすることがまれにあります。ユーザーが誤ってシステムファイルを削除してしまったケースなども含め、何らかの原因でシステム

こんなエラーが表示されたら…

Windowsリソース保護は要求された操作を実行できませんでした。

▼

「chkdsk C: /r」を実行する

❶「chkdsk C: /r」というコマンドを実行

❷ Y と入力して Enter を押す

```
C:¥Windows¥System32>chkdsk C: /r
ファイル システムの種類は NTFS です。
現在のドライブはロックできません。

ボリュームが別のプロセスで使用されているため、CHKDSK を
実行できません。次回のシステム再起動時に、このボリュームの
チェックをスケジュールしますか (Y/N)? Y

次回のシステム再起動時に、このボリュームはチェックされます。

C:¥Windows¥System32>_
```

図17 「… 操作を実行できませんでした。」というエラーが表示されたときは、「chkdsk C: /r」と入力して「Enter」キーを押す（❶）。このコマンドも、図13の動画ページからテキストをコピーできるので、それを貼り付けて実行してもよい。「… チェックをスケジュールしますか（Y/N）?」と聞かれるので、「Y」と入力して「Enter」キーを押す（❷）。その後、パソコンを再起動して、改めて図16の手順でSFCのコマンドをやり直す

に不整合が起きると、パソコンが不安定になったり、ブルースクリーンが発生する原因になったりします。そのため、今回のような作業を通じて定期的にシステムをチェックしてあげて、修復する必要があるわけです。

ちなみに、DISMとSFCを実行する順番ですが、現在はDISMを先に実行するのが正解となっています。マイクロソフトは以前、SFCを先に実行するようにと説明していたのですが、2019年からはDISMのほうから実行するようにとアナウンスしています。また、これらは1回ずつ実行すればよいというわけではありません。完全にエラーを取り除きたければ、このセットを3回くらい実行することをオススメします。というのも、1回実行して修復が終わったと思ったら、2回目を実行するとまた修復が始まるようなケースがよく

Windowsリソース保護により、破損したファイルが見つかりましたが、それらの一部は修復できませんでした。

▼

もう一度DISMを実行する

図18「… 破損したファイルが見つかりましたが、それらの一部は修復できませんでした。」と表示されたときは、再びDISMのコマンドを実行し、その後で再びSFCのコマンドをやり直す

Windowsリソース保護は、修復サービスを開始できませんでした。

▼

以下の2つのコマンドを順番に実行する

❶ sc config trustedinstaller start= auto

❷ net start trustedinstaller

```
C:¥Windows¥System32>sc config trustedinstaller start= auto ❶
[SC] ChangeServiceConfig SUCCESS

C:¥Windows¥System32>net start trustedinstaller ❷
Windows Modules Installer サービスを開始します.
Windows Modules Installer サービスは正常に開始されました。


C:¥Windows¥System32>_
```

図19「… 修復サービスを開始できませんでした。」と表示されたときは、上記❶❷のコマンドを順番に実行する。各単語の間は半角スペースを入れる。どちらのコマンドも、図13の動画ページにテキストを記載しているので、コピーして実行すると確実だ。完了したら、再びSFCのコマンドをやり直す

あるからです。エラーがなくなるまで、何回も繰り返すとよいでしょう。

チェックした結果、修復が正常に行われずに、エラーメッセージが表示されることもあります。エラーの例とその対処方法を前ページ**図17**〜**図19**に示しました。どのコマンドも、図13の動画ページにテキストを掲載していま

もしもトラブルが発生したら…

図20　万一、システムに何らかのトラブルが生じたら、26ページで作成した「復元ポイント」を利用して、システムを元の状態に戻す。図4の画面を開いて、「システムの復元」ボタンをクリックする

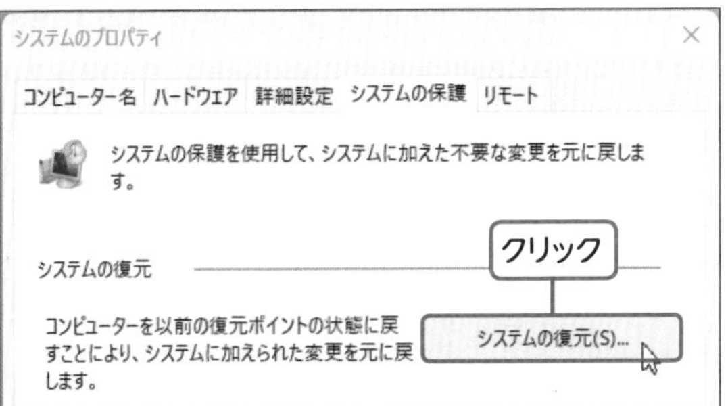

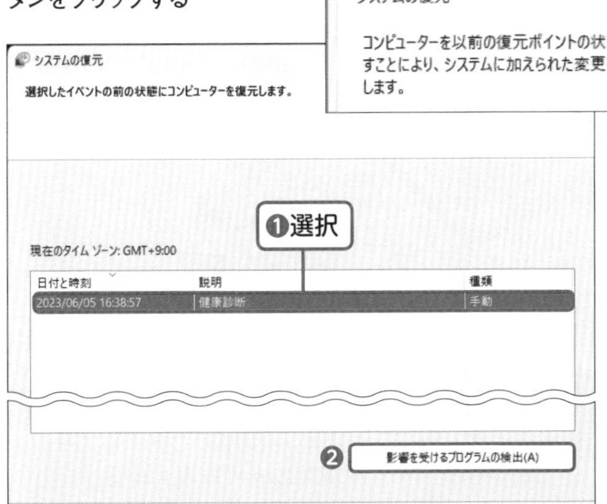

図21　復元ポイントの一覧が表示されるので（図では1つ）、どの時点に戻すかを選ぶ（❶）。「影響を受けるプログラムの検出」をクリックすると（❷）、削除されるプログラムなどをチェックできる。「次へ」を押し（❸）、確認画面で「完了」を押すと、復元作業が始まる。復元中はパソコンを操作できないので、時間に余裕があるときに実行しよう

すので、コピペして利用してください。

そして、万一システムにトラブルが発生したときは、事前に作成した「復元ポイント」を利用して、元の状態に戻します。26ページ図3の要領で「システムのプロパティ」画面を開き、「システムの保護」タブにある「システムの復元」をクリックします（**図20**）。すると、復元ポイントの一覧が表示され、選択した時点の状態にシステムを復元できます（**図21**）。

YouTubeで動画による解説を見る

https://www.youtube.com/watch?v=2gk6DpiEGDo

ハードウエアの健康診断

CPU、メモリー、ストレージの状態をチェック

パソコンの健康状態を診断するということで、前のパートではソフトウエア面の問題をチェックする方法を解説しました。続くこのパートでは、ハードウエア面の診断を行っていきましょう。パソコンのハードウエアの中で、特に重要な役割を担っているのがCPU、メモリー、ストレージの3つです。

ご存じかと思いますが、CPUは「Central Processing Unit(中央演算処理装置)」の略で、パソコンの“頭脳”といえる存在です(**図1**)。各種の計算を行うところで、その計算能力が高ければ高いほど、パソコンの処理能力

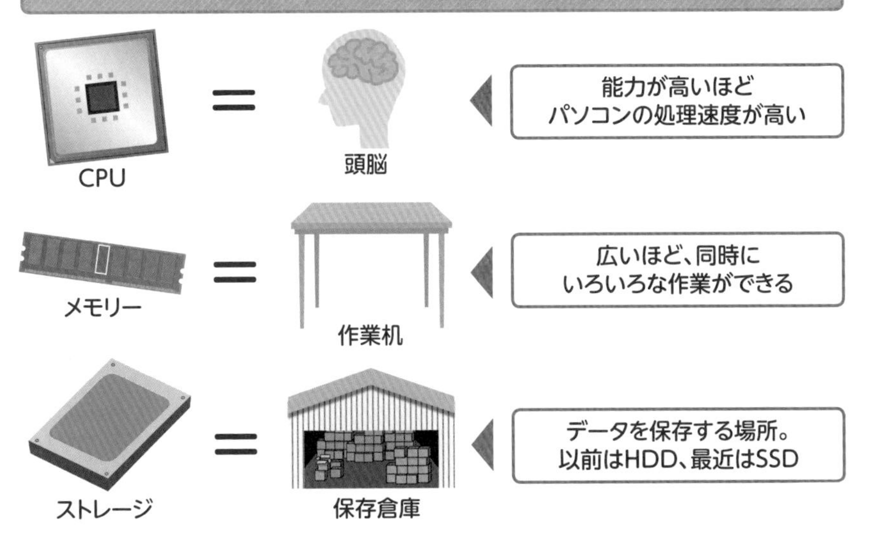

図1 CPUはパソコンの頭脳、メモリーは作業机、ストレージはデータの保管倉庫に例えられる。これらの能力は、パソコン全体の性能を大きく左右する

は高くなります。

メモリーは、パソコンが作業をするための“作業机”に例えられます。机が小さいと1つの作業しかできなかったり、物や道具を出したりしまったりしながら作業をするので効率が悪くなりますね。逆に机が広ければ、一度にたくさんの物や道具を出しっぱなしにして、複数の作業を同時進行することも可能です。ただし、机が大きすぎても、使わないスペースができて無駄が生じます。メモリーは、あればあるだけ良いというものでもありません。

ストレージは記憶装置のことで、データの“保存倉庫”のようなものです。以前はHDD（ハードディスク）が主流でしたが、最近はSSDを搭載したパソコンが増えていますね。このストレージの処理速度も、パソコン全体の処理速度に直結します。

パソコンの計算処理はCPUが行うのだから、ストレージの速度なんて関

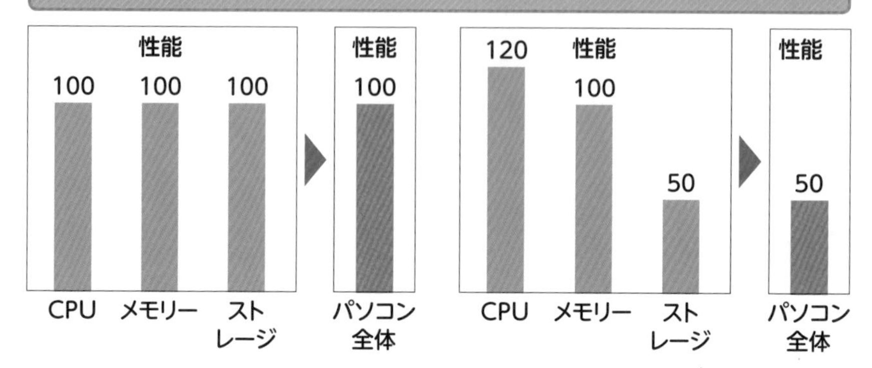

図2 頭脳であるCPUの性能が高いからといってパソコンの処理速度が高まるとは限らない。例えば保管庫であるストレージの性能が低く、データの出し入れが遅くなると、それが足を引っ張ってパソコン全体の処理も遅くなる。3つのパーツのバランスが大切だ

係ないだろうと思う人がいるかもしれませんが、それは違います。CPUの計算がいくら高速でも、計算対象となるデータをストレージから読み出したり、結果をストレージに記録したりするのに時間がかかってしまうと、CPUは次の計算に移れません。その待ち時間を減らすために、ストレージよりも高速なメモリーを作業机として利用するわけですが、メモリーの容量が小さくてデータの置き場所が足りなければ、やはりストレージの読み書きが発生します。逆に、メモリーやストレージの性能が十分高くても、CPUの計算能力が低ければ、処理は遅くなってしまいます。

3つのパーツのバランスが大切

つまり、CPU、メモリー、ストレージという3つのバランスが大切で、1つでも足を引っ張るパーツがあると、その性能がパソコン全体の処理能力に影響するというわけです（**図2**）。従って、お使いのパソコンが遅いと感じているのであれば、これら3つのうち、どのパーツの性能が足りていないのか、

「タスクマネージャー」を起動する

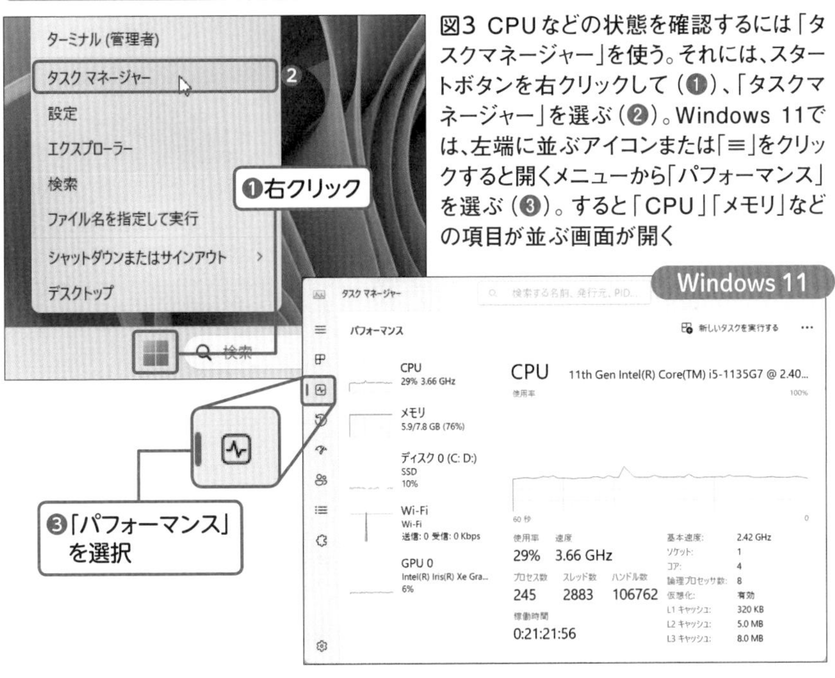

図3 CPUなどの状態を確認するには「タスクマネージャー」を使う。それには、スタートボタンを右クリックして(❶)、「タスクマネージャー」を選ぶ(❷)。Windows 11では、左端に並ぶアイコンまたは「≡」をクリックすると開くメニューから「パフォーマンス」を選ぶ(❸)。すると「CPU」「メモリ」などの項目が並ぶ画面が開く

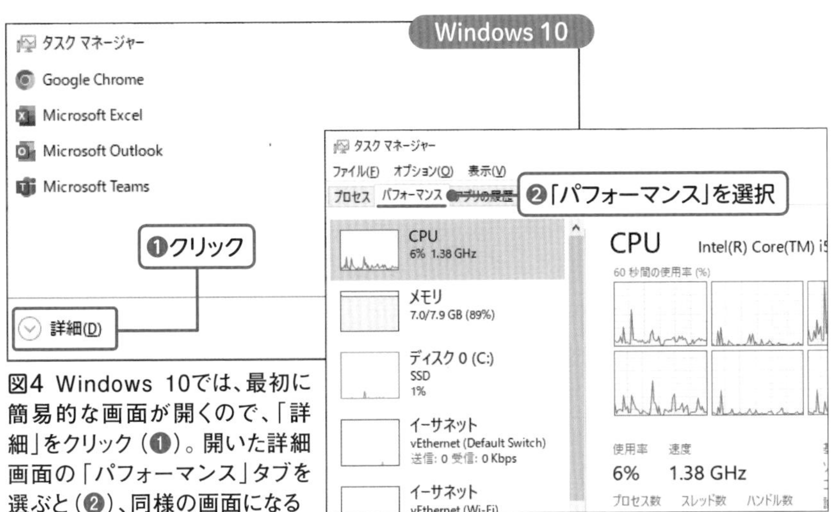

図4 Windows 10では、最初に簡易的な画面が開くので、「詳細」をクリック(❶)。開いた詳細画面の「パフォーマンス」タブを選ぶと(❷)、同様の画面になる

各パーツの使用率をチェック

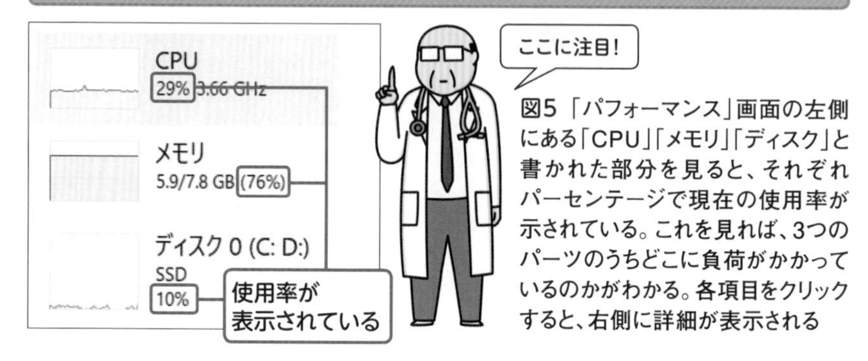

図5 「パフォーマンス」画面の左側にある「CPU」「メモリ」「ディスク」と書かれた部分を見ると、それぞれパーセンテージで現在の使用率が示されている。これを見れば、3つのパーツのうちどこに負荷がかかっているのかがわかる。各項目をクリックすると、右側に詳細が表示される

あるいは壊れかかっているのか、などをチェックする必要があります。

それには、「タスクマネージャー」を起動して、「パフォーマンス」の画面を表示します（前ページ**図3、図4**）。すると、左側に「CPU」「メモリ」「ディスク」と並んでいます。「ディスク」というのがストレージのことです。それらの項目名の下に、%の表示がありますね（**図5**）。これは、今この段階で各パーツにどのくらいの負荷がかかっているかを表すものです。

自分が普段パソコンを使っていて、重く感じる作業をしているとき、この画面を見てください。すると、どのパーツに一番負荷がかかっているのか、どのパーツが足を引っ張って処理を遅くしているのかがわかります。

古いパソコンでよく見かける、パソコンの起動に長い時間がかかり、その後もしばらく動作が重たくなるようなケースでは、ストレージに大きな負荷がかかっていることが多いです（**図6**）。恐らく原因は、ストレージが処理速度の遅いHDDであるためです。その場合は、HDDをSSDに交換してあげると、パソコンは息を吹き返したように速くなるでしょう（**図7**）。

ストレージの状態をチェックする

SSDを使っているのにディスクに負荷がかかりやすい場合や、HDDでは

ディスクの使用率が100%になると激遅に…

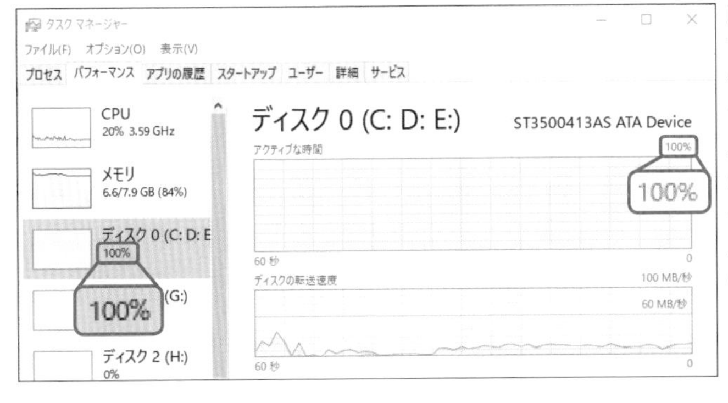

図6 古いパソコンでは、「ディスク」の使用率が頻繁に100%になるなど、ストレージに負荷がかかって動作が遅くなることが多い。ストレージがHDDの場合に特に多い

HDDの場合はSSDに交換

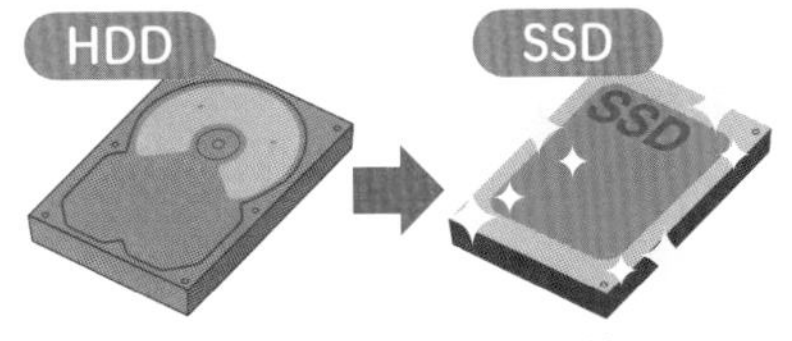

図7 処理速度の遅いHDDを使っているために、パソコン全体の動作が遅くなっている場合は、より高速なSSDにストレージを交換するとよい。機種によっては交換できないケースもあるが、右の動画で詳しく解説しているので参考にしてほしい

https://www.youtube.com/watch?v=hMSA89rt4DI

あるけれど以前は高速に動いていて、最近になって速度が落ちてきたという場合は、ストレージの状態が悪くなっている可能性があります。そのようなパソコンでは、より詳しくストレージの情報を確認することをオススメします。

利用するのは「CrystalDiskInfo」というフリーソフトです。Googleで「CrystalDiskInfo　窓の杜」と入力して検索すると、「窓の杜」というフリーソフトの公開サイトが見つかるので、そこから入手してください（次ページ図8）。ダウンロードしたファイルをダブルクリックしてインストールします。

ディスクの健康状態を診断するツール

クリスタルディスクインフォ

CrystalDiskInfo

https://forest.watch.impress.co.jp/library/software/crdiskinfo/

図8 「CrystalDiskInfo」というフリーソフトを使うと、HDDやSSDの健康状態を確認できる。このソフトは上記URLの「窓の杜」サイトからダウンロードできる（❶❷）

CrystalDiskInfoを起動すると、**図9**のような画面が開きます。左上のほうに「正常」と表示されていれば、ひとまず安心です。もしも「注意」と表示されていたら、不良セクタの代替え処理というものが発生してしまっています。だからといって、すぐに壊れるというわけではありませんが、そのまま使い続けるのであれば、いつ壊れてもいいようにデータをバックアップしておくなどの対策が必要です。そして「異常」と表示されていた場合は、もうすでに障害が起きている可能性が非常に高い状態ですので、ストレージの交換を強くオススメします。交換は、図7の動画で紹介しているHDDからSSDに交換する手順と同じ要領で可能です。

書き込んだ総量から寿命を考える

CrystalDiskInfoの画面右上のほうにも注目しましょう。そこには、過去に

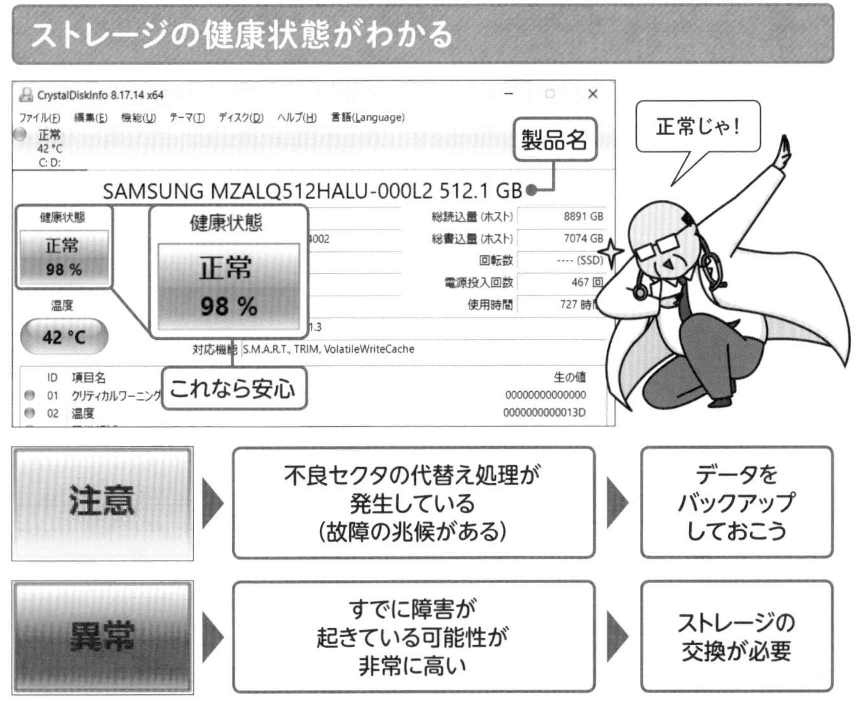

図9 CrystalDiskInfoの画面。左上のほうに、ストレージの健康状態が「正常」「注意」「異常」などと表示される。もし「注意」と表示されたら、念のためデータをバックアップ。「異常」のときはデータをバックアップしたうえで交換したほうがよい

どのくらいデータを読み書きしたのか、どのくらい電源を入れて何時間使ったのか、といった情報が表示されています。この情報を参考に、そのストレージがあとどのくらい使用可能かを推測することもできます（次ページ**図10**）。

SSDには、「TBW」という指標があります。これは、製品の寿命がくるまでにおよそ何TBのデータを書き込めるのかという目安です。例えばTBWが100TBの製品は、100TBのデータを書き込んだら壊れますよ、ということです。TBWは製品によって異なりますが、一般には256GBの製品で150TB、500GBの製品で300TB、といったあたりが平均的です（**図11**）。お使いの製品のTBWは、SSDメーカーのウェブサイトなどで調べられます。

ストレージの寿命はどのくらい?

DL2 512.1 GB

総読込量 (ホスト)	8891 GB
総書込量 (ホスト)	7074 GB
回転数	---- (SSD)
電源投入回数	467 回
使用時間	727 時間

図10 CrystalDiskInfoの画面の右上のほうを見ると、そのストレージが今までどのくらい使用されてきたかがわかる。例えば「総書込量」は、これまで書き込んだデータの量。「電源投入回数」や「使用時間」では、そのストレージがこれまでに何回電源を入れて、何時間使ってきたかがわかる

●SSDの寿命の目安

TBW=寿命までに何TB書き込めるのか

容量	TBWの目安	容量	TBWの目安
256GB	150TB	1TB	600TB
500GB	300TB	2TB	1200TB

図11 SSDの寿命の目安になるのが「TBW」という値。これは製品ごとに異なり、一般に、容量256GBのSSDなら150TB。TBWはSSDメーカーのウェブサイトなどで確認しよう

SSDの製品名(型番)は、CrystalDiskInfoの画面上部に表示されているので、検索して調べてみてください。CrystalDiskInfoに表示された総書き込み量とTBWを比べれば、お手持ちのSSDがあとどのくらい使用できるのか、おおよその目安になるでしょう。

Windowsの標準ツールでエラーチェック

実はWindowsの標準機能でも、ストレージの状態をチェックすることができます。さらに、エラーがあった場合は、自動で修復もしてくれます。具体的には、エクスプローラーでドライブを右クリックして「プロパティ」を選択。開く画面の「ツール」タブにある「チェック」ボタンをクリックすればOKです

標準機能でエラーチェック&修復

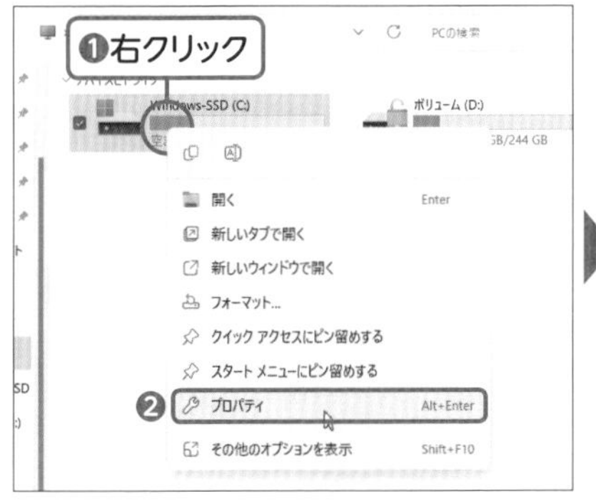

図12 ストレージに不良セクタが生じている可能性がある場合、Windowsの標準機能で検査して修復することができる。それにはエクスプローラーの「PC」の画面でドライブを右クリックして「プロパティ」を選び（❶❷）、開く画面で「ツール」タブを表示（❸）。「エラーチェック」欄にある「チェック」ボタンを押す（❹）

CrystalDiskInfoの結果が 注意 や 異常 のときは、
外付けドライブにデータをバックアップしてから実施しましょう!

（**図12**）。これは「チェックディスク」と呼ばれる機能で、エラーチェックと修復が自動で行われます。

こんな機能があるなら初めからこれを教えてくれたらよかったのに……と思うかもしれません。ただ、このチェックディスクはごくまれに、不良セクタの修復を行う際に、まだ読み取り可能だったデータの一部を上書きして消してしまうことがあります。そのようなトラブルは、ストレージの健康状態が悪ければ悪いほど発生する可能性が高まるので、先にCrystalDiskInfoで健康状態を見ておく必要があるのです。もし、CrystalDiskInfoで「注意」や「異常」の表示が出た場合は、念のため外部のストレージにデータをバックアップしたうえで、チェックディスクを実施してください。

HDDは「デフラグ」、SSDは「トリム」で最適化

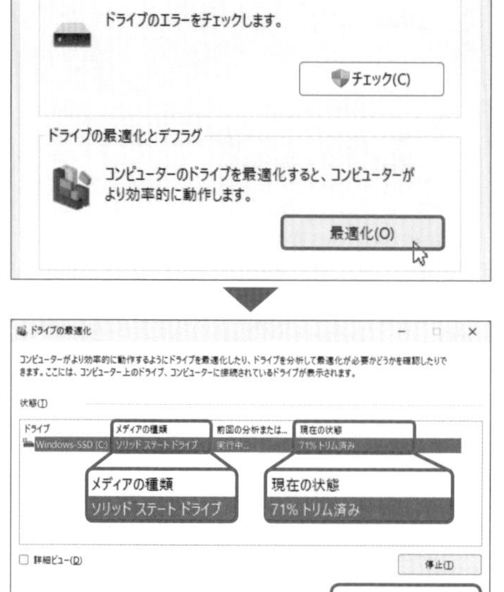

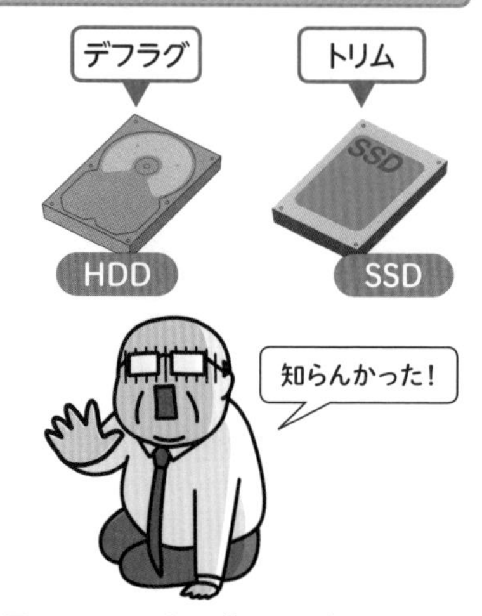

図13　図12右の「ツール」画面にある「最適化」ボタンを押すと、HDDでは「デフラグ」、SSDでは「トリム」という処理が行われる。SSDでデフラグを実行すると寿命が縮まるといわれるが、SSDで「最適化」を実行した場合はデフラグは行われないので安心してよい。左はトリムを実行中のSSDの画面。「スケジュールされた最適化」欄が「オン」になっていれば自動で実行される

なお、ここでは「修復」と言っていますが、不良セクタを修復しても、それが完全に元の状態に戻るわけではありません。エラーのあった不良セクタを使用禁止にするだけで、根本的な解決はしていないのです。壊れているところは使わずに運用することで、安全性を高める処理を行います。

ちなみに、チェックディスクと同じ画面に「最適化」という機能があります。昔からパソコンを使っている人は「デフラグのことでしょ」と思うかもしれませんが、この点について誤解している人も多いので補足しておきます。

よく、「SSDはデフラグをすると寿命が短くなる」といって、この最適化の

CPUに限界がある場合はどうしようもない

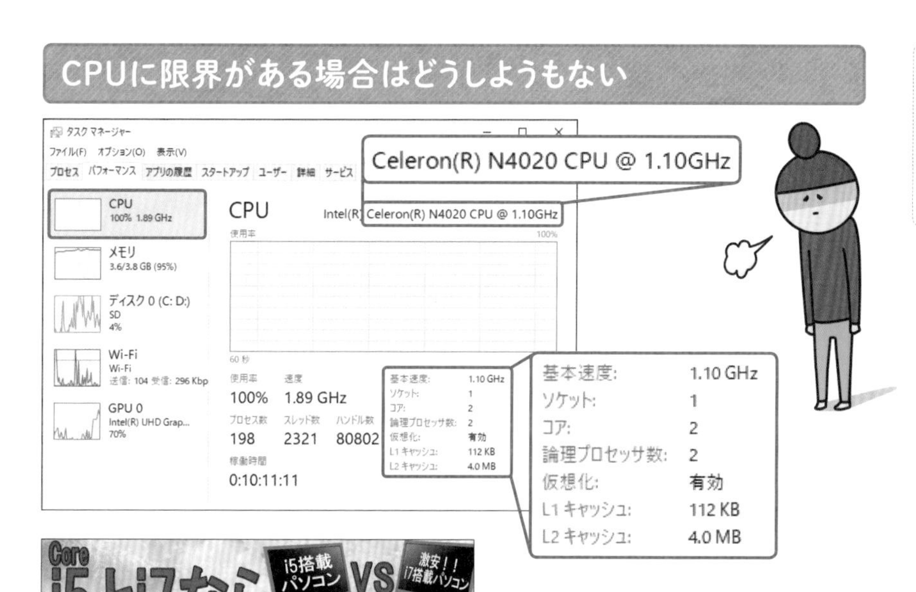

https://www.youtube.com/watch?v=smR9e6e8ork

図14 タスクマネージャーの「パフォーマンス」画面で「CPU」の詳細を見ると、CPUの型番や動作周波数、コア数などを確認できる(上)。CPUが性能不足の場合、それを自分で交換するのは難しく、特にノートパソコンでは不可能。パソコンの買い替えを検討したほうがよい。どんなCPUを選べばよいかは、左記の動画を参考にしてほしい

機能をオフにしている人がいますが、それは間違いです。最適化の機能で実施される処理は、HDDとSSDで異なります。SSDの場合は「トリム」という処理が行われ、SSDの寿命を縮めるようなことはなく、文字通り「最適化」をするための必要な処理を行います(**図13**)。

CPUやメモリーは十分?

さて、次はCPUの話をしましょう。タスクマネージャーで「CPU」の画面を見たときに、CPUの使用率がいつも高く、性能的に間に合っていないという

メモリーは最低8GBは欲しい

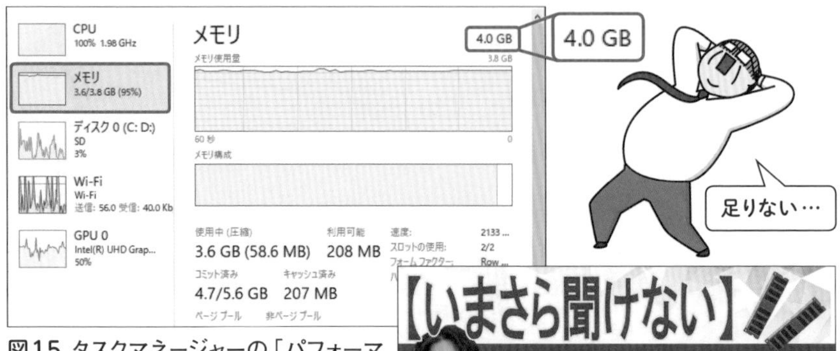

図15 タスクマネージャーの「パフォーマンス」画面で「メモリ」を選び、パソコンに搭載されているメモリー容量を確認。右上に「4.0GB」と書かれていたら、全然足りていないと考えよう。Windowsが起動してさまざまなアプリが立ち上がると、7GBほどはあっという間に消費してしまう。メモリーを増設できるパソコンなら、右記の動画などを参考に増設を検討したい

https://www.youtube.com/watch?v=ZoFCFqZGVyU

用途	必要量
ネット、Excel、Wordなど	最低8GB／推奨16GB
4K動画編集	推奨32GB
アニメーション作成	推奨64G～128GB

図16 必要なメモリー容量の目安。ネットの閲覧やメール、Excel、Wordなどしか使わない人でも、最低8GBは欲しい

場合は、正直いって、どうしようもありません（前ページ**図14**）。特にノートパソコンの場合は、自分でCPUを交換することは不可能なので、パソコンを買い替えるしかないからです。

メモリーはどうでしょうか。まずはタスクマネージャーで容量を確認します。もし4GBしか搭載されていなかったら、全然足りていません。パソコンによっては、メモリーを増設して容量を増やすこともできるので検討してみてください（**図15**）。最低でも8GB、できれば16GBは欲しいです（**図16**）。

メモリーの状態をチェックする

●メモリー故障のサイン

- ・パソコンの動きが遅くなる
- ・よくフリーズする
- ・アプリのインストールに失敗する
- ・勝手に再起動してしまう
- ・ブルースクリーンになる

図17 メモリーはほかのパーツに比べて壊れにくいが、左のような症状があるときは、念のためメモリーの状態をチェックしてみよう

時間に余裕があるときにやってね!

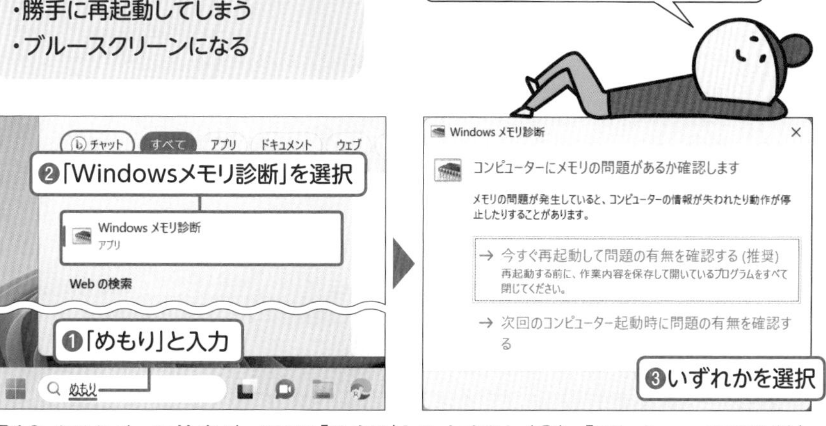

図18 タスクバーの検索ボックスに「めもり」と入力すると(❶)、「Windowsメモリ診断」が候補として表示されるのでクリック(❷)。開く画面で「今すぐ再起動…」または「次回のコンピューター起動時に…」を選択する(❸)。なお、恐ろしく時間がかかることもあるので、寝る前に実行して翌朝に結果を確認するくらいの余裕を持って実施しよう

メモリーの状態を診断

メモリーは壊れにくいパーツなので、初期不良などがなければ、比較的安心して使い続けられます。しかし、中古で購入したパソコンなどでは注意が必要です。メモリーは長持ちするので、古いメモリーを使い回してパソコンを販売するケースがよくあるからです。壊れたパソコンからメモリーだけを取り外し、中古パソコンに装着してメモリー容量を増やせば、コストをかけずに値段をつり上げることができます。そのような手法は非常に多く見られます。

診断結果はイベントビューアーで確認

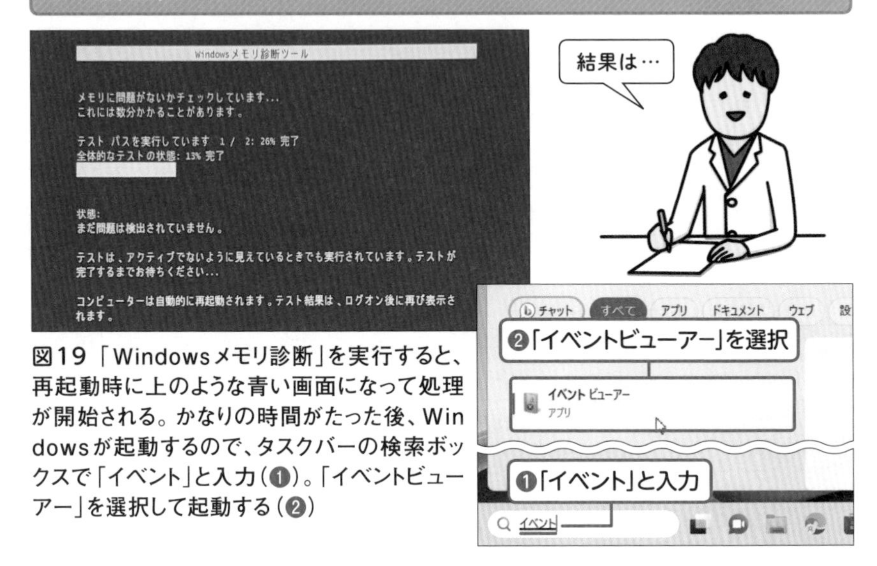

図19「Windowsメモリ診断」を実行すると、再起動時に上のような青い画面になって処理が開始される。かなりの時間がたった後、Windowsが起動するので、タスクバーの検索ボックスで「イベント」と入力（❶）。「イベントビューアー」を選択して起動する（❷）

メモリーの故障や寿命のサインとしては、動きが遅くなる、よくフリーズする、などの症状が挙げられます（前ページ**図17**）。もちろん、ほかのパーツが原因で同様の症状が起こることもありますが、まずはメモリーの健康状態を確認しておきたいという場合は、「Windowsメモリ診断」という機能で、チェックしてみるとよいでしょう。

具体的には、タスクバーの検索ボックスに「めもり」と入力して「Windowsメモリ診断」を起動します（**図18**）。すると、今すぐ実行するか、次回の起動時に実行するかが選べます。この診断は恐ろしく時間がかかることがあるので注意してください。

診断が終わると自動的に再起動して、特に問題がない場合は画面右下に「メモリエラーは検出されませんでした」というポップアップが表示されます。ただし、長時間待たされた後なので、いつの間にか終了していて、このポップアップを見逃すことも少なくありません。

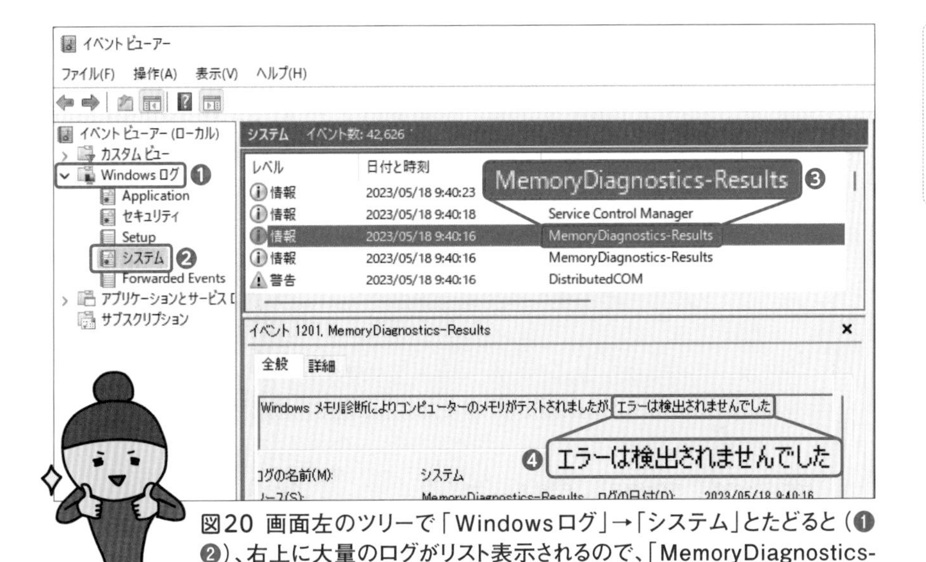

図20 画面左のツリーで「Windowsログ」→「システム」とたどると（❶❷）、右上に大量のログがリスト表示されるので、「MemoryDiagnostics-Results」を探そう（❸）。「Ctrl」+「F」キーを押して、「memory」で検索すると早い。これを選択すると、下に結果が表示される（❹）

そこで、メモリ診断の結果は「イベントビューアー」というツールを使って確認します。タスクバーの検索ボックスで「イベント」と入力して起動するのが簡単です（**図19**）。すると**図20**のような画面が開くので、左側で「Windowsログ」→「システム」の順番でクリックしていきます。右側にさまざまな処理を実行した記録（ログ）が一覧表示されるので、「MemoryDiagnostics-Results」を探してください。「Ctrl」キーを押しながら「F」キーを押して、開くダイアログに「memory」入れて検索するのが早いでしょう。見つかったログを選択して、下に「エラーは検出されませんでした」と表示されれば問題はありません。もしもエラーが見つかった場合は、メーカーのサポートに相談するか、メモリーの交換を検討するとよいでしょう。

YouTubeで動画による解説を見る

https://www.youtube.com/watch?v=ihewh8NUgVg

古いパソコンを「Win11」にする

非対応機種をアップグレードさせる方法

Windows 11にアップグレードしたくても、パソコンが対応していないのでできない――。そんな人は多いのではないでしょうか。実は、非対応のパソコンを11にアップグレードする方法があります。あくまで自己責任にはなりますが、どうしても11にしたい人は試す価値があります。

Windows 10(以下、10)のパソコンは、最新のWindows 11(以下、11)へと無料でアップグレードできます。ところが、11のシステム要件の中には厳しい項目もあるため、古いパソコンにはインストールできません。非対応のパソコンにインストールしようとすると、システム要件のチェック機能が働き、インストール作業を進められない仕様になっています。

11のシステム要件は**図1**の通りです。CPUの性能は「動作周波数が1GHz以上で2コア以上」ということで、一見ハードルは低そうなのですが、

Windows 11のシステム要件

CPU	動作周波数が1GHz以上で2コア以上の64ビットCPU、またはSoC（System on a Chip）
メモリー	4GB以上
ストレージ	64GB以上
グラフィックス	DirectX 12以上（WDDM 2.0ドライバー）に対応
システムファームウエア	UEFI（Unified Extensible Firmware Interface）、セキュア ブートに対応
TPM	TPM（Trusted Platform Module）2.0以上に対応

古いパソコンはアップグレードできない…

ある方法を使えば、アップグレードして使える!
（マイクロソフトは非推奨、あくまで自己責任）

乗り越えろ!

図1 Windows 11はセキュリティを強化するために、システム要件が厳しめに設定されている。しかし、この条件を満たさなくても、無理やりアップグレードする方法がある。ただし、マイクロソフトは推奨しておらず、実行すると、サポート対象外となる恐れがある。自己責任で試そう

実際には最新のセキュリティ機能に対応する必要がある関係で、比較的新しいCPUでなければ対象外になります。インテル製のCPUでいえば、第8世代以降が必要です。第7世代のCPUが本格的に流通し始めたのが2018年ごろですから、5～6年前に登場したCPUでも、11の基準を満たさないというのが実情です。

また、多くのパソコンが引っ掛かるポイントが「TPM」です。TPMとは、パソコンの中で暗号化を行うためのチップのこと。やはりセキュリティ関連の新機能に対応するために、11では「TPM 2.0以上」に対応していることが必須となっています。

しかし、心配は無用です。これらの条件を無視して、古いパソコンにも11をインストールする方法がいくつかあります。その1つを紹介しましょう。

Windows 11への対応状況を確認

図2 スタートメニューに「PC正常性チェック」というアプリがあれば、これを実行する。ない場合は、右上のURLのページにある「PC正常性チェックアプリのダウンロード」をクリックして、入手した右のファイルをダブルクリックしてインストールする

図3 「PC正常性チェック」アプリを起動して、「今すぐチェック」ボタンを押すと（上）、そのパソコンが11に対応しているかどうかが表示される（右）

ただし注意点があります。インストールできるとはいっても、本来は非対応のパソコンに無理やり入れるわけですから、マイクロソフトは推奨していません。サポートの対象外になりますので、あくまで“自己責任”ということでお願いします。

なお、お手持ちのパソコンが11に対応しているかどうかを確認するには、「PC正常性チェック」というアプリを使います（**図2**）。「今すぐチェック」をクリックして、「…システム要件を満たしていません」と表示された場合は、こ

Windows 11のISOをダウンロードする

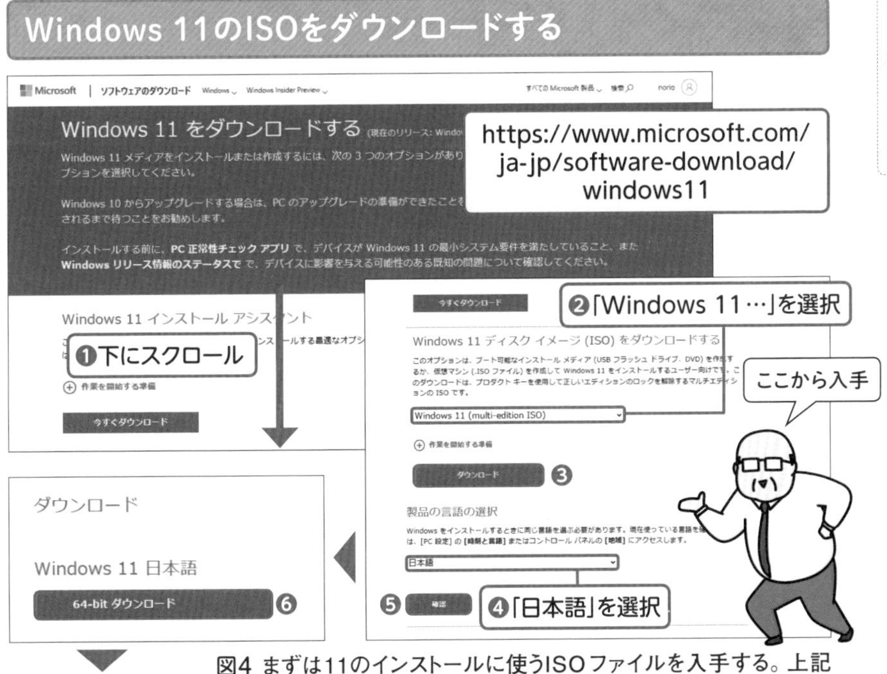

図4 まずは11のインストールに使うISOファイルを入手する。上記URLのページを下にスクロールし(❶)、「…ディスクイメージ(ISO)をダウンロードする」の欄で「Windows 11…」を選択(❷)。「ダウンロード」をクリックすると(❸)、言語の選択欄が表示されるので、「日本語」を選んで「確認」を押す(❹❺)。すると「64-bitダウンロード」ボタンが表示されるので、クリックしてダウンロードする(❻❼)

れから紹介する方法でインストールする必要があります(図3)。

ISOファイルをダウンロードする

それでは、具体的な手順を見ていきます。まずはマイクロソフトのウェブサイトから、11のインストールに使うISOファイルをダウンロードしてください(図4)。ISOファイルは、DVDのディスクイメージをファイルにしたものです。本来は、11のインストール用DVDを作成するときに使います。でも今回は、このISOファイルに手を加えて、非対応のパソコンにも11をインストールで

フリーソフトの「Rufus」をダウンロードする

ルーファス
Rufus

提供：Pete Batard氏　日本語翻訳：今井翠氏、Tiryoh氏　対応OS：11／10
https://forest.watch.impress.co.jp/library/software/rufus/

図5 グーグルなどで「Rufus」を検索するか、上記URLを入力して「窓の杜」のページを開き、Rufusをダウンロードする

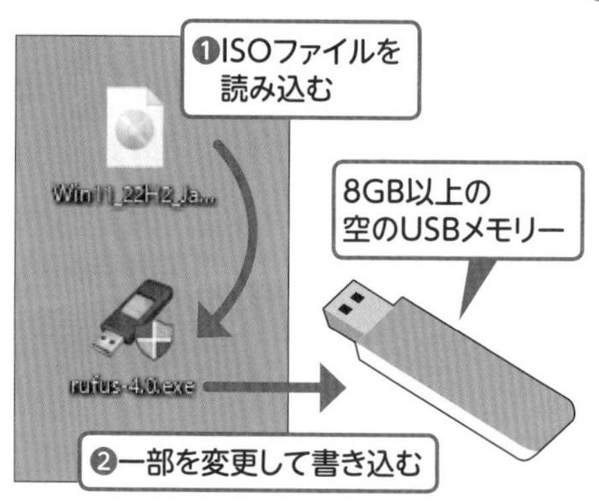

図6 Rufusを使うと、11のISOファイルを読み込んで、パソコンの対応状況をチェックする機能を除外したインストールメディアを作成できる（❶❷）。8GB以上で、データが消えてもよいUSBメモリーを用意しよう

きる“改良版”のインストーラーを作成します。

改良版の作成に利用するのが、「Rufus（ルーファス）」というフリーソフトです。「窓の杜」のサイトからダウンロードしてください（**図5**）。このRufusで11のISOファイルを読み込むと、システム要件をチェックする機能を取り除いた11のインストーラーを作成することができます（**図6**）。インストーラーはUSBメモリーに作成しますので、8GB以上の空のUSBメモリーを用意し

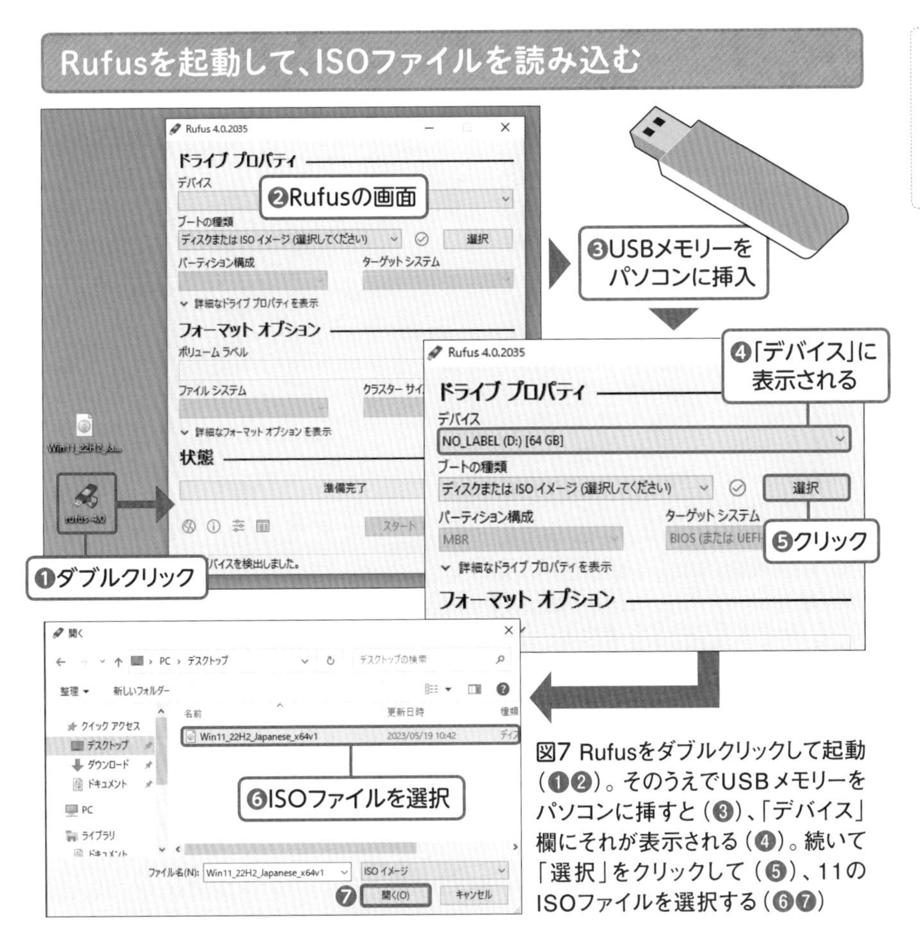

図7 Rufusをダブルクリックして起動（❶❷）。そのうえでUSBメモリーをパソコンに挿すと（❸）、「デバイス」欄にそれが表示される（❹）。続いて「選択」をクリックして（❺）、11のISOファイルを選択する（❻❼）

てください。

Rufusを起動したら、USBメモリーをパソコンに挿します。認識されて「デバイス」欄に名前が表示されたら、「ブートの種類」欄の右にある「選択」ボタンをクリックして、11のISOファイルを選択します（**図7**）。「ブートの種類」欄に「Win 11…」と表示され、下のほうにある「状態」欄に「準備完了」と表示されたら、「スタート」ボタンをクリックしてください（次ページ**図8**）。

すると、「インストーラーをカスタムしますか？」という設定画面が開きま

USBメモリーに書き込む

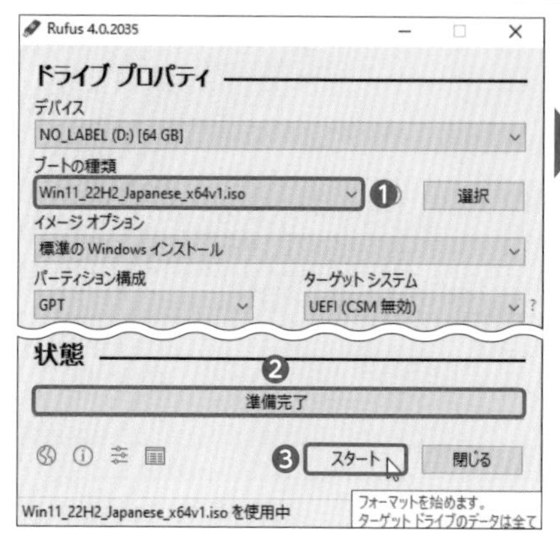

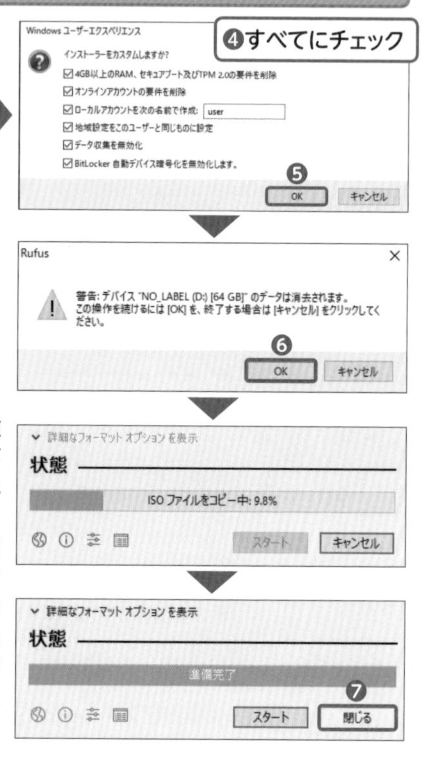

図8 ISOファイルを選択すると、「ブートの種類」欄に「Win11…」と表示される（❶）。下のほうの「状態」欄に「準備完了」と表示されたら（❷）、「スタート」をクリック（❸）。すると、インストーラーのどの機能を変更するかを指定する画面が開くので、すべてチェックを付けて「OK」を押して構わない（❹❺）。USBメモリーのデータは消えますよ、という注意が表示されるので「OK」を押すと（❻）、書き込みが始まる。しばらく待つと「準備完了」と表示されるので「閉じる」を押して終了する（❼）

す。ここがポイントです。「4GB以上のRAM、セキュアブート及びTPM 2.0の要件を削除」にチェックを付けると、このシステム要件を無視してインストールできるインストーラーを作成できます。そのほか、「オンラインアカウントの要件を削除」を選ぶと、Homeエディションで必須となるMicrosoftアカウントでのサインインを不要にするといった、お好みの設定ができます。よくわからない人は、すべてにチェックを付けても構いません。確認画面で「OK」を押すとコピーが開始されますのでしばらく待ちましょう。「準備完了」と表示されたら「閉じる」を押してください。

　Rufusでの作業が終了したら、エクスプローラーを起動して「PC」の画面

Windows 11にアップグレード

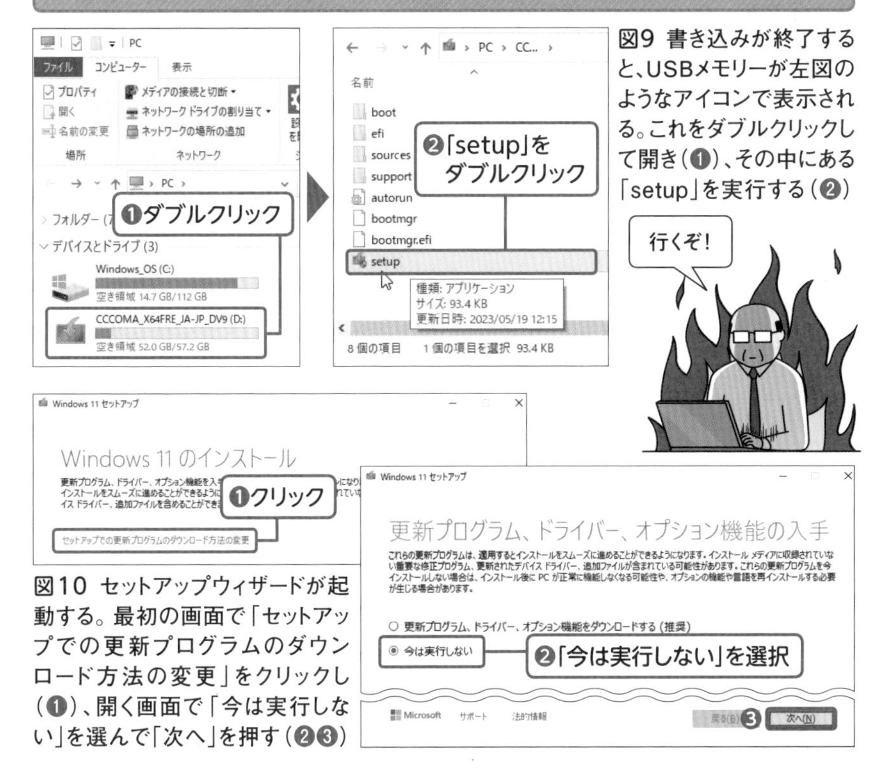

図9 書き込みが終了すると、USBメモリーが左図のようなアイコンで表示される。これをダブルクリックして開き（❶）、その中にある「setup」を実行する（❷）

図10 セットアップウィザードが起動する。最初の画面で「セットアップでの更新プログラムのダウンロード方法の変更」をクリックし（❶）、開く画面で「今は実行しない」を選んで「次へ」を押す（❷❸）

を確認します。そこに「CCCOMA…」という名前でUSBメモリーが認識されていますので、ダブルクリックして開きましょう（**図9**）。その中には改良版の11のインストーラーが出来上がっていますので、「setup」をダブルクリックして起動します。

ここで1つ注意点があります。セットアップの最初の画面では、「セットアップでの更新プログラムのダウンロード方法の変更」をクリックし、「今は実行しない」を選ぶことです（**図10**）。そうしないと、更新プログラムとして最新のインストーラーがダウンロードされ、せっかく作成した改良版のインストーラーを上書きしてしまうからです。

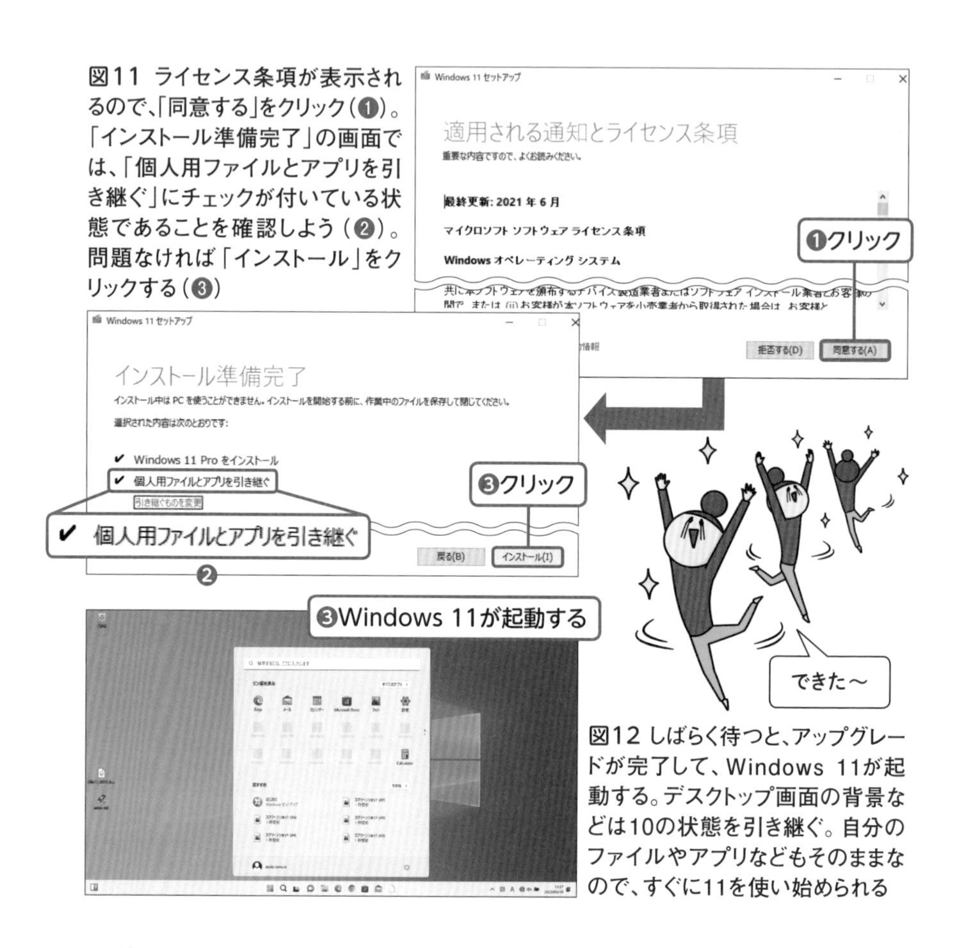

図11 ライセンス条項が表示されるので、「同意する」をクリック（❶）。「インストール準備完了」の画面では、「個人用ファイルとアプリを引き継ぐ」にチェックが付いている状態であることを確認しよう（❷）。問題なければ「インストール」をクリックする（❸）

図12 しばらく待つと、アップグレードが完了して、Windows 11が起動する。デスクトップ画面の背景などは10の状態を引き継ぐ。自分のファイルやアプリなどもそのままなので、すぐに11を使い始められる

ダウンロードをしない設定に変えてウィザードを進めれば、「要件を満たしていません」と止められることはありません。続く画面でライセンス条項に同意し、「個人用ファイルとアプリを引き継ぐ」という設定のままインストールを実行すれば、10で利用していたアプリや、保存してある自分のファイルなどをそっくり残したまま、11へとアップグレードできます（**図11**、**図12**）。

アップグレード後10日以内なら元に戻せる

11にアップグレードしてみたけれど、画面のデザインが変わってしまって

もしも10に戻したくなったら…

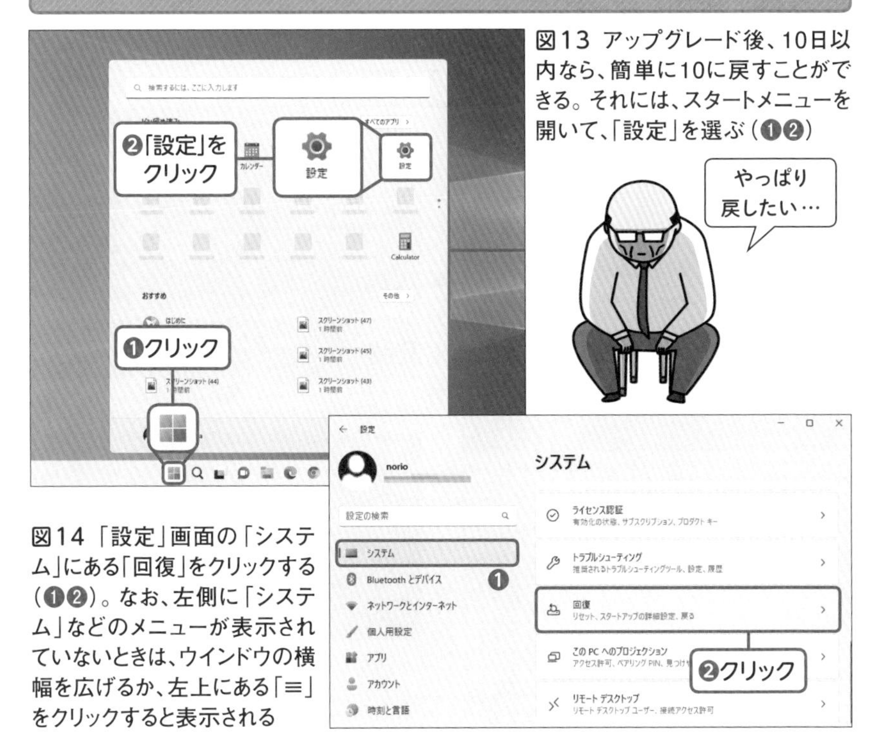

図13 アップグレード後、10日以内なら、簡単に10に戻すことができる。それには、スタートメニューを開いて、「設定」を選ぶ（❶❷）

図14 「設定」画面の「システム」にある「回復」をクリックする（❶❷）。なお、左側に「システム」などのメニューが表示されていないときは、ウインドウの横幅を広げるか、左上にある「≡」をクリックすると表示される

使いにくい……。そんなふうに感じた場合は、元の10に戻すことも簡単に可能です。ただし、アップグレード後10日間を過ぎると戻せなくなりますので注意してください。

11を10に戻すには、スタートメニューにある歯車のアイコンをクリックして「設定」画面を開きます（**図13**）。左側のメニューで「システム」を選ぶと、右側に「回復」という項目があるので、クリックしてください（**図14**）。開いた画面で「復元」というボタンをクリックできれば、アップグレード前の10に戻すことができます（次ページ**図15**）。

「復元」ボタンをクリックすると、10に戻す理由を選ぶ画面が開くので、

図15 「回復」の画面にある「復元」ボタンをクリックする。なお、アップグレード後、10日間を過ぎてしまうと、この「復元」という項目は表示されなくなる

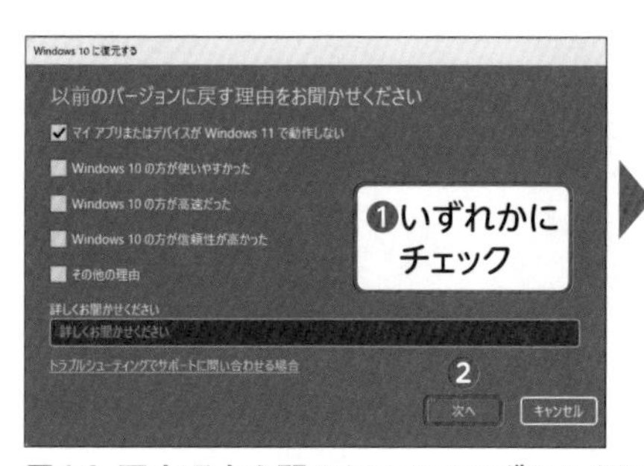

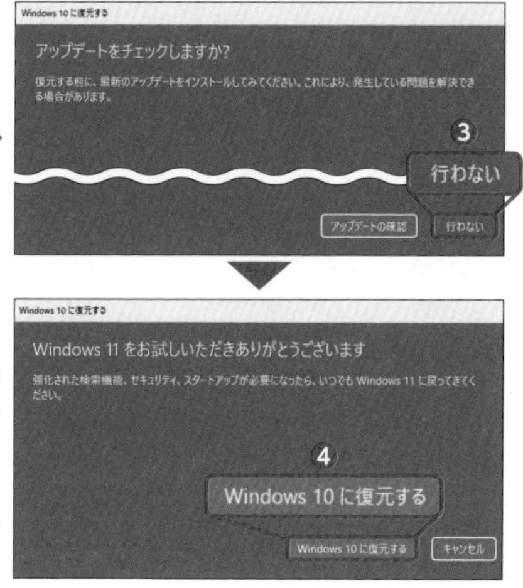

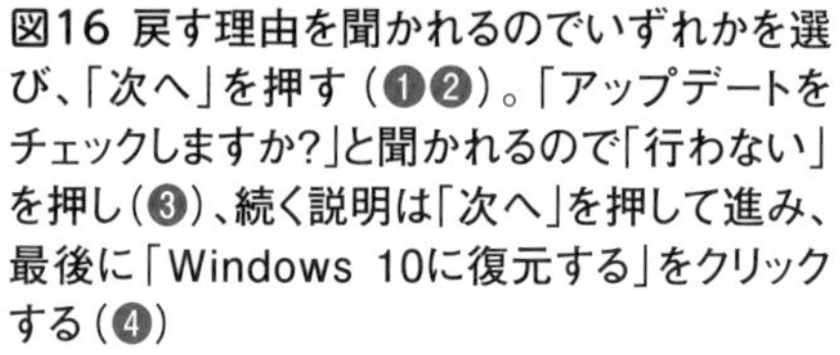
図16 戻す理由を聞かれるのでいずれかを選び、「次へ」を押す（❶❷）。「アップデートをチェックしますか?」と聞かれるので「行わない」を押し（❸）、続く説明は「次へ」を押して進み、最後に「Windows 10に復元する」をクリックする（❹）

いずれかにチェックを付けて「次へ」を押します（**図16**）。「アップデートをチェックしますか?」と聞かれたら「行わない」を選び、最後に「Windows 10に復元する」をクリックしましょう。すると処理が始まり、数回再起動した後で、10の状態に戻ります。

なお、非対応のパソコンに11をインストールする裏ワザはいくつか発見されていますが、11のアップデートにより使えなくなった方法があるなど、マイクロソフトが抜け穴をふさいでしまうこともあるようです。あくまで非公式、自己責任ということでご了承ください。

YouTubeで動画による解説を見る
https://www.youtube.com/watch?v=d5eW7HU1sLg

ネットワーク編

ネットワーク編 01

家のWi-Fiを速くする!

Wi-Fiが遅い原因を突き止めて解決

初めに、「Wi-Fiって何?」といった基本的なところから確認しておきましょう。かつては、パソコンにLANケーブルを挿さないとインターネットに接続できませんでした。このケーブルを無線にしたものを「無線LAN」といいます。この無線LANのことを近年は「Wi-Fi」と呼ぶのが一般的です。

ひと口にWi-Fiといっても、実はいろいろな種類の電波の規格があって、どの電波を使うかによって通信速度が変わってきます。皆さんは「IEEE 802.11」という表記を見たことがあるでしょう。「アイトリプルイー・はちまる

まずはWi-Fiの規格をチェック

	規格名称			最大通信速度	周波数帯
古い	IEEE802.11a	11a	名無し	54Mbps	5GHz
	IEEE802.11b	11b	名無し	11Mbps	2.4GHz
	IEEE802.11g	11g	名無し	54Mbps	2.4GHz
	IEEE802.11n	11n	Wi-Fi 4	600Mbps	2.4GHz、5GHz
	IEEE802.11ac	11ac	Wi-Fi 5	6.93Gbps	5GHz
新しい	IEEE802.11ax	11ax	Wi-Fi 6	9.6Gbps	2.4GHz、5GHz
		略称	通称		

図1 Wi-Fiの速度は、Wi-Fiの規格によって変わる。規格の正式名称は「IEEE 802.11」で始まり、後ろに「a」「b」「g」…「ac」「ax」などのアルファベットが付く。最近のものには「Wi-F 4」「Wi-Fi 5」「Wi-Fi 6」のように数字を付けた呼び方もある。数字が多いほうが新しく、高速だ。また、規格によって使える周波数帯が異なり、2.4GHz帯と5GHz帯がある点も知っておこう。なお、上表の最大通信速度はあくまで規格上のもの。製品によって最大通信速度が決まっているので、パッケージなどを確認しよう（右）

に・てん・いちいち」と読みます。Wi-Fi規格の正式名称です。このWi-Fi規格は、さらに細かく種類が分けられていて、「11」の後に続くアルファベットで区別します。**図1**の表は、Wi-Fiの規格を古い順に並べたものです。新しくなるほど、通信速度は高速になっています。

一方、商品パッケージなどでは、「11」よりも前の部分を省略して「11n」「11ac」「11ax」などと記載することも多いです。「IEEE802.11…」という名称は長すぎるからです。さらに、「n」「ac」「ax」など規則性のないアルファベットは覚えにくいということで、11n以降には新しい名前も作られました。

ボトルネックを見極めよう

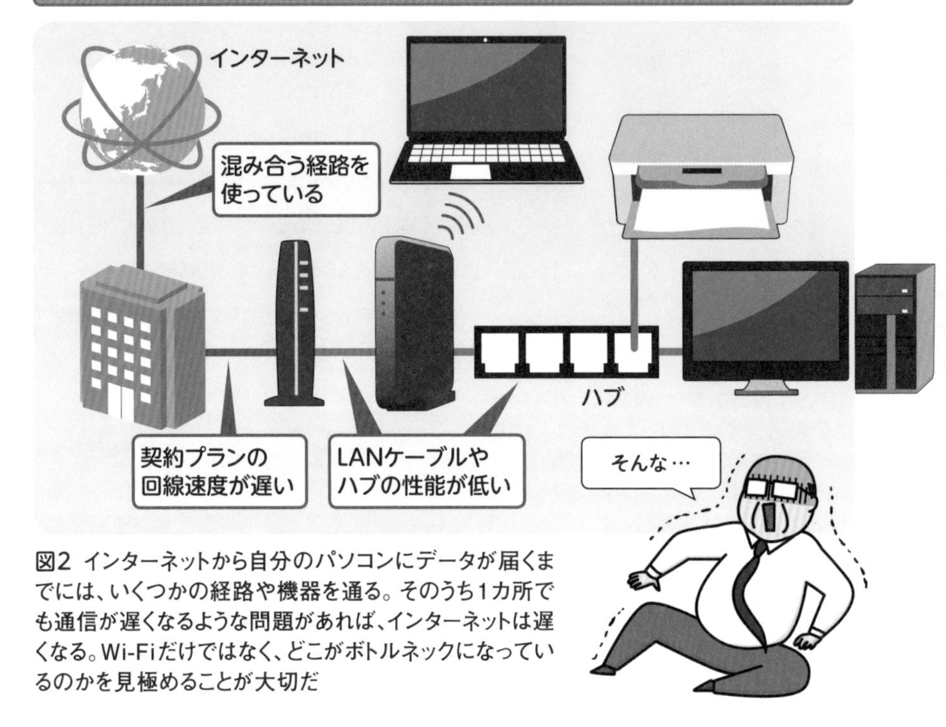

図2 インターネットから自分のパソコンにデータが届くまでには、いくつかの経路や機器を通る。そのうち1カ所でも通信が遅くなるような問題があれば、インターネットは遅くなる。Wi-Fiだけではなく、どこがボトルネックになっているのかを見極めることが大切だ

それが「Wi-Fi 4」「Wi-Fi 5」「Wi-Fi 6」という通称です。たまにWi-Fi 5と「5G」を混同する人がいますが、5Gは携帯電話事業者が提供する「第5世代移動通信システム」のことですので、Wi-Fiとは違います。

通信速度を下げる「ボトルネック」はどこか?

家のWi-Fiの速度が遅いと感じたら、まず先ほど紹介したWi-Fi規格の種類を調べてみてください。図1の表の中で、比較的古い規格を使っているようなら、そこがボトルネックになっています。Wi-Fiルーターを買い替えることで、Wi-Fiが速くなる可能性が高いです。

しかし、それだけで結論が出たとは思わないでください。インターネットの

光回線だからといって安心できない場合も

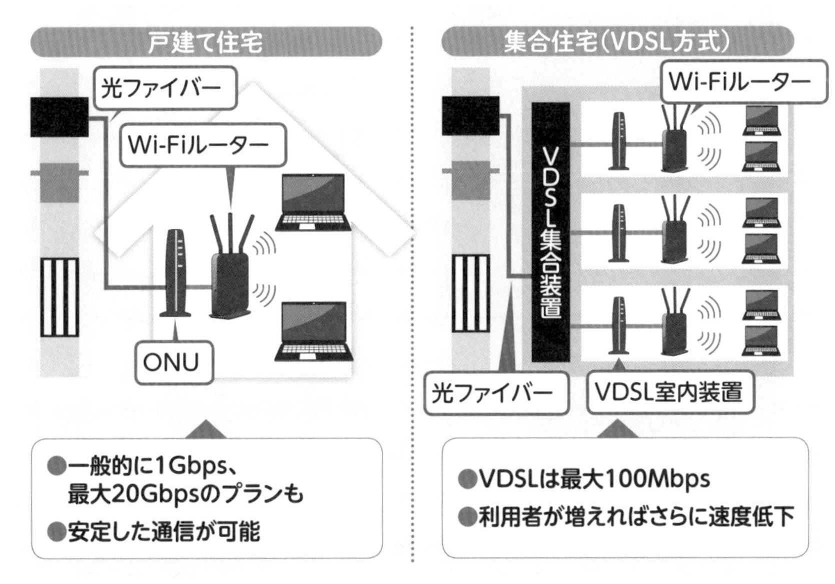

図3 戸建て住宅のように光ファイバーを直接引き入れている場合は、光回線の契約プランに応じた通信速度を期待できる(左)。一方、集合住宅では、各部屋に直接光ファイバーを通す方式と、各部屋へは電話回線を使って分配する「VDSL方式」がある。VDSL方式の場合、プロバイダーとの契約が光回線でも、VDSLの仕様上、最大100Mbpsでしか通信できない(右)。また複数の家庭で1つの回線を共有するので、多くの人が同時に利用すると通信速度が遅くなる

データがお使いの機器に届くまでには、さまざまな経路や機器を通ります。その1カ所にでも通信が遅くなるような問題があると、それが全体の足を引っ張って速度が落ちてしまうのです(**図2**)。

例えば、契約している回線が高速な光ファイバー回線であっても、人口の多い地域であったり、多くの人がネットを利用する時間帯だったりすると、速度は出にくくなります。「1Gbps」をうたう回線を使っている人が多いと思いますが、この1Gbpsもあくまで理論上の数値で、実際にその速度で使えるわけではありません。また1つの光ファイバー回線を分配して利用してい

Wi-Fiルーターやハブの性能も確認

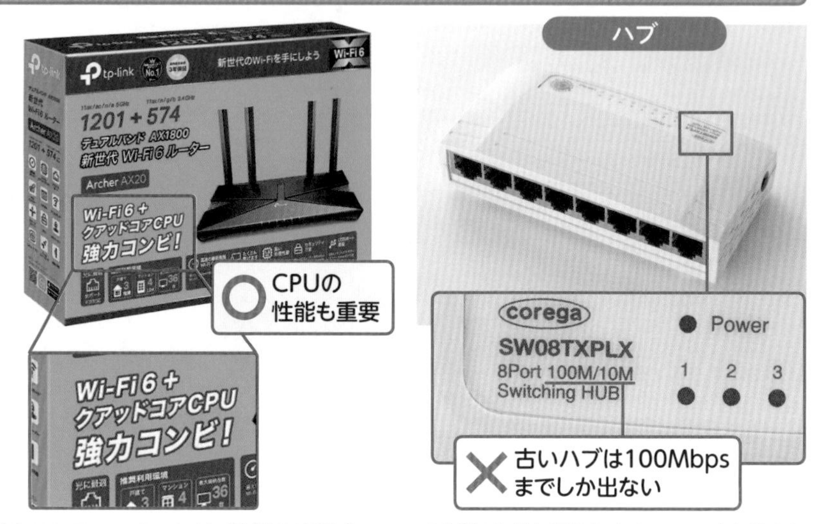

図4 Wi-Fiルーターには、通信の変換やWi-Fiの制御などを行うためのCPUが内臓されている。このCPUの性能が低いと、そこで処理待ちが発生し、通信速度が落ちる。そのため、CPU性能が高い最新機種を使うほうが速度が向上する（左）。また集合住宅などでは、回線を分配するためのハブにも注意。100Mbpsまでしか対応していない古いハブを利用していると、昨今の高速な光回線のメリットを享受できない（右）

る集合住宅の場合、建物内が「VDSL」という方式で分配されていると、ここがボトルネックとなって100Mbps以上は出なくなります（前ページ**図3**）。

光ファイバー回線の場合、その信号をデジタル信号に変化させる「ONU」（光回線終端装置）という機器を設置し、そこにWi-Fiルーターをつなげて無線LANにするわけですが、このWi-Fiルーターの性能も重要です。パソコンと同様、Wi-FiルーターにもCPUが搭載されていて、さまざまな処理を行っています。そのため、CPUの性能が低い古いWi-Fiルーターを使っていると、その処理がボトルネックとなって通信が遅くなるのです（**図4**）。意外と見落としがちなのが、LANケーブルを分配するために使う「ハブ」。古いハブは100Mbpsまでしか対応していないので、光ファイバー回線を使っ

2.4GHz帯と5GHz帯を賢く使い分ける

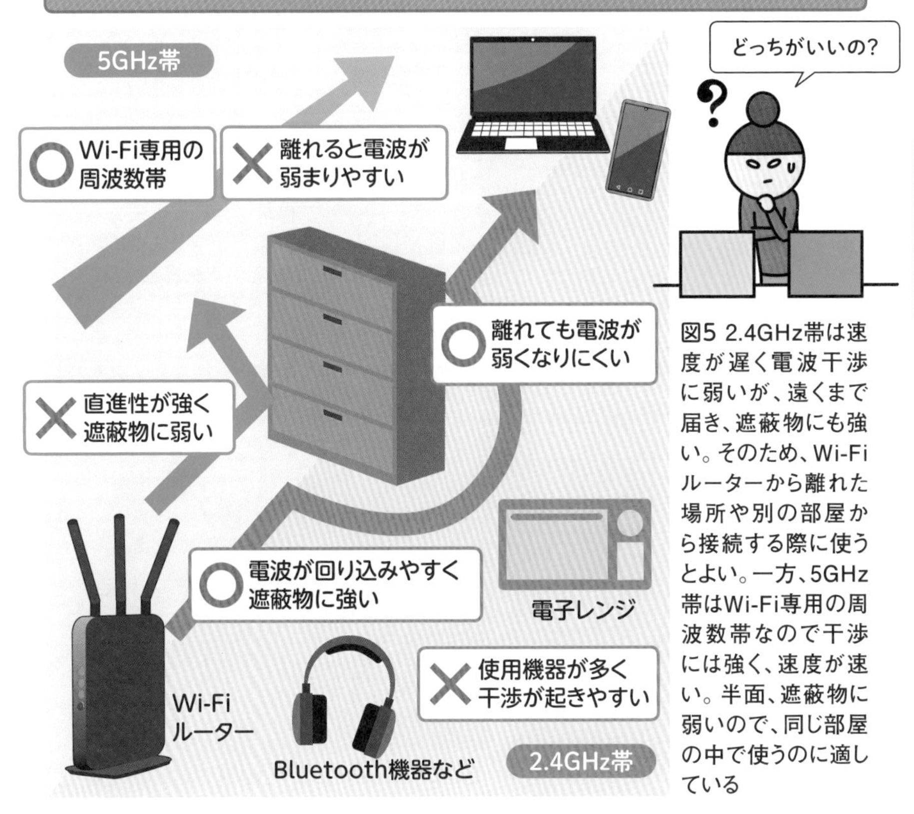

図5 2.4GHz帯は速度が遅く電波干渉に弱いが、遠くまで届き、遮蔽物にも強い。そのため、Wi-Fiルーターから離れた場所や別の部屋から接続する際に使うとよい。一方、5GHz帯はWi-Fi専用の周波数帯なので干渉には強く、速度が速い。半面、遮蔽物に弱いので、同じ部屋の中で使うのに適している

ていても、ハブがボトルネックになり、スピードが出ないということがよくあります。さらに、LANケーブルにも複数の規格があり、低速な規格のケーブルだと速度が落ちてしまいます。

Wi-Fi 4(11n)またはWi-Fi 6(11ax)のWi-Fiルーターを使っている場合は、周波数帯にも注意が必要です。これらの規格では、2.4GHz帯と5GHz帯という2つの帯域の電波を出すことができ、そのどちらを使うのかをユーザーが選択できます。

それぞれの電波には特徴があります(**図5**)。2.4GHz帯は速度が遅く電

SSIDを確認して周波数帯を選ぶ

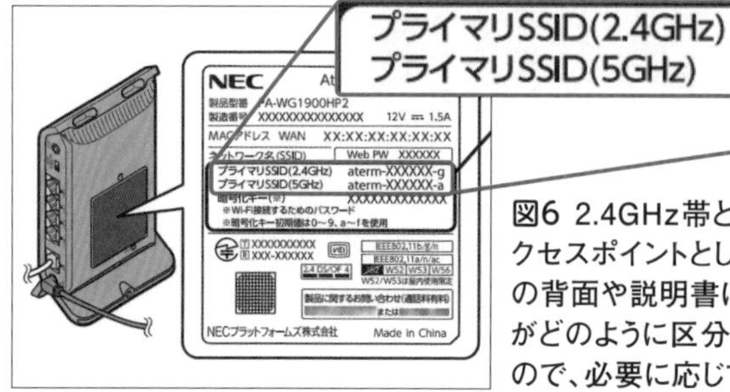

図6 2.4GHz帯と5GHz帯は、それぞれ異なるアクセスポイントとして利用できる。Wi-Fiルーターの背面や説明書に、SSID（アクセスポイント名）がどのように区分けされているか記載されているので、必要に応じて接続先を切り替えよう

Wi-Fiルーターを再起動する

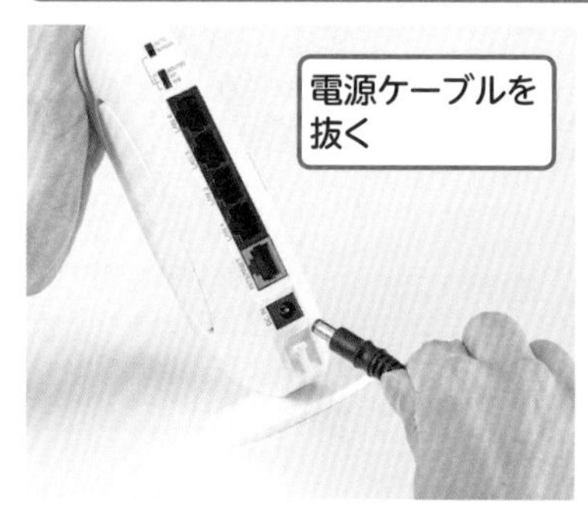

図7 Wi-Fiルーターを再起動するだけで、問題が解決して速度が上がることもある。多くの製品は電源ボタンがないので、電源ケーブルを抜いて90秒ほど待ってから挿し直す。これで再び起動する

波干渉に弱いという一面もありますが、電波が遠くまで届いて遮蔽物に強いのがメリットです。そのため、壁を隔てた部屋や1階と2階のように、ルーターから離れた場所でWi-Fiを受信したいときに利用するとよいでしょう。一方、5GHz帯は通信速度が速く電波干渉に強い代わりに、壁などの遮蔽物に弱いのが短所です。つまり、同じ部屋の中など近いエリアで受信するときに使うのに向いています。

従って、2.4GHz帯と5GHz帯の選択を誤ると、電波状況が悪くなり、思う

IPv6 IPoE方式を使う

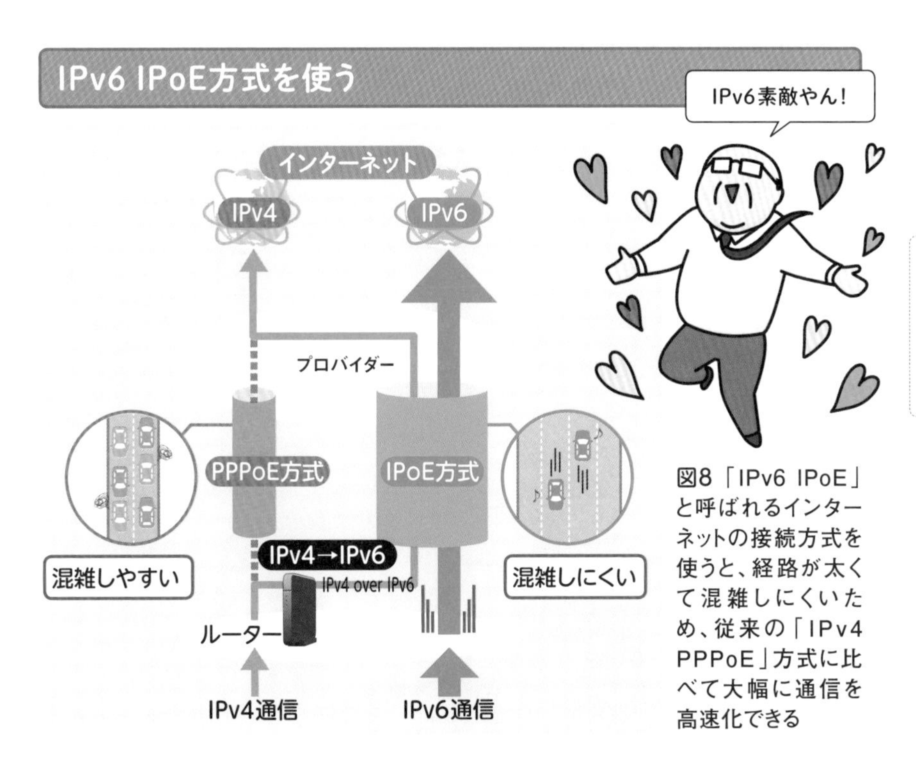

図8「IPv6 IPoE」と呼ばれるインターネットの接続方式を使うと、経路が太くて混雑しにくいため、従来の「IPv4 PPPoE」方式に比べて大幅に通信を高速化できる

ように通信速度が出ない原因となります。では、どうやってこれら2つの周波数帯を切り替えるのかというと、Wi-Fiルーターに貼られたシールを見てください。パソコンなどをWi-Fiにつなぐときは、シールに書かれた「SSID」をWi-Fiの名前（アクセスポイント名）として選んで接続しますが、Wi-Fi 4（11n）やWi-Fi 6（11ax）のルーターには、SSIDが2つ記載されています（**図6**）。「2.4GHz」と書かれたSSIDに接続すれば2.4GHz帯、「5GHz」と書かれたSSIDに接続すれば、5GHz帯を利用できるわけです。

なお、Wi-Fiルーターは比較的新しく、周波数帯や置き場所にも問題がないのに遅いというときは、Wi-Fiルーターを再起動してみましょう（**図7**）。「え、そんな単純な話かよ」と思うかもしれませんが、ルーターの動作が不安定になっている場合、再起動で速度が改善することは意外と多いです。

プロバイダーとルーターの対応を確認

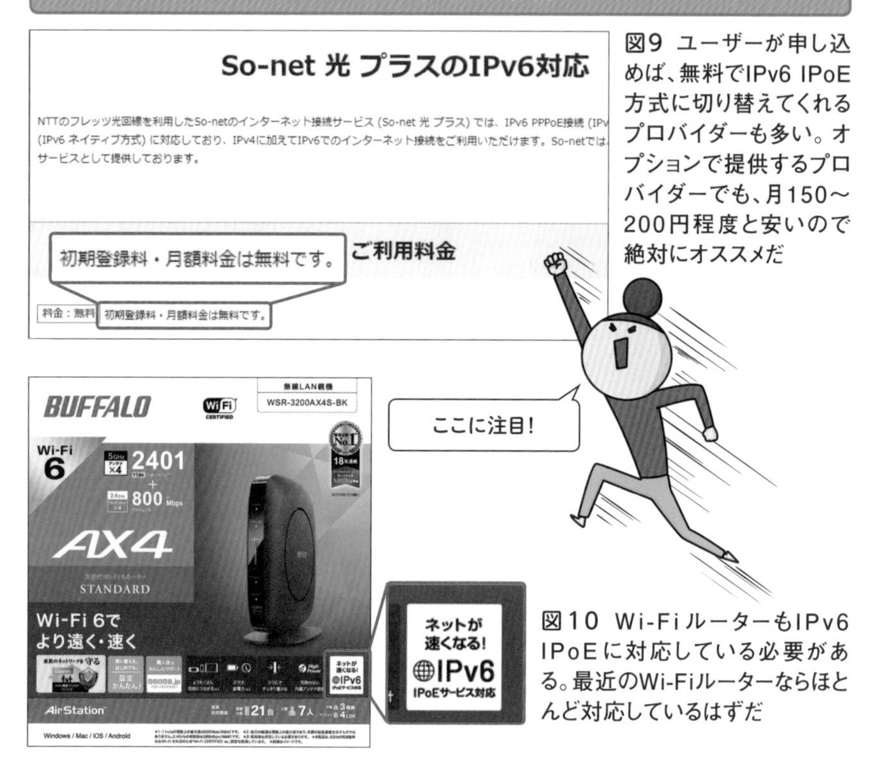

図9　ユーザーが申し込めば、無料でIPv6 IPoE方式に切り替えてくれるプロバイダーも多い。オプションで提供するプロバイダーでも、月150～200円程度と安いので絶対にオススメだ

図10　Wi-Fiルーターも IPv6 IPoEに対応している必要がある。最近のWi-Fiルーターならほとんど対応しているはずだ

「IPv6 IPoE」のオプション契約がオススメ

ここまで見てきた点をすべてクリアしてもまだ速度が遅いという場合は、家の中ではなく、外側のネットワークの問題を疑ってみましょう。まず、プロバイダーとどのような契約をしているのかを確認します。そして、オススメは「IPv6」のオプション契約です（前ページ**図8**）。

従来のインターネットは「IPv4」という規格でデータ通信を行っていて、現在でも多くの場合はIPv4通信を利用しています。実は、このIPv4通信のルートが非常に混雑していて、インターネットが遅くなる原因の1つになって

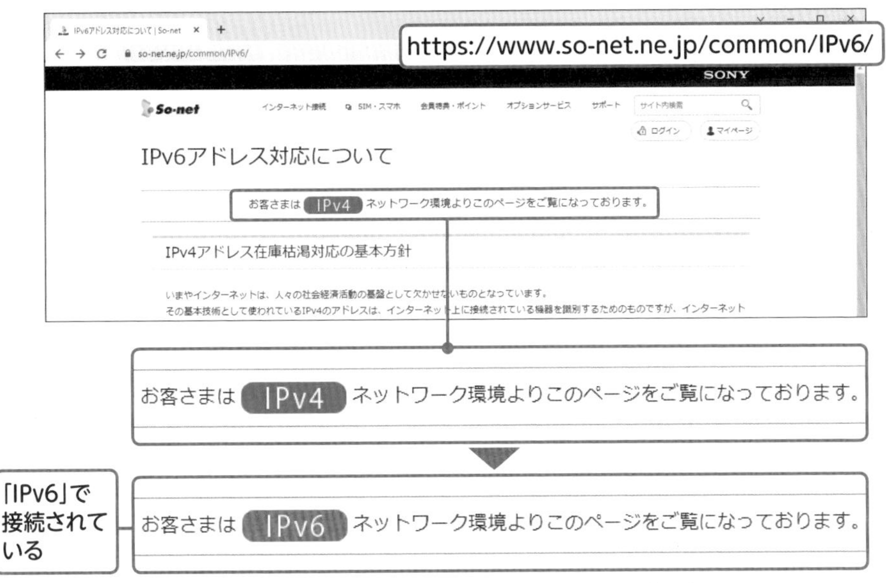

図11 自分の回線がIPv4かIPv6かを確認するには、Googleなどで「sonet ipv6について」と入力して検索するなどして、上記URLの「IPv6アドレス対応について」というウェブページを開こう。そこに「お客様はIPv4ネットワーク環境より…」のようにIPv4とIPv6のどちらで接続しているか表示される

います。そこで登場したのが、空いているIPv6通信のルートを使う方式。「IPv6 IPoE」といいます。こちらに切り替えることで、速くて安定した通信ができるようになるというわけです。

IPv6 IPoE方式で通信できるかどうかは、プロバイダーによります。プロバイダーが対応している場合でも、オプション契約が必要です（**図9**）。とはいえ、無料で使えたり、有料でも月150〜200円程度だったりします。絶対にオススメです。Wi-Fiルーターもこの方式に対応している必要がありますが、最近のルーターなら基本的に大丈夫です（**図10**）。

自分の回線がIPv4かIPv6かどうかは、**図11**の「IPv6アドレス対応につ

最新規格Wi-Fi 6Eは、空いている6GHz帯も利用可

規格名称			最大通信速度	周波数帯
IEEE802.11ax	11ax	Wi-Fi 6	9.6Gbps	2.4GHz、5GHz
		Wi-Fi 6E	9.6Gbps	2.4GHz、5GHz、6GHz

図12 最新の「Wi-Fi 6E」という規格も登場している。2.4GHz帯と5GHz帯に加えて、6GHz帯を利用できるようにしたWi-Fi 6の拡張版だ。6GHz帯は空いている周波数帯であり、干渉も受けにくいので、高速で安定した通信が期待できる

いて」というウェブページにアクセスすればわかります。オプション契約していなければ「IPv4」と表示されるでしょう。IPv6に変えた後、本当にIPv6で通信しているかどうかも、ここで確認できます。

最新規格「Wi-Fi 6E」も登場

最後に、「Wi-Fi 6E」という最新規格について触れておきましょう。これはWi-Fi 6（11ax）の拡張版で、最大通信速度は変わりませんが、利用できる周波数帯が増えました（**図12**）。2.4GHz帯と5GHz帯に加え、6GHz帯を利用できるのが特徴です。6GHz帯はまだあまり使われていないうえ、チャンネル数も多いため、速く安定した通信ができると期待されています。

ただし、Wi-Fi 6Eに対応したパソコンやルーターはまだ少なく、対応していても国内では使えないといった製品もあります。Wi-Fi 6Eの製品を選ぶときは、仕様を細かく確認したほうがよいでしょう。

YouTubeで動画による解説を見る
https://www.youtube.com/watch?v=ABcqOUg8tJc

Wi-Fiルーター増設時の注意点

それってダブルルーターになってない?

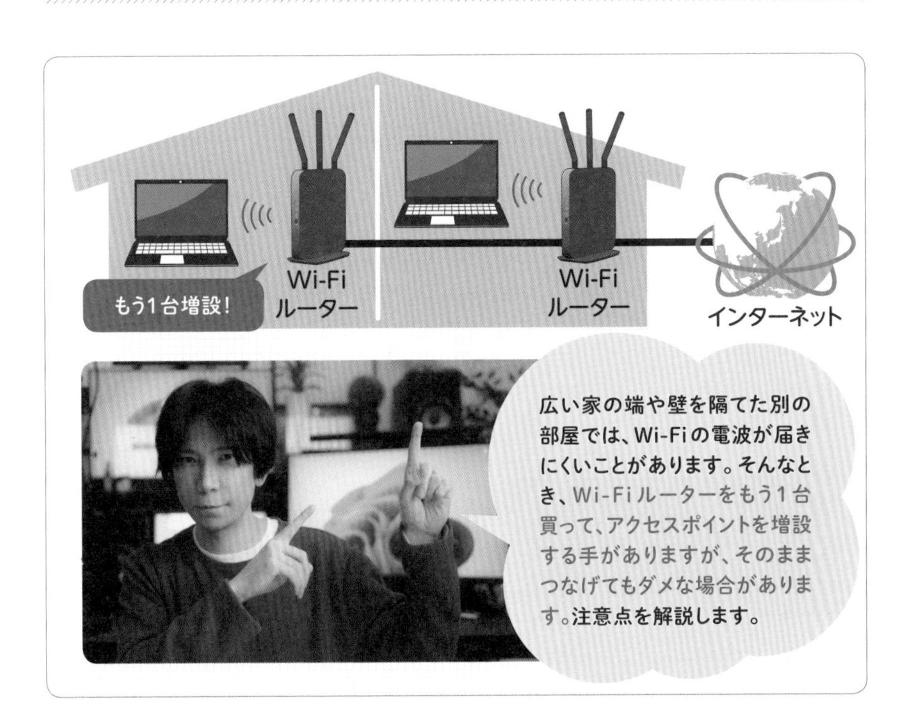

家が広くてWi-Fiルーター1台ではカバーしきれない……。そんなとき、「中継機」を設置して電波を遠くまで広げるのも手ですが、「中継機は通信速度が遅くなるって聞くし、家の端でもちゃんとした速度が欲しいから、Wi-Fiルーターをもう1台買おう!」と考える人も多いようです。ただし、新しくルーターを買ってそのままつなげればよいと思っているなら、ちょっと待ってください。それじゃダメなんです。場合によっては余計に遅くなるかもしれません。ここでは、Wi-Fiルーターを増設する際の注意点を解説します。

ルーターはWi-Fiの電波を出さない

図1 ルーターを、Wi-Fiの無線通信をするための機器だと思っている人は多い。100%間違っているとはいえないが、厳密には異なる

そもそも「ルーター」って何?

まず皆さんに質問です。「ルーター」って何だと思いますか? ほとんどの人は、LANケーブルを挿してパソコンを何台もつないだり、Wi-Fiを飛ばして無線通信をしたりして、パソコンをインターネットに接続させる機器だと思っているでしょう。100%間違いとはいえませんが、実は違います。ルーターはWi-Fiの電波を出しません! 普段はそのような認識で問題ありませんが、Wi-Fiルーターを増設するときは、この認識を正す必要があります(**図1**)。

ルーターがどんな仕事をしているかというと、家の外と中の間に立つ“荷物の管理人”に例えられます(**図2**)。パソコンにはそれぞれ「IPアドレス」と呼ばれる住所があり、例えばパソコンがインターネットに「ウェブサイトを見せて」と要求すると、そのパソコンの住所(IPアドレス)宛てに、ウェブサイトからデータが送られることになります。

ただし、家の中には複数のパソコンがあり、それぞれ住所が異なります。一方、家そのものの住所は1つです。そう、ルーターは家の住所に送られて

ルーターは荷物の管理人

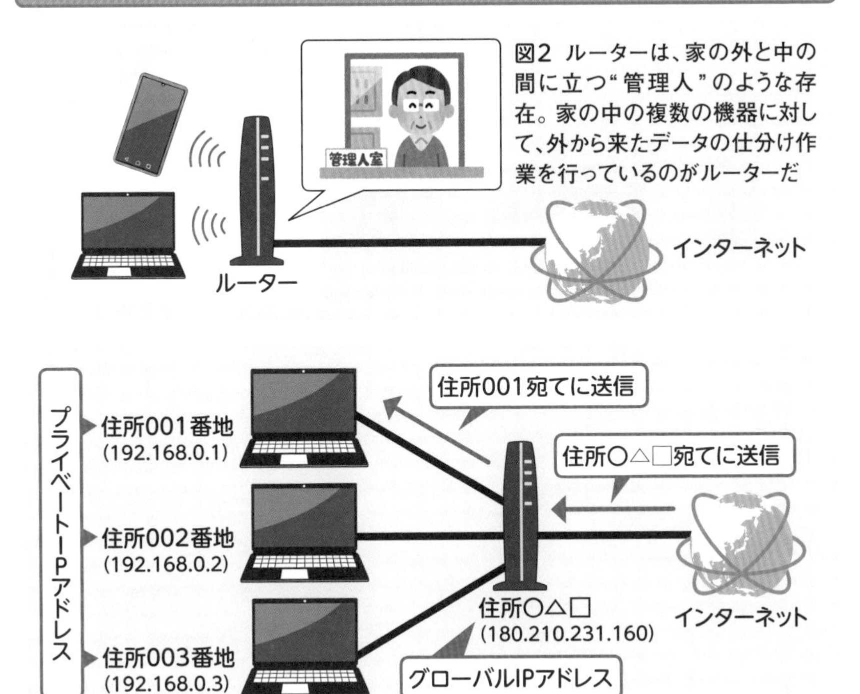

図2 ルーターは、家の外と中の間に立つ“管理人”のような存在。家の中の複数の機器に対して、外から来たデータの仕分け作業を行っているのがルーターだ

図3 あるデータをパソコンで受け取る場合、家の外であるインターネット側からは、ルーターの住所（グローバルIPアドレス）宛てにデータが送られてくる。それを、家の中のどのパソコンに渡せばよいかを判断して、正しくデータを送り届ける役割を担うのがルーターだ。家の中のパソコンの住所をプライベートIP アドレスというが、このIP アドレスの振り分けもルーターが行っている

きたデータを、家の中のどのパソコンに渡すべきかを判断して、正しく送り届ける働きをするのです（**図3**）。

ルーターがどんな仕事をする機器なのか、おわかりいただけたでしょうか。なぜ多くの人が「ルーター=Wi-Fiの電波を出すもの」といった勘違いをするのかというと、現在のWi-Fiルーターが「アクセスポイント」「ハブ」「ルーター」という3つの機能を内蔵しているからです。Wi-Fiの電波を出す機器

Wi-Fiルーターは1台3役

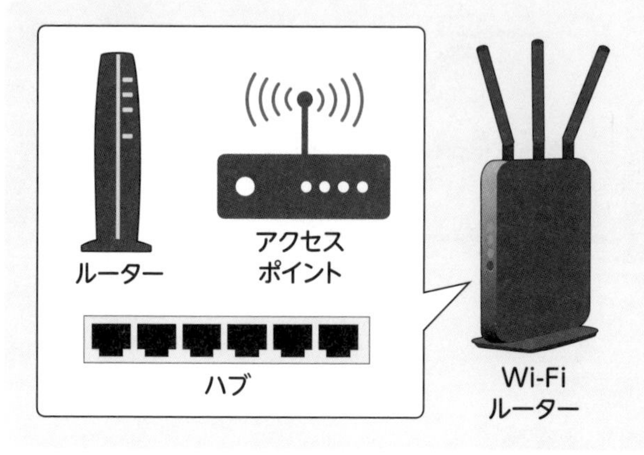

図4 現在Wi-Fiルーターと呼ばれている機器は、Wi-Fiのアクセスポイント、ルーター、ハブ（LANケーブルを分配する機器）という3つの機能を兼ね備えているものが多い。そのため、ルーター＝Wi-Fiと誤解しがちだが、厳密には異なる

のことを、アクセスポイントといいます。そして、LANケーブルを複数に分配する機器をハブといいます。ルーターは、家の外と中の間に立つ荷物の仕分け人でしたね。これら3種類の機器を別々に買って家に設置するのは面倒なので、すべてを1つにまとめた「Wi-Fiルーター」という機器が登場しました（**図4**）。これが「ルーター」と略されて家電量販店などで売られているため、多くの方が誤解してしまうのでしょう。

「ダブルルーター」に要注意

さて、2台目のWi-Fiルーターを買ってきて家の中に設置する場合を考えてみましょう。単純にLANケーブルでつなげばいいのかというと、それではダメです。先ほど説明した通り、Wi-Fiルーターにはすべてルーター機能が備わっているので、そのまま接続すると「ダブルルーター」とか「二重ルーター」とかいわれる状態になります（**図5**）。そうなると、ネットワークの環境をかえって悪くなってしまうこともあるのです。

じゃあどうすればよいかというと、2台目のWi-Fiルーターについては、

Wi-Fiルーターの増設時はダブルルーターに注意

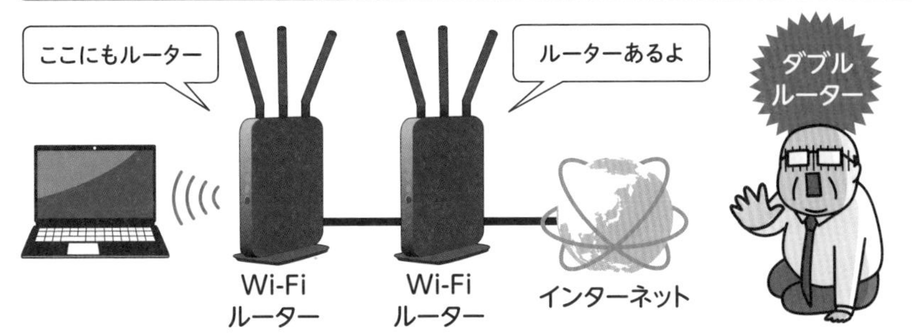

図5 Wi-FiルーターにLANケーブルをつないで別のWi-Fiルーターを設置すると、アクセスポイントを増やして遠くでもWi-Fiを使えるようになりそうだ。ただし、そのままだとルーター機能が二重になり、速度低下を招くなど、ネットワーク環境を悪化させる要因にもなるので注意。これを「ダブルルーター」「二重ルーター」などと呼ぶ

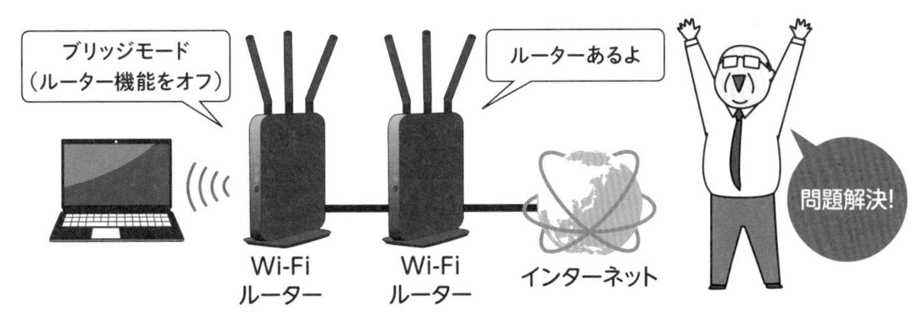

図6 増設したWi-Fiルーターを「ブリッジモード」にしてルーター機能をオフにすると、ダブルルーターとならずに済み、快適に使える。ブリッジモードは「AP(アクセスポイント)モード」と呼ぶこともある

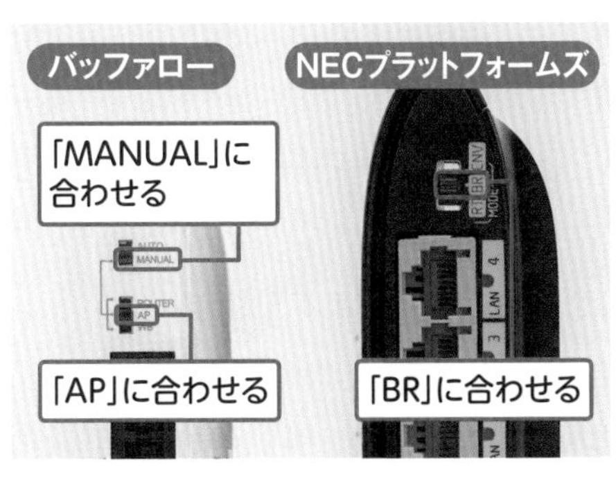

図7 Wi-Fiルーターの背面にあるスイッチを「AP」(アクセスポイント)や「BR」(ブリッジ)に切り替えるとブリッジモードにできる。製品によってはルーターの設定画面で切り替えるものもある

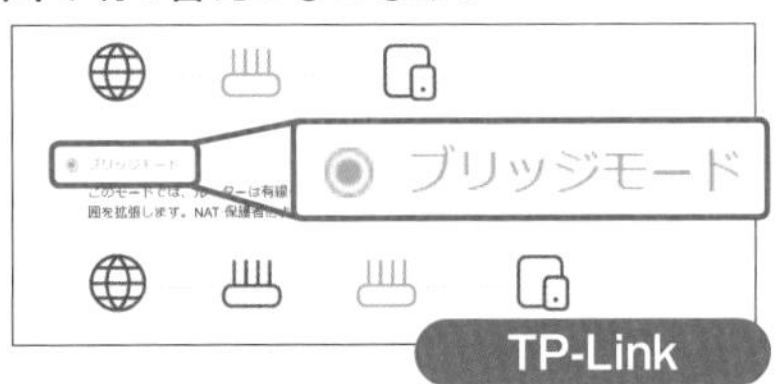

使用する場所を移動すると問題が…

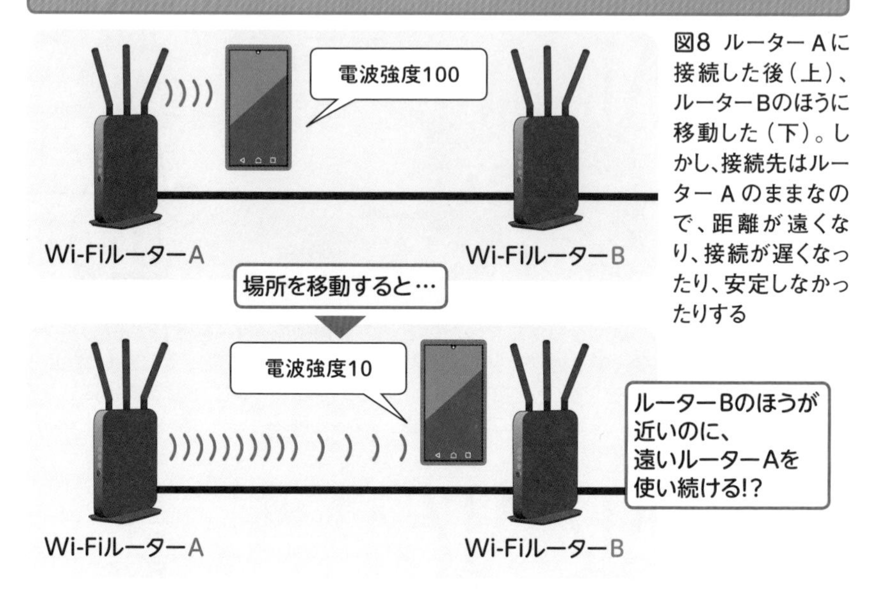

図8 ルーター Aに接続した後（上）、ルーター Bのほうに移動した（下）。しかし、接続先はルーター Aのままなので、距離が遠くなり、接続が遅くなったり、安定しなかったりする

ルーターの機能をオフにします（前ページ図6、図7）。ブリッジモードにすれば、ルーター機能のない、単なるアクセスポイントとして機能するので、ダブルルーターの問題を回避することができます。

接続先をうまく切り替えるには?

ところが、もう1つ解決すべき問題があります。それは、ノートパソコンやスマホなどを、移動しながら利用する場合です。例えばAというWi-Fiルーターに接続済みのスマホを持ってBというWi-Fiルーターの近くまで移動しても、接続先はAのまま。自動でBには切り替わりません。遠くて微弱なAの電波をそのまま使うので、通信は安定せず、遅くなります（図8）。

なぜそうなるかというと、Wi-FiルーターのAとBで、電波が異なるためです。この電波の名前を「SSID」といいますが、SSIDが異なる電波をスマホ

電波によってSSIDが異なる

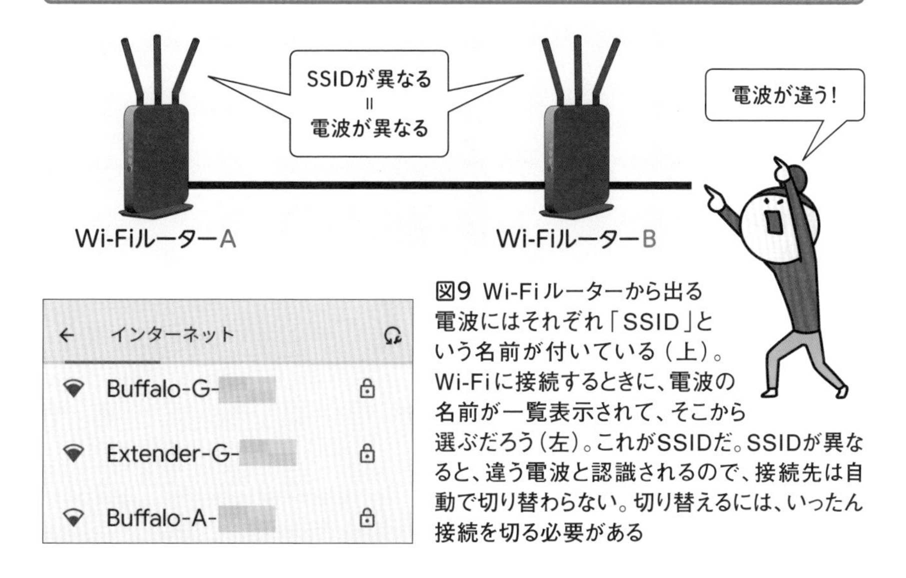

図9 Wi-Fiルーターから出る電波にはそれぞれ「SSID」という名前が付いている(上)。Wi-Fiに接続するときに、電波の名前が一覧表示されて、そこから選ぶだろう(左)。これがSSIDだ。SSIDが異なると、違う電波と認識されるので、接続先は自動で切り替わらない。切り替えるには、いったん接続を切る必要がある

SSIDを同じにすれば改善することも

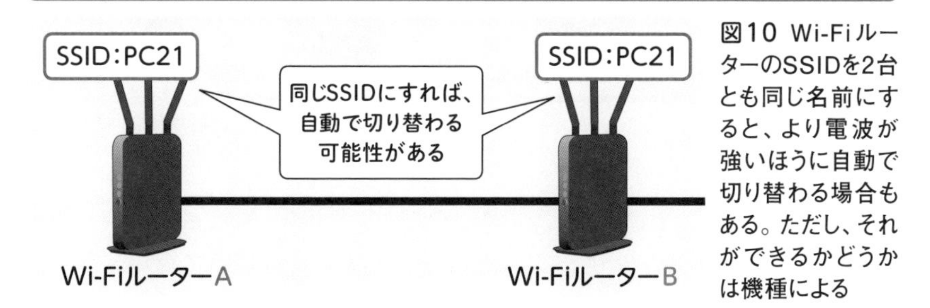

図10 Wi-FiルーターのSSIDを2台とも同じ名前にすると、より電波が強いほうに自動で切り替わる場合もある。ただし、それができるかどうかは機種による

などは別の電波と認識するので、自動では切り替えてくれません(**図9**)。毎回、手動で接続先を切り替えるのは面倒ですね。

実はこのSSIDは、ユーザーが自由に変えることができます。そこで、2台のWi-Fiルーターに共通のSSIDを設定することで、同じ電波だと認識させて、自動的に接続が切り替わるようにできる場合があります(**図10**)。SSID

Wi-Fiルーターの設定を変更するには?

図11 Wi-Fiに接続した状態でブラウザーにルーターのIPアドレスを入力し、設定画面にログインすると、SSIDの変更などができる（❶〜❸）

いったん接続が切れるように電波の出力を調整

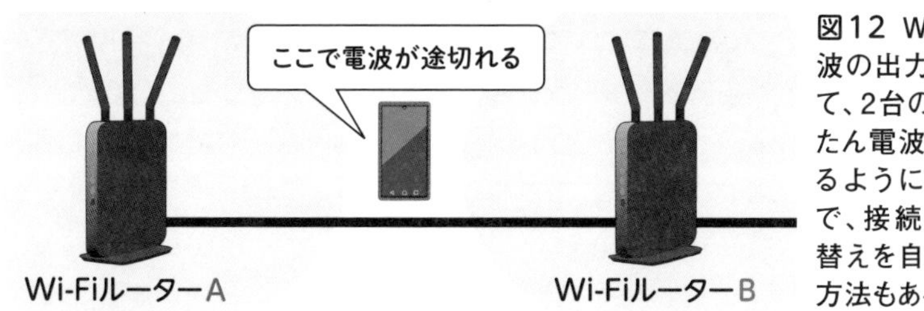

図12 Wi-Fiの電波の出力を調整して、2台の間でいったん電波が途切れるようにすることで、接続先の切り替えを自動化する方法もある

の変更は、ウェブブラウザーでルーターの設定画面を開いて行います（**図11**）。その手順は製品のマニュアルを参照してください。ただし、接続の切り替えがうまくいくかどうかはパソコンやスマホの機種によります。積極的に接続先を切り替える機種もあれば、SSIDが同じでも最初の電波をつかみ続けてしまう機種もあるからです。

接続先が自動で切り替わらない機種の場合は、電波強度を調整することで解決します。Wi-Fiルーターには電波を強めたり弱めたりする機能があ

ONUがルーター機能を備えているときも要注意

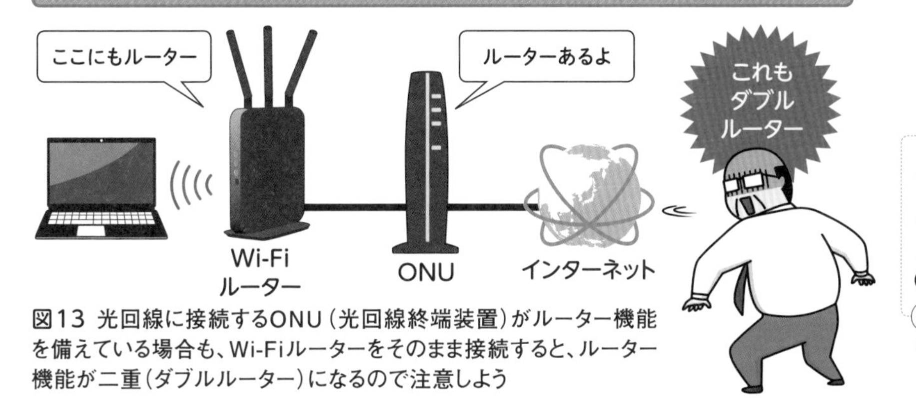

図13 光回線に接続するONU（光回線終端装置）がルーター機能を備えている場合も、Wi-Fiルーターをそのまま接続すると、ルーター機能が二重（ダブルルーター）になるので注意しよう

るので、2台のルーターの真ん中に、どちらの電波も届かないような場所を作るのです。すると、移動したときにその場所でいったん接続が切れるので、結果として、より近くのWi-Fiルーターに自動で接続し直すことになります（**図12**）。ただ、出力の設定自体は簡単ですが、電波は目に見えないものなので、その調整には少してこずるかもしれません。

なお、最近はこういった複数の接続先の切り替えをスムーズにしてくれる「メッシュWi-Fi」という機能を持ったルーターも増えています。これについては次のパートで解説します。

以上、Wi-Fiルーターを増設する場合の注意点を解説してきましたが、増設ではなく、1台目のWi-Fiルーターについても、ダブルルーターへの注意は必要です。光回線に接続するためのONU（光回線終端装置）にはルーター機能を備えるものがあり、これにWi-Fiルーターを接続するときは、やはりブリッジモードにする必要があります（**図13**）。

YouTubeで動画による解説を見る

https://www.youtube.com/watch?v=jSZv6Oc81fU

ネットワーク編 03

今流行のメッシュWi-Fiとは?

家中どこでも快適インターネット!

前のパートでは、Wi-Fiルーターを増設することで、家の中の広い範囲でWi-Fiを使えるようにする方法を解説しました。ただ、ノートパソコンやスマホを持ち歩いて使っている場合に、近くにあるルーターへと自動で接続先が切り替わらず、かえって通信が遅くなるケースがあるという話もしました。

しかし最近は、こういった問題を解決してくれる「メッシュ Wi-Fi」という機能を持ったルーターが増えています。このメッシュ Wi-Fiとは何なのか、かみ砕いて説明しましょう。

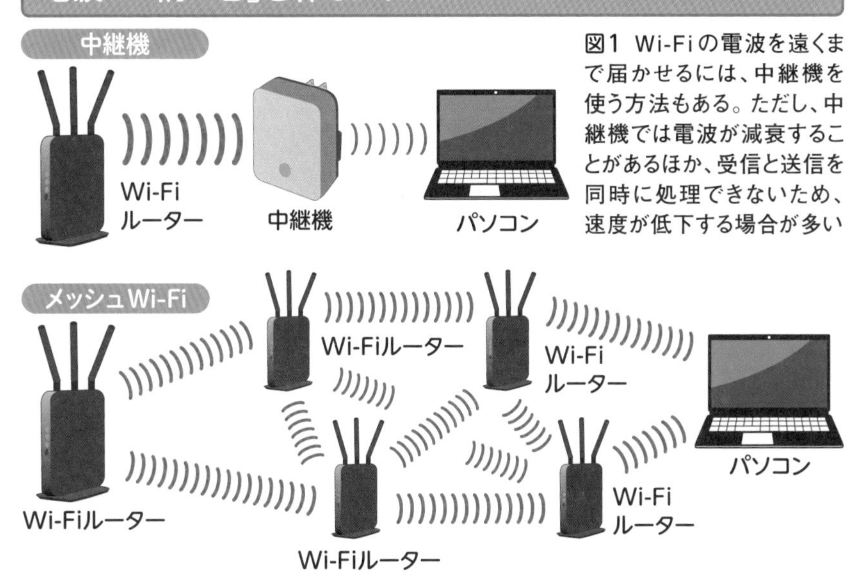

図1 Wi-Fiの電波を遠くまで届かせるには、中継機を使う方法もある。ただし、中継機では電波が減衰することがあるほか、受信と送信を同時に処理できないため、速度が低下する場合が多い

図2 メッシュWi-Fiは、複数のWi-Fiルーターを使って網の目のように電波を張り巡らせる技術。これにより家中に電波が届けられるうえ、通信速度も落ちにくい。2台でも使える

電波の網の目(メッシュ)を作る

遠くまでWi-Fiの電波を飛ばしたい場合、Wi-Fiルーターを増設する方法のほか、「中継機」と呼ばれる機器を使う方法もあります(**図1**)。メッシュWi-Fiは、中継機を進化させた技術といってもよいでしょう。

メッシュWi-Fiを簡単にいうと、"チームプレーが得意なWi-Fi"ということができます。複数のWi-Fi機器を連携させて、メッシュ(mesh)、つまり「網の目」のように切れ目のないWi-Fi環境を作るというものです(**図2**)。従って、そもそもWi-Fiルーターが1つあればよいワンルームマンション程度の環境では必要がありません。家が広く、複数のWi-Fiルーターを設置しなければならないような環境で、メッシュWi-Fiは威力を発揮します。

Wi-Fiルーターを単純に増設した場合

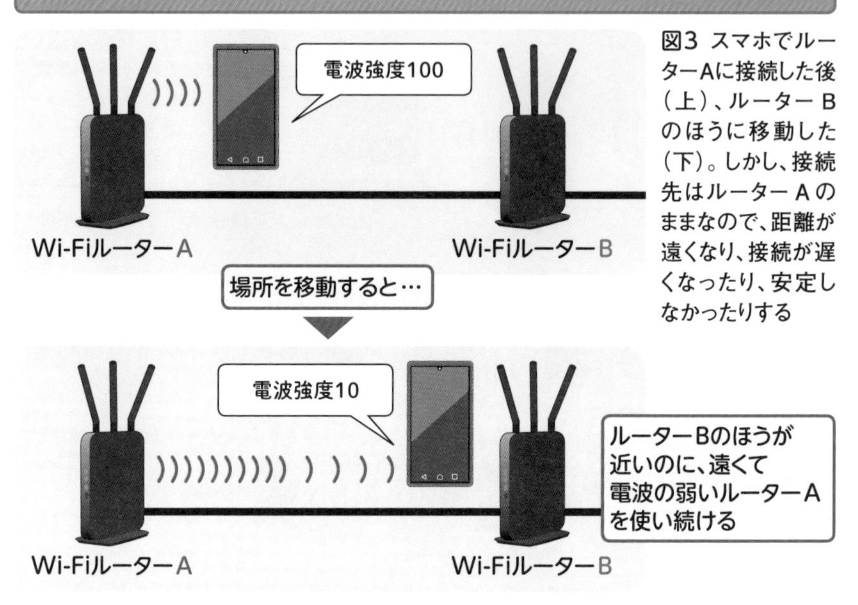

図3 スマホでルーターAに接続した後（上）、ルーターBのほうに移動した（下）。しかし、接続先はルーターAのままなので、距離が遠くなり、接続が遅くなったり、安定しなかったりする

前のパートでも説明しましたが、Wi-Fiルーターを複数設置して電波の届く範囲を広げた場合、ノートパソコンやスマホを持って家の中を移動したときに問題が生じます。例えばAというルーターに接続した機器は、移動してBというルーターに近づいたときにも、相変わらずAの電波を使い続けようとするため、通信が遅くなったり不安定になったりします（**図3**）。機種にもよりますが、より近くにあるルーターに接続を切り替えるには、手動で操作する必要があります。ルーターBに近づいたときにはルーターAの接続が切れるように電波強度を調整する方法もありますが、それなりの知識が必要になりますし、設定するのも面倒です。

一方、この2つのWi-Fiルーターをメッシュ対応のものにすると、ルーター間を移動したときには自動で接続先が切り替わり、常に最適な通信ができるようになります（**図4**）。しかも、知識いらず、設定いらず、買って設置する

メッシュWi-Fiは自動的に接続を切り替える

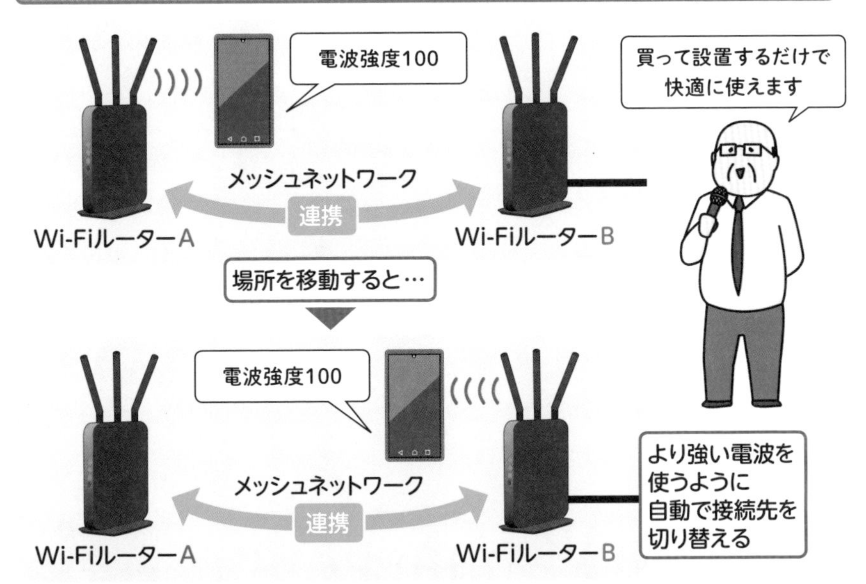

図4 メッシュWi-Fiの場合、ルーターAに接続した後(上)、ルーターBのほうに移動すると(下)、電波の強いルーターBに自動的に接続が切り替わり、何も意識することなく最適な通信ができる

だけです。これが、メッシュWi-Fiの最大のメリットといえるでしょう。

メッシュWi-Fiと中継機の違い

メッシュWi-Fiと従来の中継機との違いはどこにあるのでしょうか。1つは、Wi-Fiルーターの負荷を分散させて、より快適な通信ができる点です。

中継機を使ってもWi-Fiの電波を広げることはできます。ところが中継機の場合、中継機の処理を含め、広がった電波の中にあるすべての機器に対する処理を、1台の親ルーターが引き受けます。そのため、中継機や接続する機器が増えれば増えるほど、ルーターの負荷が高まり、処理が遅くなってしまいます。一方、メッシュWi-Fiの場合は、個々のルーターが独立して処理

メッシュなら数珠つなぎにWi-Fiを延ばせる

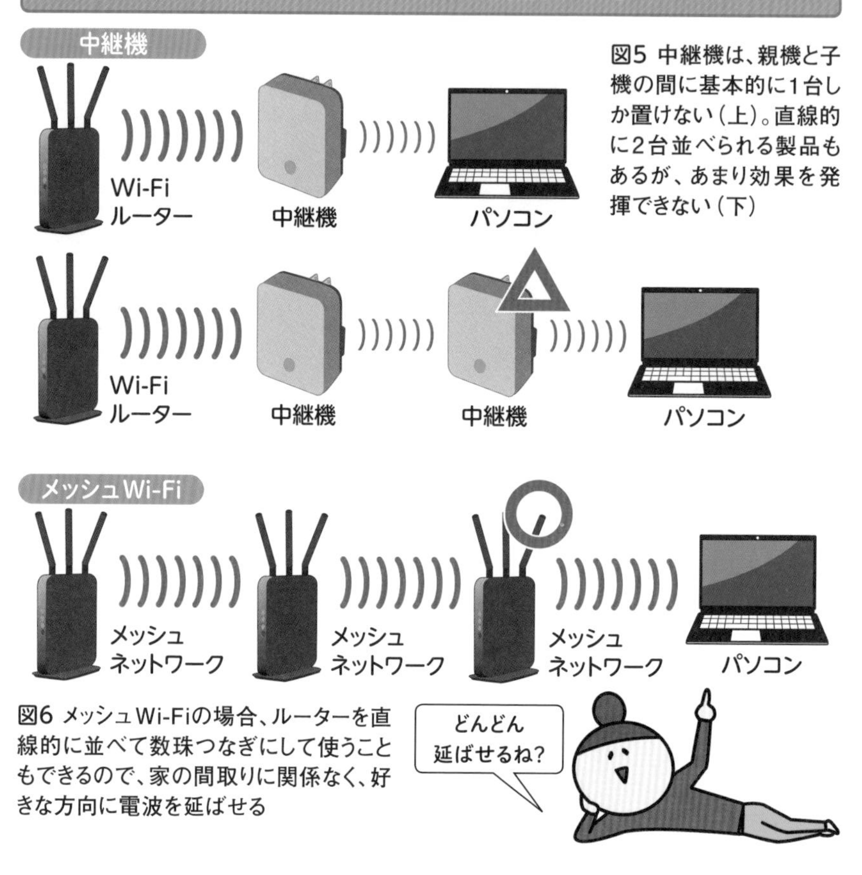

図5 中継機は、親機と子機の間に基本的に1台しか置けない(上)。直線的に2台並べられる製品もあるが、あまり効果を発揮できない(下)

図6 メッシュWi-Fiの場合、ルーターを直線的に並べて数珠つなぎにして使うこともできるので、家の間取りに関係なく、好きな方向に電波を延ばせる

を担うようになるので、親ルーターの負担がかなり低下します。

また従来の中継機は、並列には何台でも設置できますが、直列には1台しか置けません(**図5**)。メーカーによっては直列につなげる製品もありますが、あまり効果を発揮しないことが多いです。つまり、中継機は円形にWi-Fiを広げることはできても、直線的に遠くまで延ばすのは難しいものなのです。これに対し、メッシュWi-Fiは直列にも設置することができます(**図6**)。家の間取りに関係なく、好きな方向に電波を延ばせるわけです。

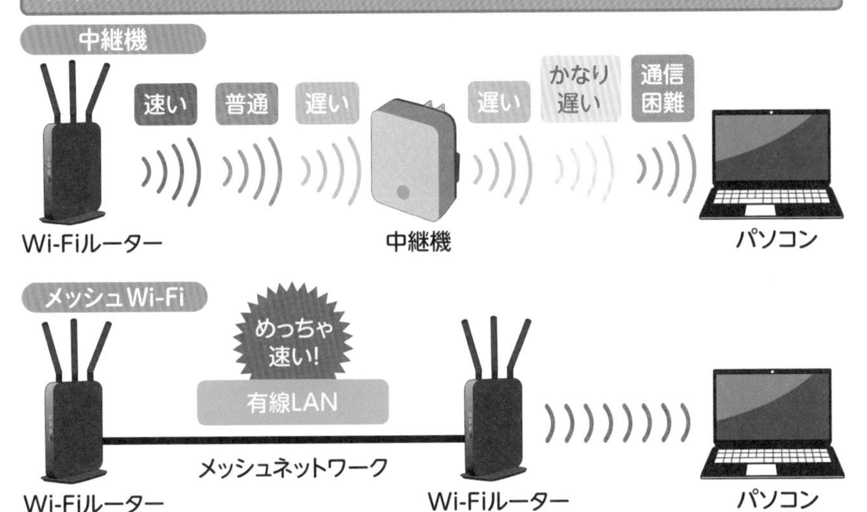

図7 中継機はWi-Fiの電波を中継するものなので、距離が離れるとどうしても電波は弱くなり、遅く不安定になる（上）。一方、メッシュWi-Fiに対応したルーターの場合、有線LANのケーブルでメッシュネットワークを構築することも可能。こうすると、ルーター間の通信はまったく減衰しないので、家の隅々まで高速な通信を張り巡らせて、しかも、接続先をいちいち切り替えずに最適なWi-Fiを利用できるようなる。メッシュWi-Fiを選ぶときは、有線LANに対応するものを選ぶのがオススメだ

有線LANにも対応

そして、メッシュWi-Fiで一番推したいポイントが、有線LANにも対応した製品が増えているということです。

中継機というものは、親機の出す電波を拾い、それをまた遠くまで飛ばそうとするものなので、有線LANは使えません。電波は距離に応じて減衰していくので、中継機は、その弱くなった電波を拾って利用することになります。弱くなった電波をさらに遠くに投げるわけですから、親機から離れれば離れるほど、電波は弱くなってしまいます（**図7上**）。

一方、メッシュWi-Fiでは、有線LANを使ってルーター同士をつなぐこと

共通規格の「EasyMesh」に注目

図8 メッシュWi-Fiの規格は、以前はメーカーごとに独自のものが採用されていた（上）。だが最近は、異なるメーカーの製品同士でもメッシュネットワークを築ける「EasyMesh」という共通規格に対応した製品が増えている

もできます（前ページ**図7下**）。有線LANの場合、距離によって電波が減衰するということはほぼありませんから、どのルーターも親機と同じ電波強度を保つことができます。これはスゴイですね。家の中に有線LANがある、もしくはLANケーブルを引ける環境であれば、家の隅々にまで強い電波を飛ばすことができ、さらに接続の切り替えもうまくいく、という快適な環境を築けるわけです。

メーカー間で共通の規格「EasyMesh」

なお、メッシュWi-Fiにも種類があるので、対応製品を買うときには注意

異なるメーカーの製品同士で連携できる

図9 EasyMeshに対応した製品なら、メーカーが違っていても、相互に接続して利用できる。バッファローは、2019年以降に発売したWi-Fi 6対応ルーターと中継機をすべてEasyMeshに対応させた。一部の製品はファームウエア（ルーター内臓のソフトウエア）のアップデートにより対応する

が必要です。以前はメーカーごとに異なるメッシュWi-Fiの規格を策定し、製品化していたので、同じメーカーの製品でなければ連携できませんでした。しかし、それでは汎用性がないということで、「EasyMesh」という共通の規格ができました（**図8**）。従って、例えば同じバッファローの製品でも、「connect」という独自規格の製品と、EasyMeshに対応した製品は連携できません。汎用性や拡張性を考えると、これからはEasyMeshに対応した製品を選ぶのがよいでしょう（**図9**）。

YouTubeで動画による解説を見る

https://www.youtube.com/watch?v=PzXyz-EcFHs

ネットワーク編 04

Wi-Fiのパスワードを調べる

悪用厳禁！家のWi-Fiを人に貸すときは注意

今Wi-Fiに接続しているパソコンがあって、同じWi-Fiにスマホでも接続したいのだけれど、パスワードを忘れてしまった――。そんなときも、心配は無用です。パスワードを調べる簡単な方法があります。パソコンやスマホは、一度接続したWi-Fiのパスワードを保存しているので、後からでも確認することができます。その方法を紹介しましょう。

ただし、悪用は厳禁です。一度でも接続したことのあるWi-Fiのパスワードがすべて見えてしまうので、例えば、過去に知り合いの家で借りたWi-Fi

一度Wi-Fiを貸すと、後からいつでも接続できてしまう

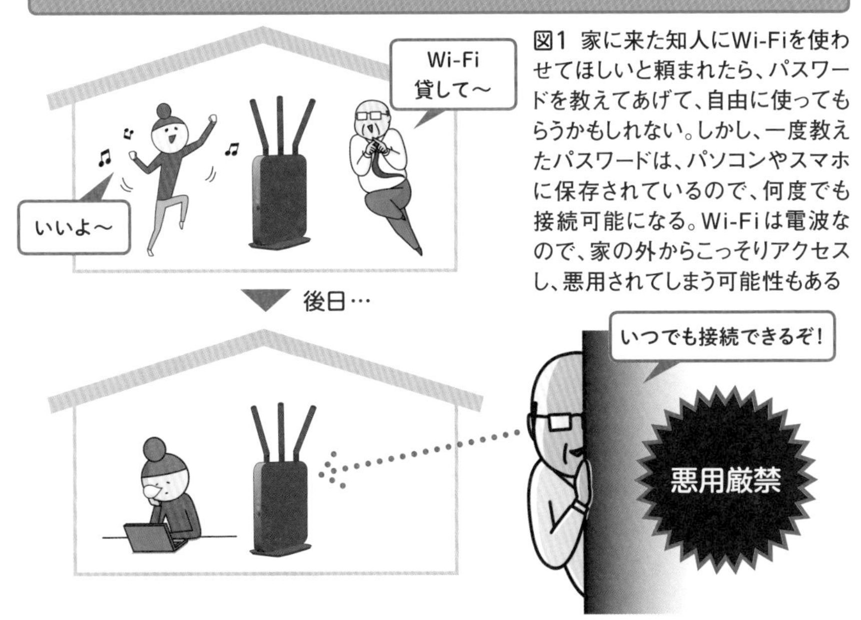

図1 家に来た知人にWi-Fiを使わせてほしいと頼まれたら、パスワードを教えてあげて、自由に使ってもらうかもしれない。しかし、一度教えたパスワードは、パソコンやスマホに保存されているので、何度でも接続可能になる。Wi-Fiは電波なので、家の外からこっそりアクセスし、悪用されてしまう可能性もある

のパスワードなんかも確認できてしまいます。Wi-Fiの電波は家の外にまで広がっていますので、外からこっそりWi-Fiに接続し、いろいろと悪用することもできてしまうわけです（**図1**）。

悪用は厳禁！ あなたも狙われる恐れが

逆にいうと、自分の家のWi-Fiを他人に貸すときにも注意が必要だということです。あなたのWi-Fiに勝手に接続した誰かが、ネット上で誹謗（ひぼう）中傷など不適切な書き込みをしたとしましょう。すると、あなたのWi-Fiルーターを経由して書き込みが行われたことまでは、警察にも調べが付きます。ただし、どの端末が使用されたのかはわからないので、あなたにも疑いがかかる恐れがあるのです。そのほか、自宅のWi-Fiにつながったネットワーク機器に不正にアクセスされたり、最悪の場合、ルーターを乗っ取られ

iPhoneでパスワードを確認する

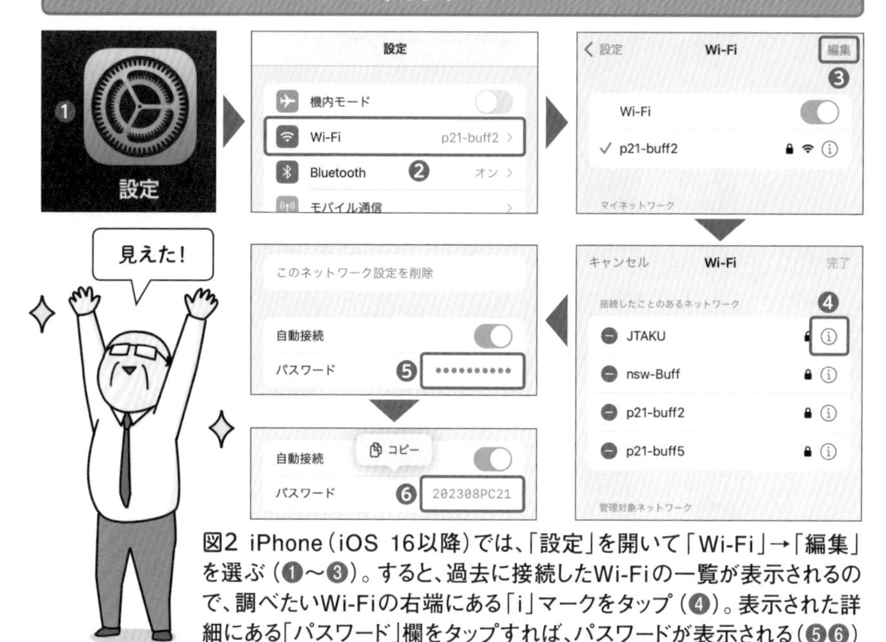

図2 iPhone（iOS 16以降）では、「設定」を開いて「Wi-Fi」→「編集」を選ぶ（❶～❸）。すると、過去に接続したWi-Fiの一覧が表示されるので、調べたいWi-Fiの右端にある「i」マークをタップ（❹）。表示された詳細にある「パスワード」欄をタップすれば、パスワードが表示される（❺❻）

たりするかもしれません。ルーターの権限を奪われると、正しいURLにアクセスしているのに、詐欺サイトへ誘導されることすらあり得ます。こうしたリスクやその対策についても、後ほど解説します。

スマホでWi-Fiのパスワードを確認

それでは、過去に接続したWi-Fiのパスワードを調べる方法を見ていきましょう。まずは、より簡単なスマホの手順を説明します。

iPhoneの場合は、「設定」を起動して「Wi-Fi」を開きます（図2）。右上の「編集」をタップすると、接続したことのあるWi-Fiが一覧表示されますので、右端の「i」マークをタップします。すると「パスワード」欄が表示され、「●●●●●●●●」のように伏せ字になっている部分をタップすると、パスワー

Androidでパスワードを確認する

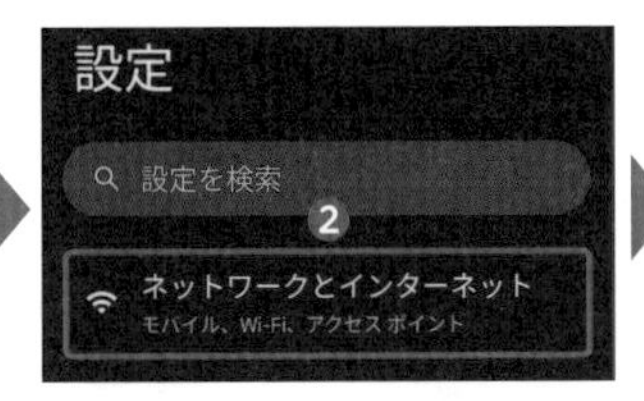

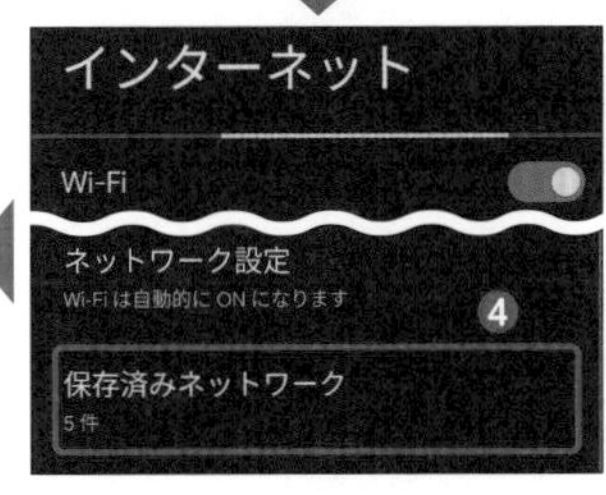

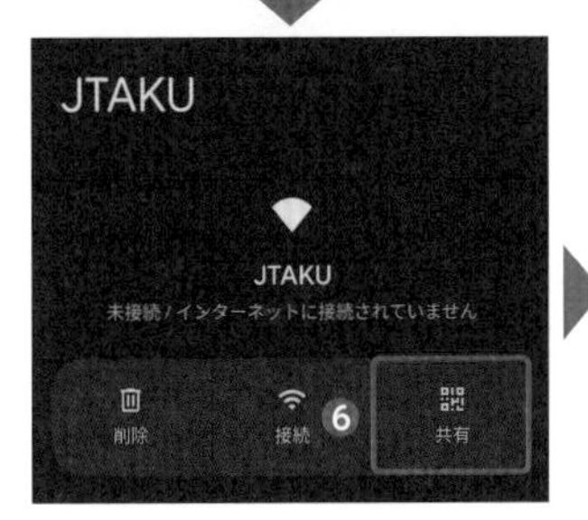

図3 Androidの場合は、「設定」を開いて「ネットワークとインターネット」→「インターネット」とたどる（❶～❸）。周囲のWi-Fiの一覧が表示されたら下のほうにある「保存済みネットワーク」をタップ（❹）。すると過去に接続したことのあるWi-Fiが一覧表示されるので、調べたいものを選択する（❺）。開いた詳細で「共有」をタップすると（❻）、QRコードとパスワードが表示される（❼）。このQRコードを別のスマホで読み込めば、そのスマホですぐにアクセスできるようになる

ドが表示されます。簡単ですね。今接続しているWi-Fiのパスワードも、同様にWi-Fi名の右端の「i」をタップすれば確認することができます。

なお、過去に接続したWi-Fiのパスワードを表示する機能は、iOS 16で

Windowsで、接続中のWi-Fiパスワードを確認

図4 タスクバーの検索ボックスで「こんと」と入力(❶)。「コントロールパネル」が候補に挙がるので選択して起動する(❷)。「ネットワークとインターネット」→「ネットワークと共有センター」とたどると(❸❹)、接続中のWi-Fiが表示されるので、右側の「Wi-Fi(名前)」の部分をクリックする(❺)

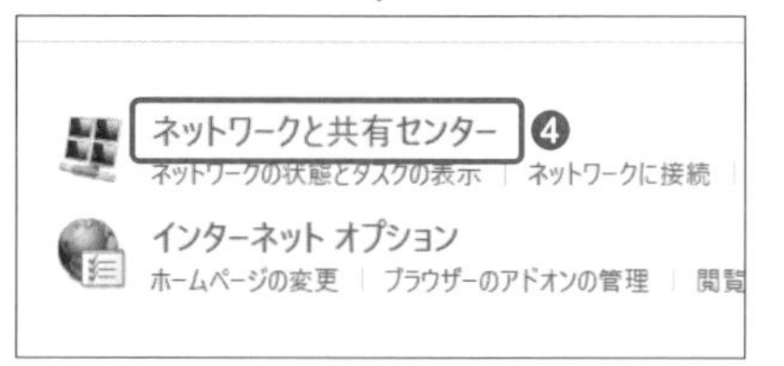

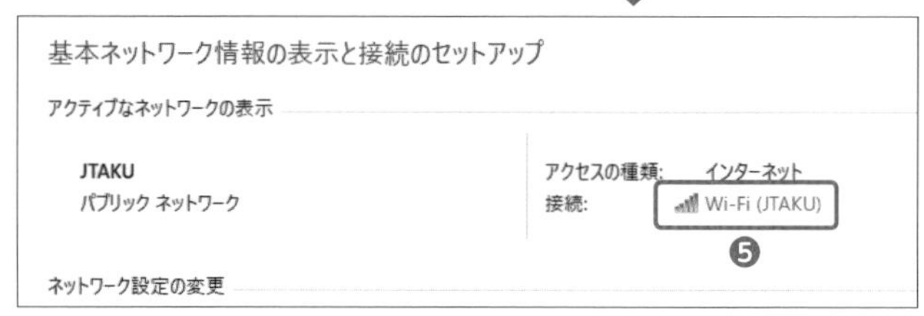

追加されたものです。メニューの内容が異なる場合は、OSをアップデートすることで利用可能になります。

Androidは機種によってメニューが異なります。標準的なものでは「設定」を開いて「ネットワークとインターネット」→「インターネット」(または「Wi-Fi」など)と進みます(前ページ図3)。Wi-Fiの一覧が表示されたら、接続中のWi-Fiであればその名前をタップ。過去に接続したWi-Fiであれば、下のほうにある「保存済みネットワーク」を選択し、表示された一覧からWi-Fi名

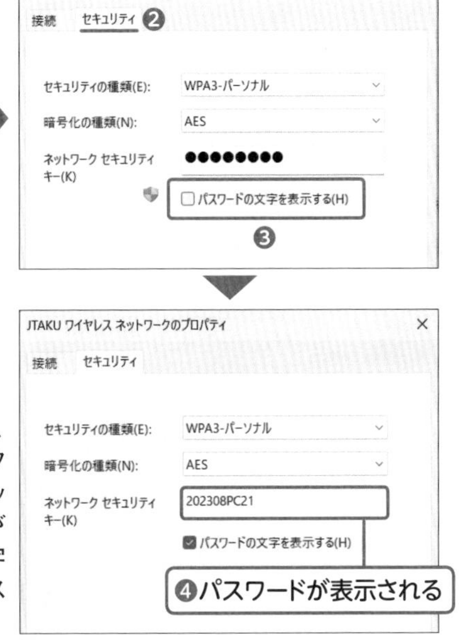

図5 「Wi-Fiの状態」という画面が開いたら、「ワイヤレスのプロパティ」ボタンをクリック（❶）。「セキュリティ」タブを開くと（❷）、「ネットワークセキュリティキー」欄にパスワードが保存されている。その下の「パスワードの文字を表示する」にチェックを付けると（❸）、パスワードが表示される（❹）

を選びます。Wi-Fiの詳細画面で「共有」をタップすると、そのWi-Fiに接続するためのQRコードと、Wi-Fiのパスワードが表示されます。このQRコードを別のスマホで読み取れば、そのスマホにWi-Fiの設定を移せます。

パソコンで接続中のWi-Fiパスワードを確認

次に、パソコンでWi-Fiのパスワードを調べる方法を見ていきます。現在接続しているWi-Fiのパスワードは、「コントロールパネル」から確認できます（**図4**）。「ネットワークとインターネット」→「ネットワークと共有センター」と進み、「アクティブなネットワークの表示」欄で「Wi-Fi（名前）」という青文字の部分をクリックしてください。開いた画面で「ワイヤレスのプロパティ」ボタンを押し、「セキュリティ」タブを開くと、「ネットワークセキュリティキー」欄にパスワードが保存されています（**図5**）。その下にある「パスワードの文字

Windowsで、保存されているWi-Fiパスワードを確認

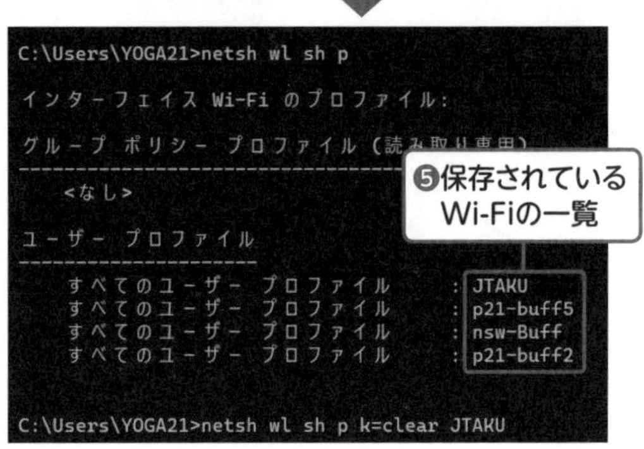

図6 過去に接続したWi-Fiのパスワードは、「コマンドプロンプト」で調べる。タスクバーの検索ボックスに「こま」と入力すると候補に挙がるので、選択して起動しよう（❶❷）。「>」記号の右側にカーソルが点滅しているので、そこに「netsh wl sh p」と半角文字で入力する（❸）。図のように、間に半角スペースが入るので注意しよう。「Enter」キーを押すとコマンドが実行され（❹）、接続したことのあるWi-Fiがリストアップされる（❺）

を表示する」にチェックを付けると、伏せ字が解除されてパスワードを確認できます。

一方、過去に接続したWi-Fiのパスワードは、「コマンドプロンプト」で調べます。タスクバーの検索ボックスに「こま」と入れると「コマンドプロンプト」がヒットするので、クリックして起動してください（**図6**）。

一見、難しそうに見えますが、決まった文字列をコマンド（命令）として入力し、「Enter」キーを押すだけなので簡単です。まず「netsh wl sh p」と半角文字で入力し、「Enter」キーを押しましょう。すると、過去に接続したWi-Fiの名前が一覧表示されます。

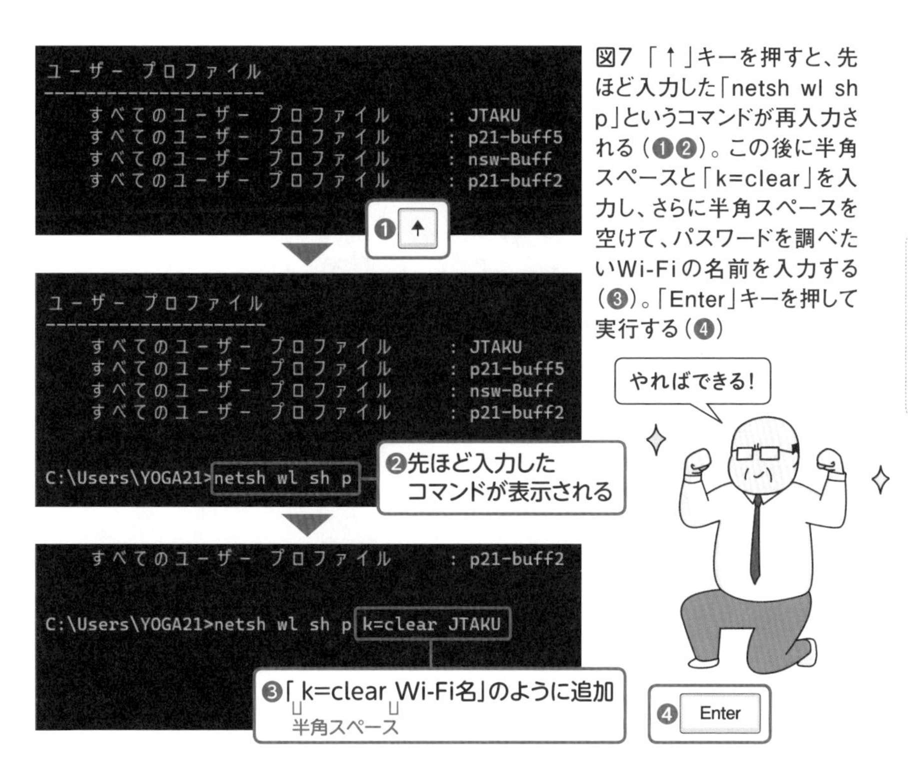

図7 「↑」キーを押すと、先ほど入力した「netsh wl sh p」というコマンドが再入力される（❶❷）。この後に半角スペースと「k=clear」を入力し、さらに半角スペースを空けて、パスワードを調べたいWi-Fiの名前を入力する（❸）。「Enter」キーを押して実行する（❹）

次に、同じコマンドの後ろに、「k=clear」の文字とWi-Fi名を、半角スペースで区切って追加します（**図7**）。「↑」キーを押すと、先ほど図6で入力したコマンドが自動入力されるので、その後ろに「k=clear Wi-Fi名」の形で追記してください。Wi-Fi名は、先ほどリストアップした名前の中から、調べたいものを入力します。これで「Enter」キーを押すと、そのWi-Fiの詳細情報が表示されます。

詳細情報にある「セキュリティの設定」の一番下に、「主要なコンテンツ」という欄があります。これがWi-Fiのパスワードです（次ページ**図8**）。

勝手に接続されるとどうなるのか？

このように、一度接続したWi-Fiであれば、スマホでもパソコンでも、簡

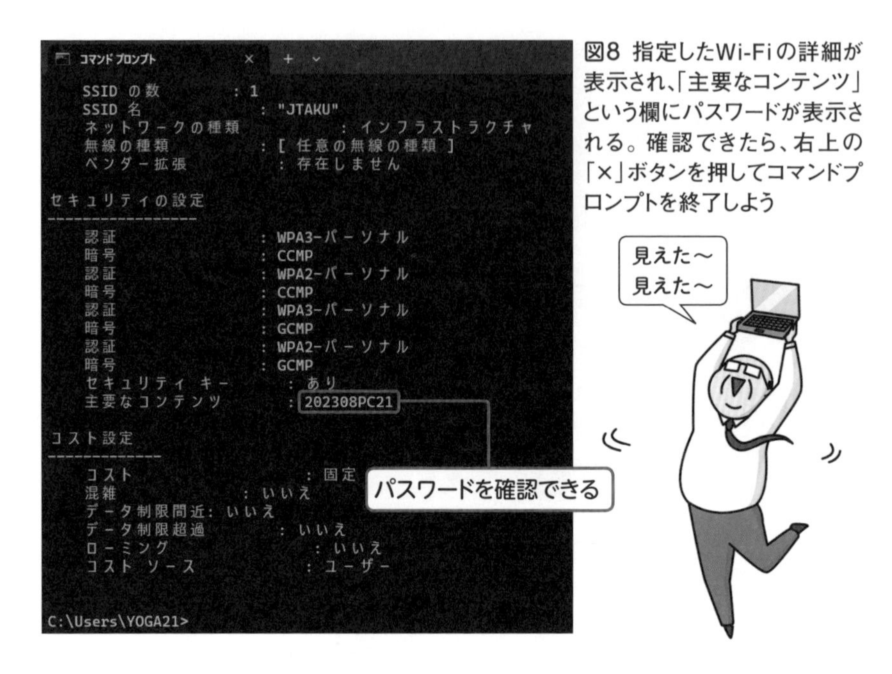

図8 指定したWi-Fiの詳細が表示され、「主要なコンテンツ」という欄にパスワードが表示される。確認できたら、右上の「×」ボタンを押してコマンドプロンプトを終了しよう

単にパスワードを調べられることがわかりましたね。この点を悪用された場合、どのような危険性があるのでしょうか？

例えば、自宅を訪れた知り合いに一度Wi-Fiを貸すと、その人は自宅の周辺からいつでもあなたのWi-Fiにアクセスできるようになります。Wi-Fiの電波は家の外にも広がっているからです。

あなたのWi-Fiに接続できるということは、あなたの自宅にあるさまざまなネットワーク機器にも接続できてしまう可能性があります。パソコンやスマホはもちろん、「NAS」と呼ばれるネットワークストレージや、Wi-Fi経由で映像を送る監視カメラなどもです。もちろん、個々の機器に適切なセキュリティ設定（アクセス制限など）をしていれば問題ないですが、家族みんなのパソコンから利用できるように共有設定をオンにしたストレージなどがあれば、Wi-Fi経由でファイルをのぞき見されたり、盗まれたりするかもしれません。

さらに怖いのが、Wi-Fiルーターの管理者権限を奪われてしまった場合

ルーターを乗っ取られる危険性も

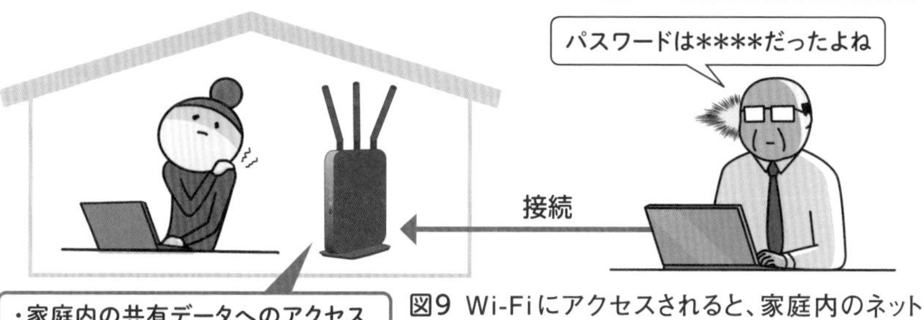

図9 Wi-Fiにアクセスされると、家庭内のネットワークで共有しているデータが丸見えになる恐れがある。また、ルーターの管理画面にアクセスされて、その権限を乗っ取られることもあり得る

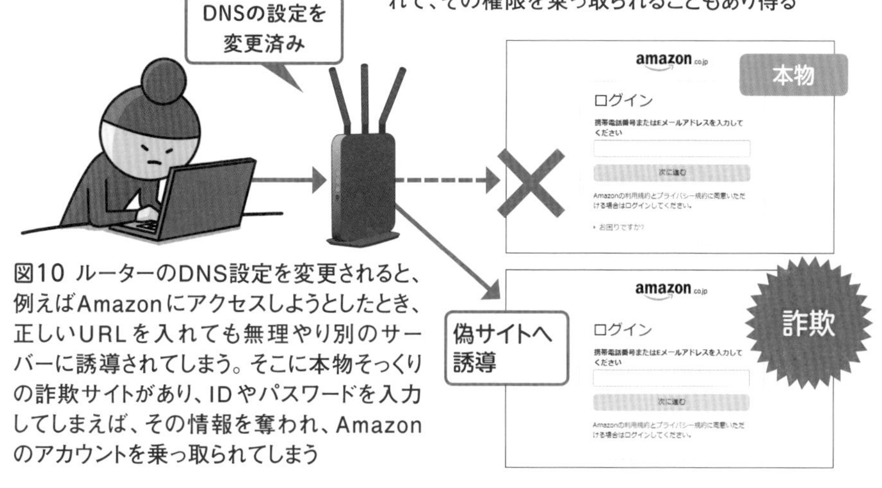

図10 ルーターのDNS設定を変更されると、例えばAmazonにアクセスしようとしたとき、正しいURLを入れても無理やり別のサーバーに誘導されてしまう。そこに本物そっくりの詐欺サイトがあり、IDやパスワードを入力してしまえば、その情報を奪われ、Amazonのアカウントを乗っ取られてしまう

です。悪意のある攻撃者がWi-Fiルーターの管理画面に入り、「DNS」の設定を変えると、正しいURLを入力しても、まったく異なるウェブサイトに誘導されるようになります。例えば、AmazonのURLを正しく入力しているのに、Amazonそっくりに作られた偽の詐欺サイトに誘導されてしまうのです。URLが正しいので本物のサイトだと思い、IDやパスワードを入力すると、それが盗み取られてしまうというわけです（**図9、図10**）。

少し詳しく解説すると、DNSとは、URLに含まれる「amazon.co.jp」など

以前は初期パスワードが共通だった！

商品出荷時のユーザー名・パスワード（初期設定）

商品にセットアップカードが付属している場合	
ユーザー名	admin
パスワード	password、もしくはセットアップカードに記載

商品にセットアップカードが付属していない場合	
ユーザー名	root
パスワード	（空白）

図11　数年前まで、Wi-Fiルーターの管理画面に入るためのユーザー名とパスワードは、多くの製品で共通だった。初期設定を変更していないと、「admin」「password」などと入れるだけでログインできてしまうので危険だ。図はバッファローの例。この点は左の動画で詳しく解説している

のドメイン名を、インターネット上の住所に当たるIPアドレスに変換する仕組みのことです。ブラウザーにURLを入力するだけでウェブサイトが開くのは、インターネット上にあるDNSサーバーがURLをIPアドレスに変換し、そのウェブサイト（ウェブサーバー）がどこにあるのかを特定してくれるからです。ところが、Wi-Fiルーターの管理画面では、使用するDNSサーバーを任意に指定することができます。これを悪用すると、「amazon.co.jp」というドメイン名を詐欺サイトのIPアドレスに変換するようなDNSサーバーを用意して、それを強制的に使用する設定にも変えられるのです。

Wi-Fiに接続できたからといって、ルーターの管理者権限を奪って乗っ取ることなんて、そう簡単にはできないだろう……と思うかもしれません。しか

Wi-Fiを貸すときは「ゲストポート」を使おう

図12 Wi-Fiルーターによっては、ゲスト専用のWi-Fiを用意することができる。バッファローの場合、ルーターの管理画面にログインすると（❶）、「ゲストポート」という項目がある（❷）。そこにあるスイッチを「On」にするだけでよい（❸）。標準では3時間、ゲスト用のWi-Fiが提供される。Wi-Fi名（SSID）を確認して、その名前のWi-Fiを使ってもらおう（❹）。標準ではパスワードなしで使える設定になる

し数年前まで、Wi-Fiの管理画面に入るユーザー名とパスワードは、製品やメーカーでほとんど共通だったのです（**図11**）。この初期設定を変更していなければ、Wi-Fiに接続できる人なら誰でも管理画面に入れてしまいます。最近の製品は1台ずつ違うパスワードになっていますが、古いWi-Fiルーターを使っている人は、必ず、初期設定を変更してください。

他人には“ゲスト専用”の電波を貸し出す

以上のようなリスクがあるとすれば、自宅のWi-Fiを人に貸すときは、どうすればよいのでしょうか? こんなときに使いたいのが「ゲストポート」という機能です。最近のWi-Fiルーターであれば、普段使っているWi-Fiの電波と

ゲスト用のSSIDや使用可能時間は変更できる

図13 「ゲストポート」の項目をクリックして詳細設定に入ると、Wi-Fiの名前（SSID）を変更したり、パスワード（暗号化）を設定したりできる。利用可能にする時間も、1時間単位で24時間まで設定できる

は切り離された、来客専用の電波を一時的に出す機能を備えています。対応するルーターなら、これを活用することをオススメします。

バッファローのWi-Fiルーターの場合、管理画面に入るとすぐに「ゲストポート」という項目があります（前ページ**図12**）。ここにあるスイッチを「On」に変えれば、「Guest-〇〇〇」といったWi-Fi名の電波が、標準で3時間だけ使用可能になります。このWi-Fiはパスワードなしで利用できますので、ゲストにWi-Fi名だけ教えれば、手軽に使ってもらえます。

「ゲストポート」の詳細設定に入れば、Wi-Fiの名前（SSID）を変えたり、パスワードを設定したりすることも可能です。利用可能な時間も、1時間単位で最大24時間まで延ばすことができます（**図13**）。

もちろん、メーカーによって設定できる項目や設定の方法は異なりますので、マニュアルを参照してください。

YouTubeで動画による解説を見る
https://www.youtube.com/watch?v=nLv4wq8b22w

パソコン博士TAIKI

ショッピング編

ショッピング編 01

Amazonに潜む“ぼったくり”の手口

購入時にはココに注目せよ!

近年、Amazonで“ぼったくり”の被害が増えています。普通に買い物をしたつもりなのに、いきなり高額な請求をされてしまいます。あなたはだまされずに済むでしょうか? ちょっとテストをしてみましょう。

例として、割安なタブレットを買うシーンを考えます(**図1**)。検索して見つかったタブレットの詳細を見ると、なかなかいい感じの製品です。価格も8999円と手ごろ。しかも「無料配送」と書かれています。よく見ると、色違いの製品もあるようです。別の色を選択してみると、500円近く高いようでし

欲しい商品の色違いを選択してカートに入れたら…

図1 Amazonで商品を検索して、欲しいものが見つかった。価格もちょうどいいし、「無料配送」と書いてある（❶）。この商品を買うことに決めたところ、別の色があることに気付く。ちょっと高いけど許容範囲なので、それを選択し直して（❷）、カートに入れた（❸）。よくある光景だが、この操作の中には、ある落とし穴が潜んでいる

た。でも、こちらの色のほうが好みなので、許容範囲と考えてカートに入れました。さて、あなたはこの落とし穴に気付きましたか?

「無料配送」という思い込みが判断を誤らせる

図1の例では、実際の購入画面に進むと、請求額が1万8846円となります（次ページ**図2**）。どうしてこうなるかというと、商品代に加えて、送料が9400円、上乗せされているからです。「無料配送って書いてあったじゃん!」という人がほとんどではないかと思いますが、実は色違いの商品を選択したときに、商品の価格だけでなく、配送料も違う金額になっていたのです。改めてよく見ると、「配送料 ¥9400」と書いてあることがわかるでしょう（**図3**）。

もちろん、注文を確定する前の段階で請求額は表示されるので、この点

あり得ない額の配送料が加算されている!

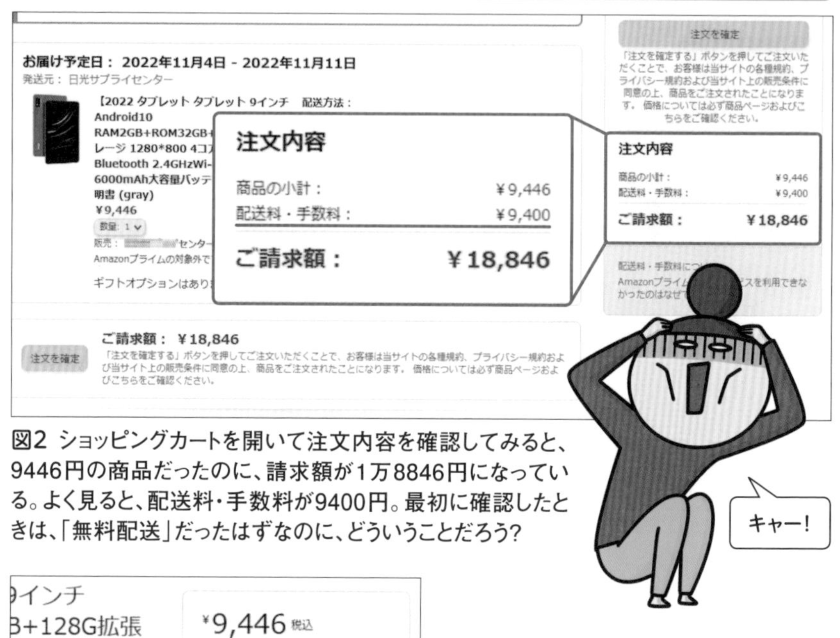

図2 ショッピングカートを開いて注文内容を確認してみると、9446円の商品だったのに、請求額が1万8846円になっている。よく見ると、配送料・手数料が9400円。最初に確認したときは、「無料配送」だったはずなのに、どういうことだろう?

図3 前ページ図1の右下を再確認してみよう。商品の色を変更した後、画面右側の価格の下をよく見ると、「配送料 ¥9400」と表示されていた。これに気付かずにカートに入れて、そのまま注文してしまったら、大きな損失になる

に気付くチャンスはあります。ただ、最初の商品ページで送料は無料だと思い込んでいますので、請求額をよく確認せずに注文を確定してしまう人は結構多いです。カートに複数の商品を入れてまとめ買いしている場合は、ほとんどの確率で気付かないと思います。

なぜこのようなことが起きるのでしょう。同じ商品なのに、色によって送料が変わるのは、取り扱っている業者が異なるためです（**図4**）。普通は同じ業者が色違いを販売していると思いますが、実は違う場合があります。

出荷元や販売元に注目しよう

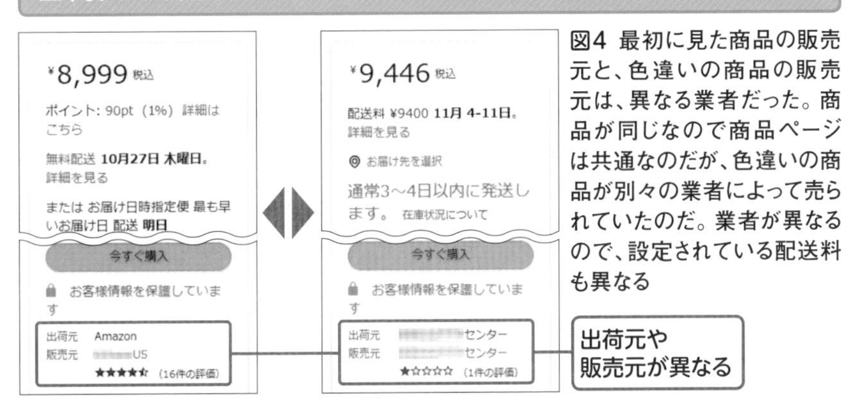

図4 最初に見た商品の販売元と、色違いの商品の販売元は、異なる業者だった。商品が同じなので商品ページは共通なのだが、色違いの商品が別々の業者によって売られていたのだ。業者が異なるので、設定されている配送料も異なる

	出荷元	販売元
Amazonによる販売	Amazon	Amazon
出荷はAmazonが行う	Amazon	業者
すべて業者が行う	業者	業者

図5 Amazonで売られている商品は、大きく分けて3種類のパターンで販売・出荷される。Amazonに"出店"している業者には、Amazonの倉庫に商品を預けてAmazonに出荷をまかせるものと、自分のところから直接出荷するものとがある

そもそもAmazonのサイトには、Amazon以外にもさまざまな業者が"出店"し、商品を販売しています。そのため、ある商品ページを開いたときに表示される業者というものは、同じ商品を販売する数ある業者の中の1つにすぎません。ページ内にある「こちらからもご購入いただけます」という一覧からほかの業者を選ぶこともできますが、前述の例のように、色違いやモデル違いを選んだときに、別の業者に自動で切り替わることもあるのです。

そこで必ず確認したいのが、商品の「出荷元」と「販売元」の2つです。その組み合わせには、3パターンがあります（**図5**）。Amazonが直接取り扱っている商品は、出荷元も販売元もAmazonです。一方、業者が販売元になる商品の場合、商品の保管や出荷をAmazonが代行するケースと、保管も出荷も業者が行うケースがあります。業者が自分で出荷する商品について

販売元（出品者）の評価を必ずチェック

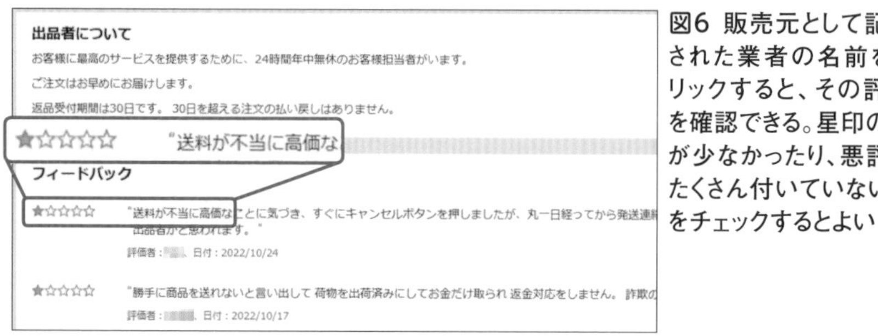

図6 販売元として記載された業者の名前をクリックすると、その評価を確認できる。星印の数が少なかったり、悪評がたくさん付いていないかをチェックするとよい

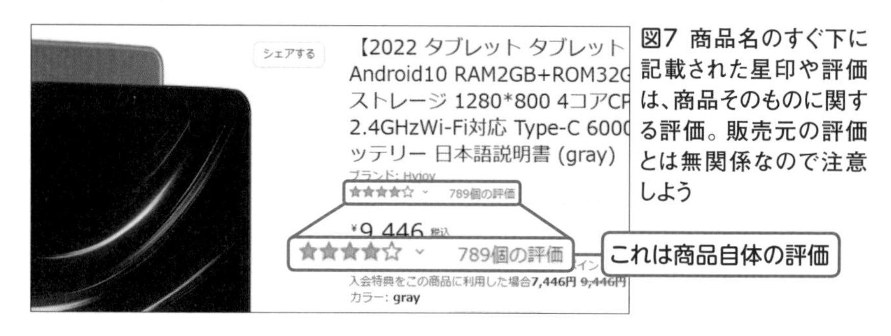

図7 商品名のすぐ下に記載された星印や評価は、商品そのものに関する評価。販売元の評価とは無関係なので注意しよう

は、送料を自由に上乗せできます。この点を悪用して、普通では考えられない送料を設定する業者がいるわけです。

業者の評価を必ずチェック！ 出荷元はAmazonが安心

従ってAmazonで買い物をするときは、「販売元」として記載された業者が信頼できるところなのかどうかを、必ずチェックしましょう。業者名をクリックすると、「出品者について」というページで業者の評価やコメントを見ることができます（**図6**）。一方、商品ページにある評価やコメントは、業者ではなく、商品そのものに関するものなので勘違いしないでください（**図7**）。

また、「出荷元」が業者である商品は、問題が起きたときの返品・返金の扱いも違ってきます。出荷元がAmazonの場合、30日以内であれば返品に

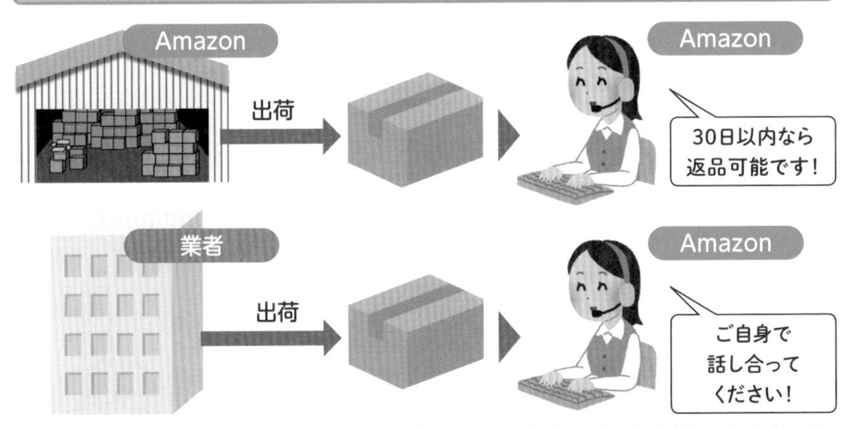

図8 出荷元がAmazonの商品は、30日以内であれば返品に対応してくれる場合がある。一方、Amazon以外の業者が直接出荷している商品については、基本的に販売業者と直接交渉する必要がある

●Amazonマーケットプレイス保証による返金

返品理由	商品代金	当初の配送料	返送料
不具合、損傷、商品説明と著しく異なる	○	○	○
その他の理由	○	×	×

図9 業者が出荷するマーケットプレイス商品でも、返金がかなう場合もある。ただし、商品代金しか戻らないケースもあるので注意

対応してもらえる可能性があります。しかし出荷元が業者の商品は、あくまで業者との話し合いになります（**図8**）。業者にダメと言われたり、連絡が付かなかったりしたら、返品・返金は難しくなります。

業者が悪質な場合は、Amazonが仲介に入ってキャンセルしてくれるケースもあります。それでも返金は商品代金のみで、高額な送料は返してもらえません（**図9**）。そのような業者にしてみれば、送料だけでも利益が出るので痛くもかゆくもないということです。

商品の価格を安くして、配送料で稼ぐ手法も

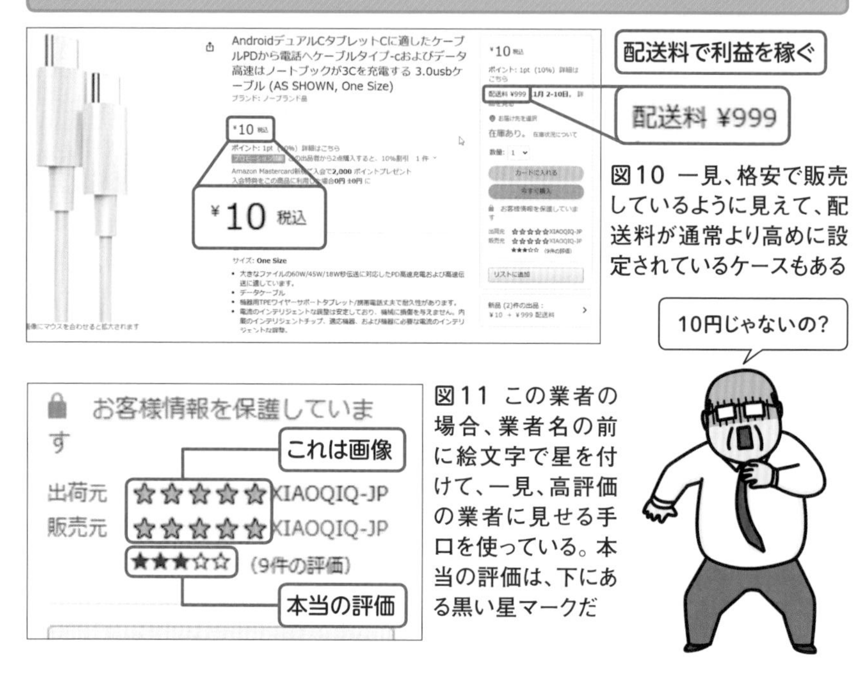

図10 一見、格安で販売しているように見えて、配送料が通常より高めに設定されているケースもある

図11 この業者の場合、業者名の前に絵文字で星を付けて、一見、高評価の業者に見せる手口を使っている。本当の評価は、下にある黒い星マークだ

商品は10円!?送料でもうける業者たち

ほかにも、商品価格は10円で、送料が999円といった販売の仕方をしている業者もあります（**図10**）。商品は格安ですが、送料を合計すると、普通の値段になるようなケースです。これは、商品価格を安くして送料でもうけるビジネスモデルですね。

トータルの値段でぼったくるつもりがないのなら、普通の値段で売ればいいと思うかもしれません。この手口は、数ある業者の中で、自分の販売ページを優先的に表示させるための工夫なのでしょう。商品の価格が安いほうが優先されるという情報もあり、それを意図した可能性があります。ただし、実際には価格順に並んでいないケースもあり、詳しいことはわかりま

出荷元がAmazonなら基本的に安心

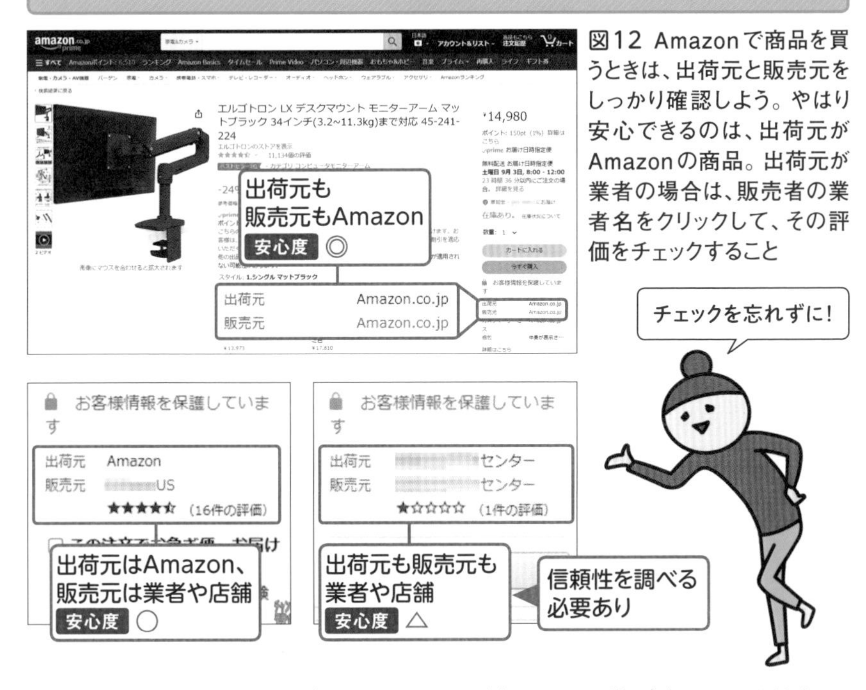

図12 Amazonで商品を買うときは、出荷元と販売元をしっかり確認しよう。やはり安心できるのは、出荷元がAmazonの商品。出荷元が業者の場合は、販売者の業者名をクリックして、その評価をチェックすること

せん。前述の通り、返品があった際にも送料分で利益が出るという仕組みを狙っているのかもしれません。

図10の例で面白いのは、業者の表記です。業者名のところに星が5つ付いていて、まるで評価の高い業者のように見えます(**図11**)。しかし、この星は偽物。業者名の一部として、星の絵文字を入力しているだけです。

Amazonにはさまざまな業者が出品していて、ぼったくりやごまかしの手口を使う悪徳業者も少なくありません。Amazonのシステムを理解しつつ、出荷元と販売元は必ずチェックするように心がけましょう(**図12**)。

YouTubeで動画による解説を見る
https://www.youtube.com/watch?v=ip7RLGNpmtU

ショッピング編 02

激安Office、買ってもOK?

100円で買えるOfficeの秘密

マイクロソフトの「Office」といえば、WordやExcel、PowerPointなどがセットになったビジネスアプリの定番です。サークルの会報や年賀状を作成したり、家計簿を付けたりと、個人的に活用している人も多いでしょう。

そんなOfficeですが、実は非常に高額です。パソコンに最初から入っていたという人はあまり気にしたことがないかもしれませんが、Officeを単体で購入しようとすると、3万円以上します(**図1**)。そのため、Officeが付いていないパソコンを買ったときや、持っているOfficeのバージョンが古くなっ

本当は高額なOffice

商品名	Office Personal 2021	Office Home & Business 2021	Office Professional 2021
実売価格	3万8000円前後	4万4000円前後	7万6000円前後
主なデスクトップアプリ	Word Excel Outlook	Word Excel PowerPoint Outlook	Word Excel PowerPoint Outlook Access Publisher

なんで98円?

Microsoft Office 2021 Professional Plus 64bit 32bit 1PC マイクロソ…
1%OFF価格
98円 送料無料

図1 Officeを正規の価格で購入すると、最低でも4万円近くはする。左ページの図で紹介した100円前後で販売されている製品は「Professional Plus」というエディションだが(右)、これに相当する「Professional」エディションは、7万円以上だ。明らかにおかしい

て使えなくなったときなど、新たにOfficeを購入するのは大きな出費です。

そこで、「Officeを安く買えるところはないかな……」とネットを探し回ると、100円とか1000円とか、破格の値段で販売されているOfficeが見つかります。こんなに安いなんて、怪しさ満載ですよね。これらは誰が見てもわかるように、完全な正規品といえるものではありません。結論からいうと、ライセンス規約違反に相当するものと考えられます。

どうしてこのような商品が堂々と販売されているのでしょうか。取り締まることはできないのでしょうか。不思議に思って調べてみると、どうやら違法とはいえないらしいのです。そのカラクリについて説明しましょう。

なお、ここではライセンス規約違反となる激安Officeの購入をオススメしているわけではありません。最後までお読みいただければ、その理由を含めてご理解いただけると思います。

Officeの主な販売形態

永続ライセンス（FPPライセンス）	・店頭やネットショップで販売されている、いわゆるパッケージ製品のライセンス ・一度購入すると、ずっと使える（サポートの期限はある） ・Office Home & Business 2021など
OEMライセンス（プリインストール版）	・パソコン購入時に同梱される、いわゆるプリインストール版 ・セットで購入したパソコンでのみ使用でき、ほかのパソコンにはインストールできない ・Office Home & Business 2021など
サブスクリプション（期間契約型）	・月単位または年単位で契約し、月額または年額で課金される ・契約期間中のみ利用でき、新機能の追加、バージョンアップ、サポートなどを受けられる ・Microsoft 365／Office 365など
ボリュームライセンス	・企業や組織に対して、必要な数のライセンスをまとめて販売する形態 ・契約した企業や組織以外で使用してはいけない ・Office Professional Plus 2021など

図2 Officeにはいくつかの販売形態がある。通常、店舗やネットショップで販売されている正規品は「永続ライセンス」と呼ばれるもの。いわゆるパッケージ製品だ。最近は「Microsoft 365」という名称で月単位や年単位で契約する「サブスクリプション」タイプも増えてきた。そのほか、パソコンにプリインストールされる「OEMライセンス」や、企業や組織が一括で購入する「ボリュームライセンス」がある

Officeにはいろいろなライセンスがある

　まず、Officeにはさまざまなライセンス形態があることを知っておいてください（**図2**）。一番わかりやすいのは、店頭で販売されているパッケージ製品のライセンスでしょう。「永続ライセンス」とか「FPPライセンス」と呼ばれることもあります。一度購入するとずっと使えるもので、パソコンを買い替えたら、新しいパソコンにインストールして使うこともできます。パッケージ製品といっても、最近はカード型になっていて、DVDなどは入っていません。単なるライセンスキーとして販売されています。

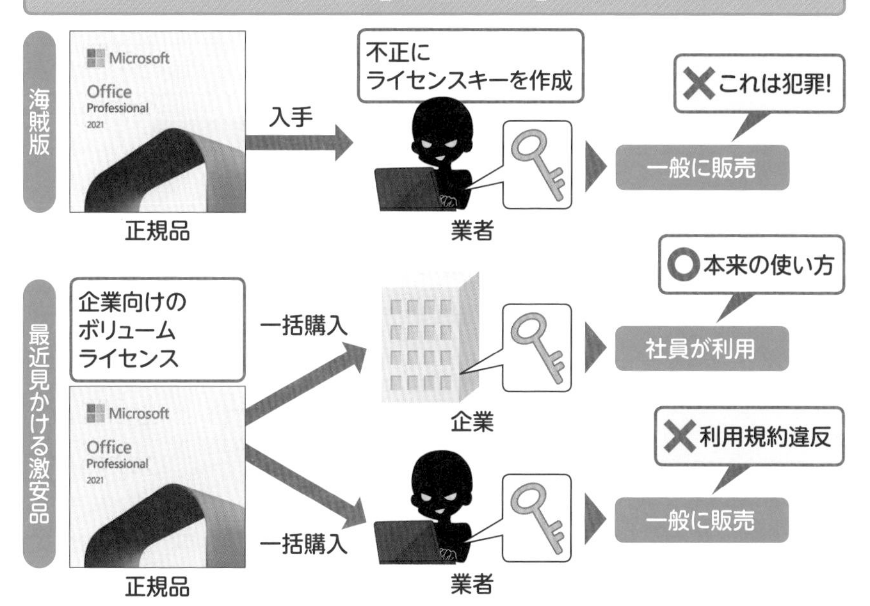

図3 かつて激安で販売されていたOfficeは、プログラムを改ざんするなどして不正にライセンスキーを作成した「海賊版」が多かった（上）。一方、最近多いのは、本来は企業向けのボリュームライセンスを切り売りするもの（下）。プログラムやライセンス自体は正規のものだが、企業外で使うのは利用規約に違反していることになる

この永続ライセンスと同じものを、パソコンとセットで販売しているのが「OEMライセンス」です。いわゆるプリインストール版ですね。OEMライセンスには、そのパソコンでしか利用できないという制約があります。

最近ラインアップが増えてきたライセンスが、「サブスクリプション」と呼ばれるタイプです。月単位や年単位で契約して課金し、その期間中だけ使えるものです。「Microsoft 365」や「Office 365」と呼ばれます。契約期間中は、最新版にバージョンアップできるなど、サービスが充実しているのが特徴です。

そのほか、企業向けに販売される「ボリュームライセンス」というものがあ

正規品の再販は、法的にはグレー？

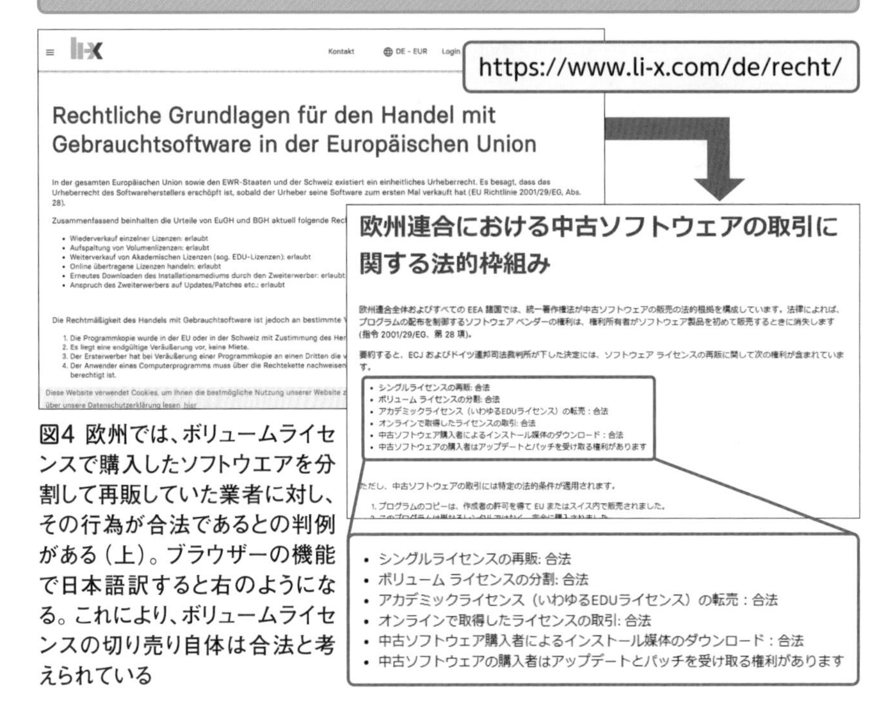

図4 欧州では、ボリュームライセンスで購入したソフトウエアを分割して再販していた業者に対し、その行為が合法であるとの判例がある（上）。ブラウザーの機能で日本語訳すると右のようになる。これにより、ボリュームライセンスの切り売り自体は合法と考えられている

ります。一定数のライセンスを一括購入して、その人数分だけ、社員に使わせることができるものです。まとめ買いする分、割安に購入できます。

実は、ネットで見かける激安Officeの多くは、このボリュームライセンスを切り売りした商品になっています（前ページ**図3**）。Officeの値段は国によって異なり、安い国では日本の3分の1くらいで買えるそうです。ボリュームライセンスであれば、さらに割安で購入できるでしょう。そのように格安で一括購入したライセンスを小分けして、日本で売っているというわけです。

激安Officeの商品名をよく見ると、「Office Professional Plus」と書かれたものが多いです。これは、ボリュームライセンスで提供されるOfficeの名称で、一般には販売されていません。このことからも、ボリュームライセン

図5 欧州では販売が合法とされているが、日本ではまだ判断がなされていないため、グレーの状態だ。ただ、違法とされていないという意味で、それを購入すること自体は問題ないと考えられる

図6 販売と購入に問題がないとはいえ、それを使うとなると話は別。切り売りされたボリュームライセンスを個人で使うことは、契約した企業内で利用する必要があるという利用規約に反するのでNGだ

スの切り売り品だということがわかります。

ボリュームライセンスの切り売りは合法?

しかしながら、ボリュームライセンスの切り売りは、違法ではないのでしょうか? 弁護士さんに聞いてみると、売る行為自体は違法ではなく"グレー"だとのことです。というのも、欧州司法裁判所においては、ボリュームライセンスの切り売りは合法であるという判断が下されています(**図4**)。そのため、欧州では合法なのですが、日本ではまだ同様の判例がなく、判断されていません。その意味でグレーだというわけです。そして、その商品を購入する行為はどうかというと、販売がグレーで違法ともいえない状態なので、特に問題がないだろうと考えられるそうです(**図5**)。

ただし、これで安心してはいけません。買うのはOKだとしても、それを使うのはNGということになります。前述の通り、ボリュームライセンスは、それ

ライセンス認証の手順も怪しい…

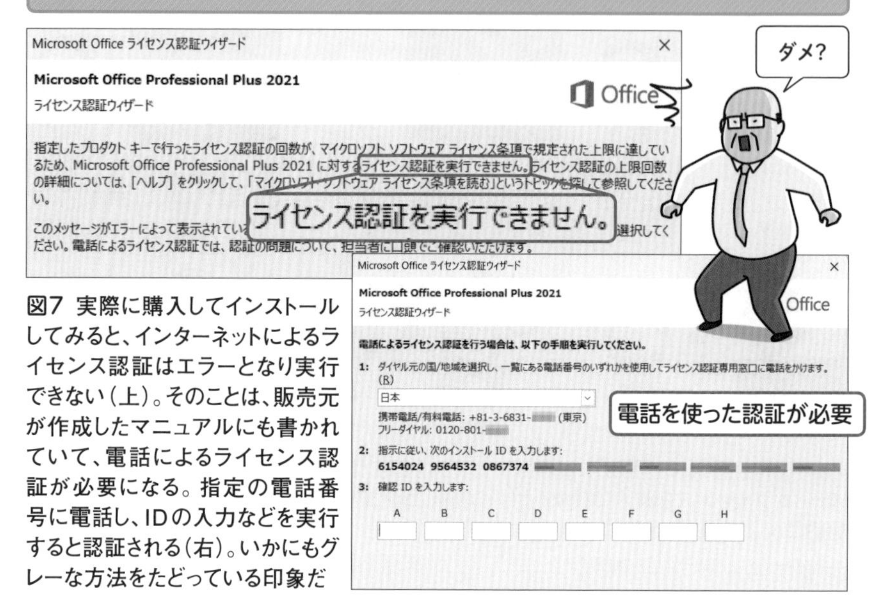

図7 実際に購入してインストールしてみると、インターネットによるライセンス認証はエラーとなり実行できない(上)。そのことは、販売元が作成したマニュアルにも書かれていて、電話によるライセンス認証が必要になる。指定の電話番号に電話し、IDの入力などを実行すると認証される(右)。いかにもグレーな方法をたどっている印象だ

を購入した企業や組織の中でしか使ってはいけません。無関係の個人がそれを使用することは、ライセンス規約違反になるのです(前ページ**図6**)。

実際に激安Officeの1つを購入して、本当に使えるものなのかどうか試してみました。すると、通常の手順に従ってライセンス認証を行おうとすると、エラーが表示されて認証されませんでした(**図7**)。これは、ボリュームライセンスの使用数が契約の上限に達したときに表示されるエラーです。商品には詳細なインストールマニュアルも付いていて、このようなエラーが表示された場合は電話で認証するようにと書かれていました。上限を超えて認証させるために、"裏口"的な手段で認証する時点で、怪しいものにしか思えません。

このような激安Officeを仮に使い続けると、どのようなリスクがあるでしょうか? まず「ウイルスが入っているのでは?」と考える人がいますが、こ

マイクロソフトも注意を促している

図8 マイクロソフトが公開する「非正規品の Office にご注意ください。」というウェブページ。「非正規品の見分け方」という欄には、「Office Professional Plus は、企業向けの商品で一般消費者向けには販売されていません。」と注意を促している

れはありません。激安Officeはライセンスキーだけが販売されていて、インストールするプログラムはマイクロソフトの正規品そのものです。

一番のリスクは、急に使えなくなる可能性がかなり高いということでしょう。前述の通り、激安Officeはボリュームライセンスの切り売り品なので、元のボリュームライセンスが契約期間中しか使えないタイプだった場合、その契約が切れれば使えなくなります。

マイクロソフト自身も、こうした正規とはいえないライセンス販売に注意を促しています（**図8**）。皆さんも気を付けてください。

YouTubeで動画による解説を見る
https://www.youtube.com/watch?v=efbsOZAaCcU

ショッピング編 03

ヤラセを見抜く！ 安く買う！

Amazonで損しないためのお薦めアプリ

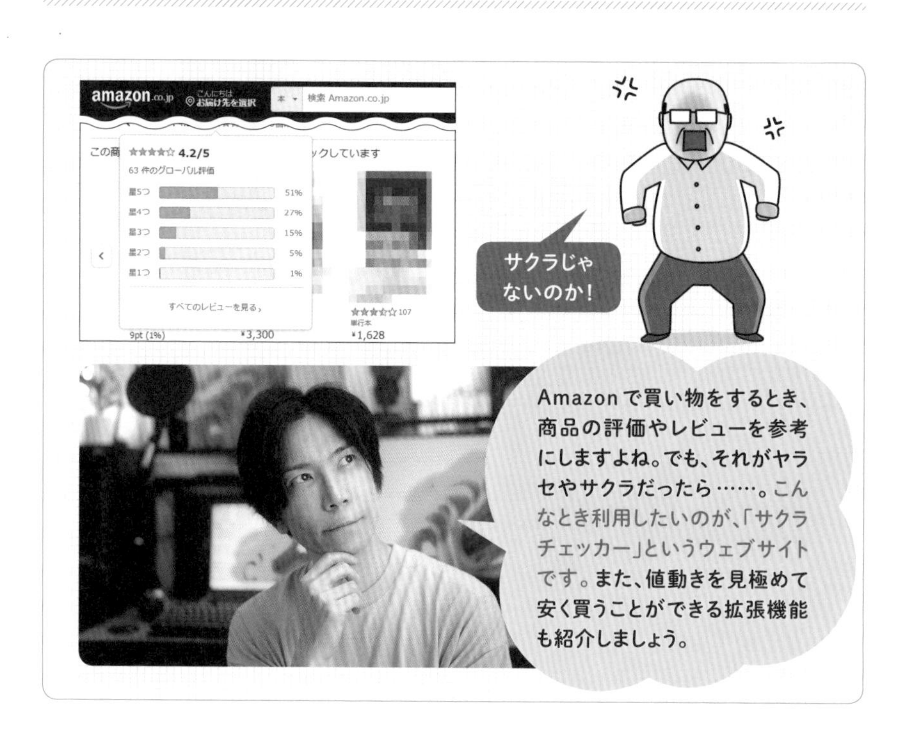

このパートでは、Amazonで買い物するなら絶対に使うべきアプリを2つ紹介します。1つめは、Amazonのレビューに“ヤラセ”や“サクラ”がないかをチェックするアプリです。2つめは、Amazonで買い物する際に、これを見ながら買うと、安く買えるようになるというアプリです。

早速、1つめから紹介していきましょう。Amazonには、商品の購入者が満足度などを5段階で評価したり、コメントを書いたりする機能があります。この口コミ評価を頼りに、良さそうな商品を探して購入している人は少なく

Amazonのレビューがサクラかどうかを調べる

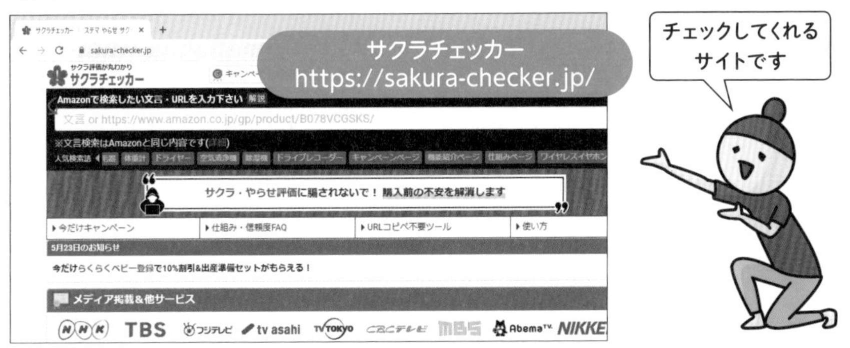

図1 「サクラチェッカー」は、Amazonの商品ページにある評価やレビューの信頼性をチェックするウェブサイト。上記のURLで開くか、Googleなどで「サクラチェッカー」を検索して表示しよう

ないでしょう。しかし、なかにはヤラセやサクラと思われる口コミもあり、信用していいものかどうか迷うところです。

そこで役立つのが、Amazonのレビューがヤラセかどうかを一発で判定してくれるアプリです。その名も「サクラチェッカー」。そのままのネーミングで覚えやすいですね。

ウェブブラウザーを起動して「サクラチェッカー」を検索すると、**図1**のウェブサイトが見つかります。先ほど「アプリ」と言いましたが、正確にいうと「ウェブサイト」です。トップページ上端にある入力欄に、チェックしたいAmazonの商品ページのURLを入れるだけなので簡単です。

URLをコピペするだけでサクラ度を判定

Amazonで商品ページを開いたら、アドレスバーをクリックして、そのURLをそっくり「コピー」してください。URLがすべて選択された状態で右クリックして、メニューから「コピー」を選べばOKです。続いてサクラチェッカーのページを開き、入力欄を右クリックして「貼り付け」を選びます。貼り付け

商品ページのURLをコピペして「Go」

図2 Amazonで目当ての商品のページを開いたら、アドレスバーをクリック（❶）。URLの文字列がすべて選択されるので、その状態で右クリックして「コピー」を選ぶ（❷❸）

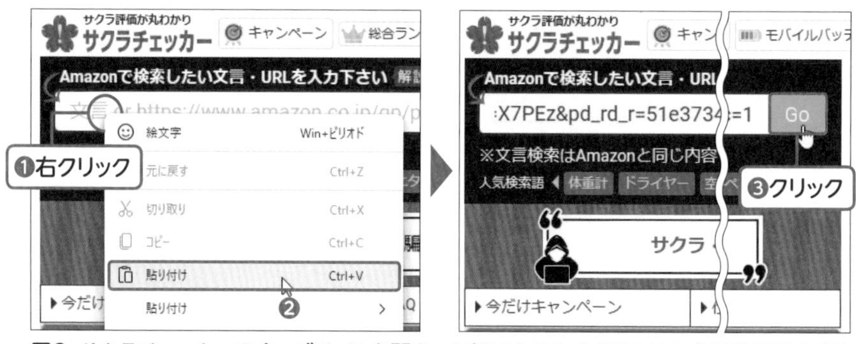

図3 サクラチェッカーのウェブサイトを開き、上部にある入力欄にURLを貼り付ける（❶❷）。その右端にある「Go」ボタンをクリックすると（❸）、結果が表示される

られたら「Go」ボタンを押しましょう（**図2、図3**）。

すると、その下に商品画像が表示されるとともに、5点満点でスコアが表示されます。高いほうが信頼性があるということで、「合格」と表示されればひとまず安心です（**図4**）。

画面を下のほうにスクロールすると、「サクラ度」が0〜100%で示される

サクラチェッカーの判定結果

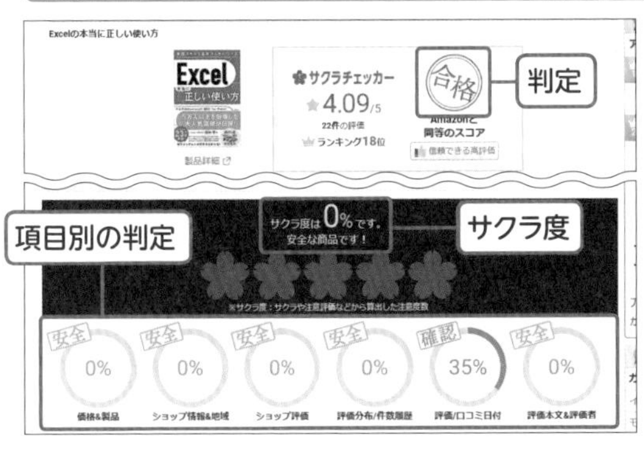

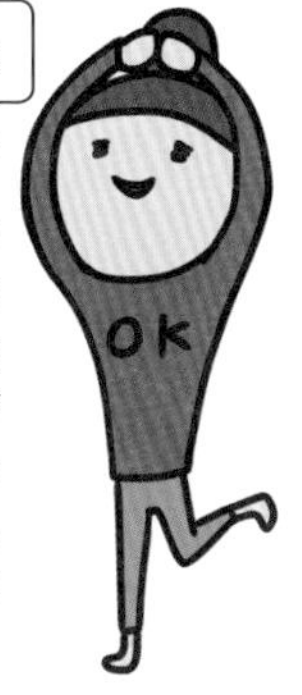

図4 ページを下方にスクロールすると、スコアや判定結果、サクラ度などが表示される。チェック項目別の判定も示される。図の例は「合格」だった

サクラ度99%のインチキレビューも

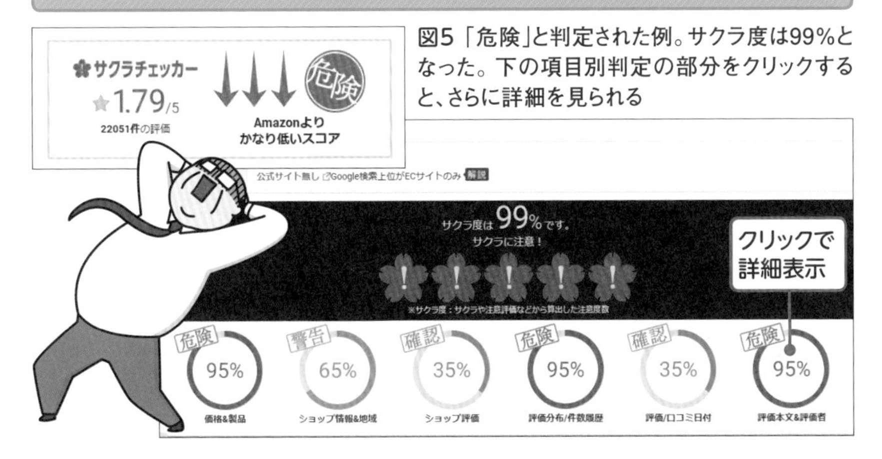

図5 「危険」と判定された例。サクラ度は99%となった。下の項目別判定の部分をクリックすると、さらに詳細を見られる

ほか、「価格&製品」「ショップ評価」「評価分布／件数履歴」といった項目別の判定結果も見られます。サクラ度が90%を超えて「危険」と判定されるようだと、かなり怪しいといえますね（**図5**）。

項目別の判定結果をクリックすると、さらに詳細を見ることができます。頻繁にヤラセをしているメーカーの商品ではないか、商品の公式サイトはあるのか、海外のショップではないか、ショップの評価はどうなのか、5段階評

項目別の判定を詳しく見る

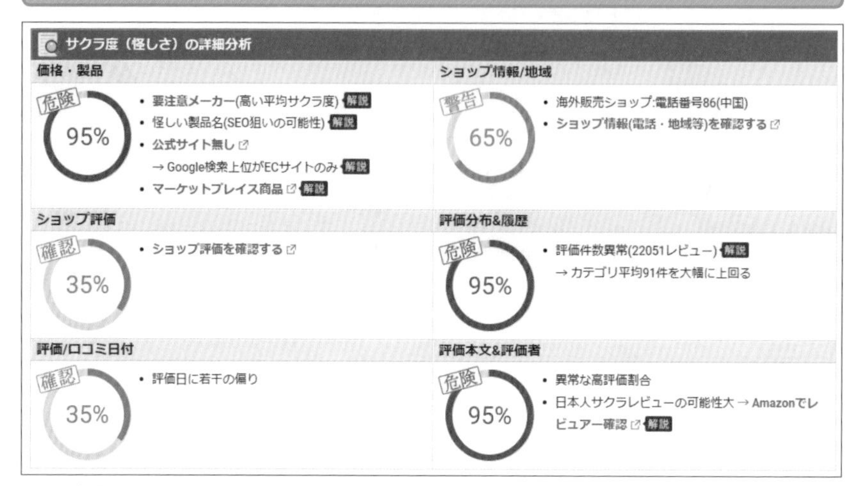

図6 多くの商品でサクラ度が高い「要注意メーカー」ではないか、商品の公式サイトの有無、海外（中国など）のショップかどうか、評価の数や分布、日付に偏りがないか、などのチェック項目に対して結果が表示される

価（星の数）に偏りはないか、などを確認できます（**図6**）。評価が極端に高かったり、高い評価と低い評価に二分したりするのは、ヤラセの特徴といえます（**図7**）。サクラが星5などと高い評価を付け、それにだまされて買ってしまった人が、本当の評価を低く付けていると考えられるからです。

ユーザーによる評価の数が異常に多い商品も、ヤラセの可能性が高いです。というのも、2万件以上のレビューが付いている商品を実際に買ってみたところ、商品と一緒に、高評価のレビューを促すメッセージカードが入っていました（**図8**）。星5つの評価をして、その証拠の画面をスクリーンショットで送ると、ギフト券1000円分をキャッシュバックしてくれるというのです。そのような仕掛けで、高評価のレビューをたくさん集めているんですね。これは完全にアウトです。

そのほか、サクラチェッカーでは、レビューの日付に偏りがないかも調べ

レビューに偏りがある商品は怪しい

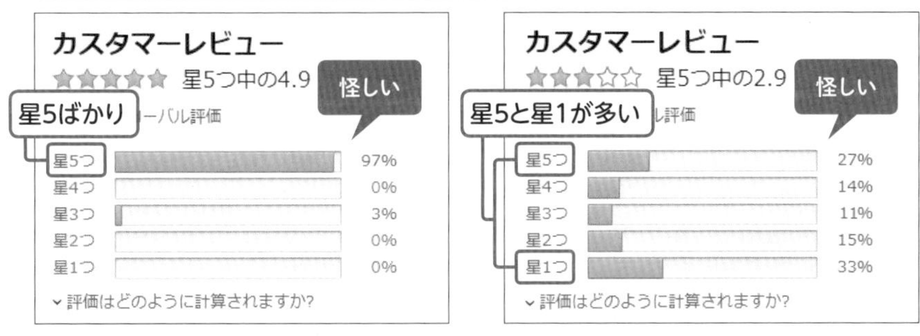

図7 評価の数が少なくて星5つばかりなのは、サクラを疑う余地がある（左）。また、評価の数がそれなりに増えた状態で星5つと星1つに偏っている場合は、サクラが介入している可能性が高い。サクラが高評価を付け、実際の購入者が低評価を付けているケースだと考えられる（右）

購入者にヤラセを依頼するショップも

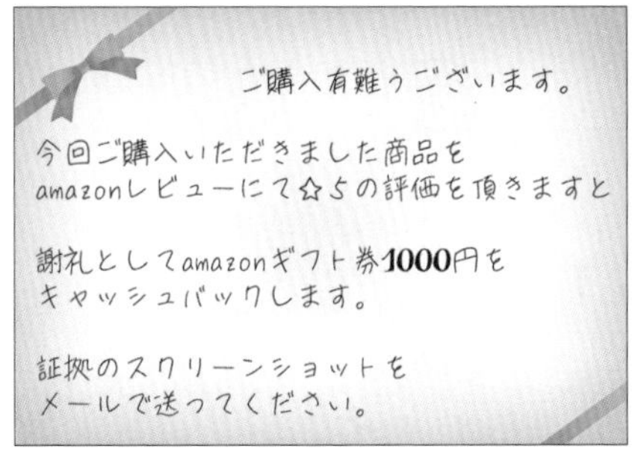
ご購入有難うございます。

今回ご購入いただきました商品を
amazonレビューにて☆5の評価を頂きますと

謝礼としてamazonギフト券1000円を
キャッシュバックします。

証拠のスクリーンショットを
メールで送ってください。

図8 サクラ度が高い商品を購入してみると、「星5つを付けてくれたら、謝礼としてギフト券1000円をキャッシュバックする」という旨のメッセージカードが入っていた。高評価のレビューが異常に多かったのは、こうしたヤラセを行っているからだ

ています。短い期間に多くのレビューが付くのは、バイトを雇うなどしてサクラを大量導入した可能性があるからです。実際、FacebookやTwitterなどのSNSなどを探すと、「レビューワー募集」といった告知がゴロゴロ見つかります。ヤラセレビューのブローカーによるもので、メーカーなどの依頼を受けて、レビューの書き手を集めているのです。このパートに連動するYouTube動画（128ページ参照）では、こうしたブローカーに潜入取材した内容も公開していますので、ぜひ視聴してみてください。

Amazonでの値動き見て、買いどきを探る

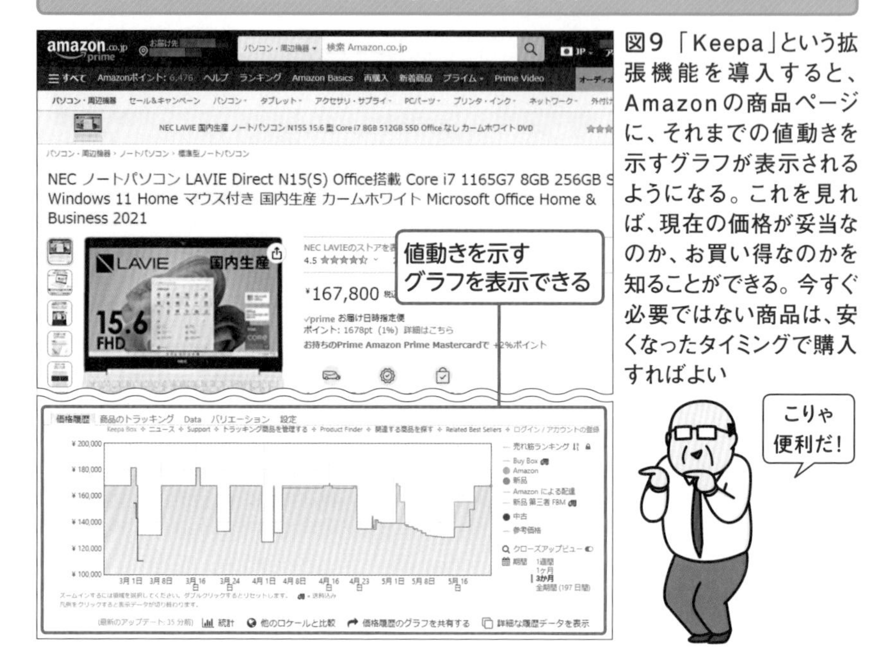

図9「Keepa」という拡張機能を導入すると、Amazonの商品ページに、それまでの値動きを示すグラフが表示されるようになる。これを見れば、現在の価格が妥当なのか、お買い得なのかを知ることができる。今すぐ必要ではない商品は、安くなったタイミングで購入すればよい

「Keepa」で価格動向をチェックする

さて、Amazonを買い物するときに使いたいアプリの2つめは、「Keepa（キーパ）」です。これを使うと、Amazonで商品を安く買うことができます。といっても、直接的に値引きができるアプリではありません。Keepaは、価格変動の履歴が見られるアプリです。正確にいうと、ブラウザーのChromeに組み込んで使う「拡張機能」と呼ばれるものです。導入すると、Amazonの商品ページに、**図9**のようなグラフが表示されるようになります。

Amazonの商品は、日々、値段が変わります。乱高下するといってもいいでしょう。そのため、単に商品ページを開いてその価格を見ても、日ごろの相場を知らなければ、高いのか安いのかわかりません。もしも値上げの直

「Keepa」をブラウザーにインストール

図10 Googleで「chromeウェブストア」と検索するなどして、上記URLの「Chromeウェブストア」を開く。左側の検索ボックスに「keepa」と入力して検索すると（❶）、「Keepa - Amazon Price Tracker」という拡張機能が表示されるので、クリックして開く（❷）。右側にある「Chromeに追加」をクリックするとインストールできる（❸）。なお、ブラウザーはChromeのほか、Edgeでも利用可能だ

後だったら、今買うのは損だということになります。逆に、セールなどで値下げされたタイミングであれば、お買い得というわけです。そのような価格変動を見極めて、“買いどき”を判断するのに役立つのが、Keepaです。

Keepaを導入するには、「Chromeウェブストア」のウェブサイトを開いて、「Keepa」を検索します（**図10**）。見つかったら、「Chromeに追加」をクリックしてインストールするだけでOK。するとAmazonの商品ページに、それまでの値動きを表すグラフが自動表示されるようになります。

グラフの中にマウスポインターを置くと、価格がポップアップして、ポインターを合わせた時点の価格を見ることができます。グラフの右下には「期

底値と比較して、今買うべきかを考えよう

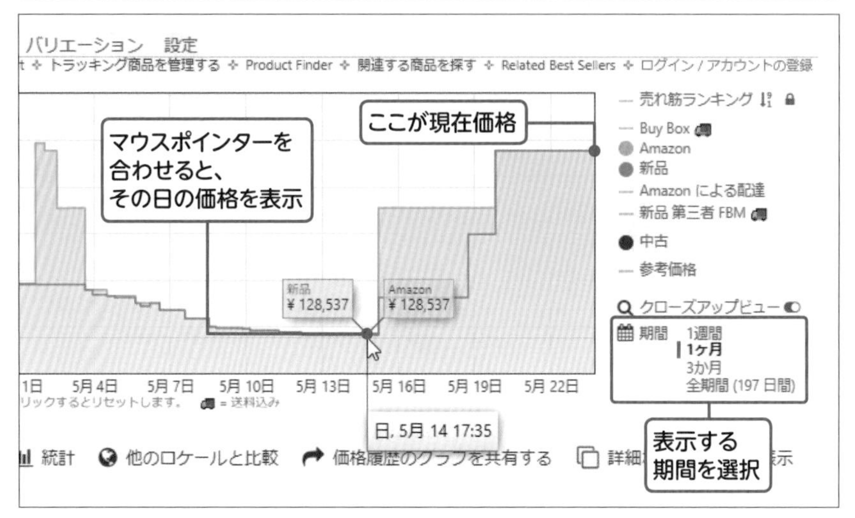

図11 Keepaのグラフは、右下の「期間」のところで「1週間」「1ヶ月」などの文字をクリックすることで、表示を切り替えられる。グラフにマウスポインターを合わせると、その時期の価格がポップアップ表示される。図の例では、少し前の価格に比べて現在価格は上昇しており、買いどきとはいえない。再び値下がりするのを待つほうがよさそうだ

間」という欄があり、クリック操作で表示する期間を切り替えられます（図11）。今すぐ必要ではなく、安くなるまで待てる商品であれば、グラフを見て価格が下がったところで購入すると、かなり得することができます。Keepaには、登録した商品が値下がりしたときにメールなどで通知してくれる「商品のトラッキング」機能もあります。

なお、Keepaの導入後にChromeウェブストアでKeepaのページ（図10下）を開くと、「Chromeに追加」ボタンが「Chromeから削除します」に変わっています。不要になったら、これをクリックして削除してください。

YouTubeで動画による解説を見る

https://www.youtube.com/watch?v=7RdDNROQG90

セキュリティ編

セキュリティ編 01

セキュリティソフトは買うな！

お金の無駄！ かえって脆弱になることも!?

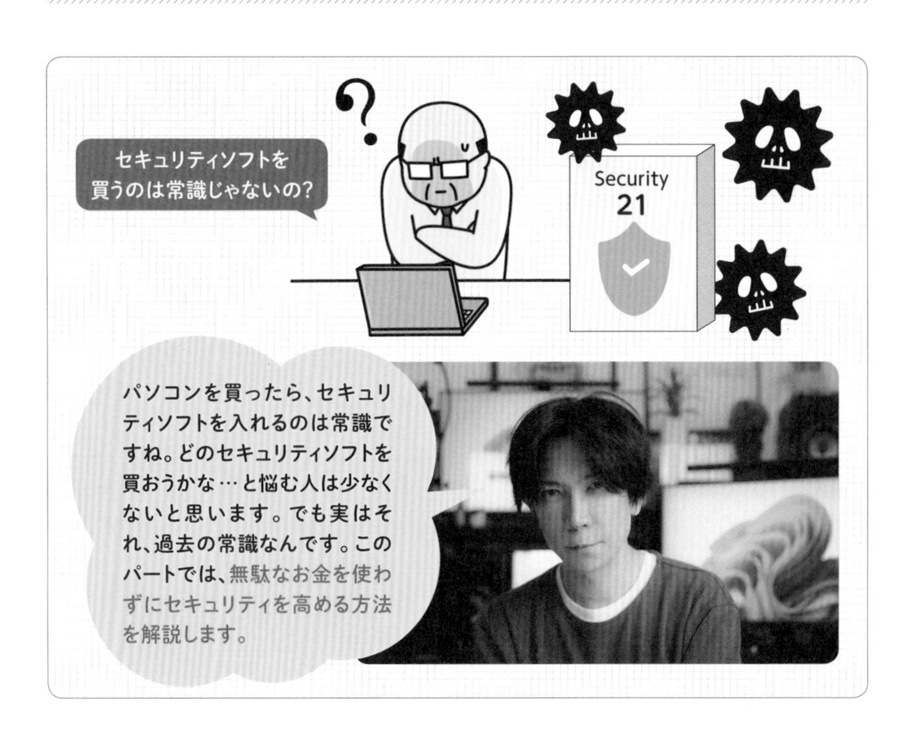

「セキュリティソフトは買うな！」と言われたら、「何を言ってるの？ それじゃあウイルスに感染し放題じゃないか！」と反論する人が多いのではないでしょうか。パソコンを買ったら、「まずセキュリティソフトを買って安全性を高めなければ」と考えるのが普通でしょう。しかし、それは過去の常識です。

セキュリティソフトと聞いて、どんな製品を思い浮かべますか？「ウイルスバスター」「ノートン」「マカフィー」といった名前を挙げる人が多いのではないでしょうか。なぜこれらの名前が出てくるかといえば、性能が高いからで

セキュリティソフトを比較検証する第三者機関

図1 世界には、各社のセキュリティソフトを評価する専門の第三者機関がある。オーストリアの「AV-Comparatives」(上)やドイツの「AV-TEST」(右)が有名だ。ウイルスのブロック率や誤認識率、パソコンへの負荷などを比較検証し、レポートなどを公開している

はありません。単に、知名度が高いからです。実際、それらの性能の差なんて、一般の人には判断できませんよね。

性能を評価する第三者機関がある

実は、セキュリティソフトの性能を比較検証して、各種のレポートを公開している第三者機関があります。オーストリアの「AV-Comparatives」やドイツの「AV-TEST」が有名どころです(**図1**)。世界中で名乗りを上げたセキュリティソフトを、検出率や誤認識率といった項目別に評価したり、ランキングを出したりしています。

もちろん、すべてのセキュリティソフトを検証しているわけではありません。性能に自信のあるメーカーが検証を依頼して、評価・分析してもらって

主要なセキュリティソフトを網羅的に比較

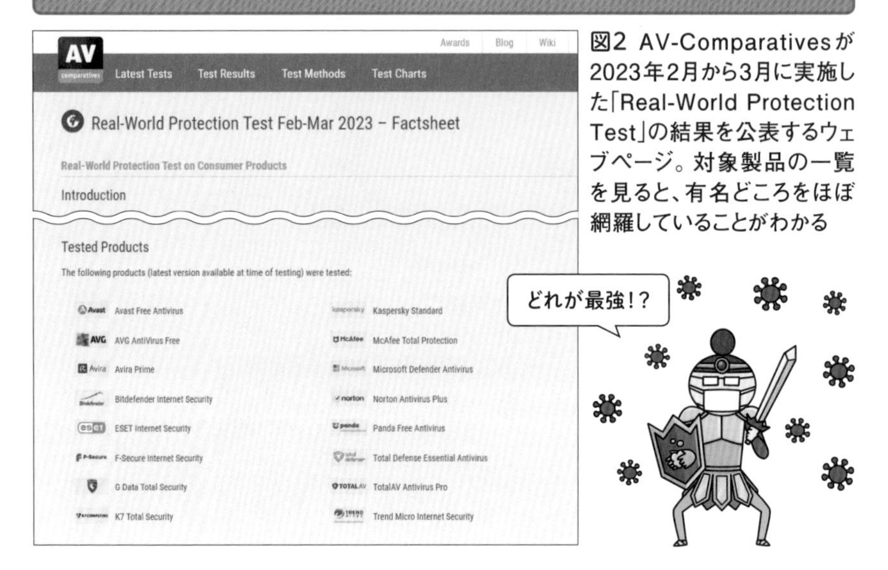

図2 AV-Comparativesが2023年2月から3月に実施した「Real-World Protection Test」の結果を公表するウェブページ。対象製品の一覧を見ると、有名どころをほぼ網羅していることがわかる

いるのです。自信があるから、できることですよね。逆に、性能に自信がないメーカーは、そもそも怖くて評価を依頼することなどできません。つまり、これらの機関に評価されていないようなメーカーは、そもそも信用に値しないと考えてもらって構いません。

AV-Comparativesのサイトで、レポートの1つを見てみましょう（**図2**）。製品の一覧を見ると、主要なメーカーはほとんど評価対象になっていることがわかります。**図3**は、実世界の脅威に対して、どのくらいの確率で防御できているか、どのくらいの確率で誤認識しているかを示すグラフです。マウスポインターを合わせると、詳細がポップアップします。注目したいのは、マイクロソフトのセキュリティソフト「Defender」の結果です。ブロック率が100％、誤認識した数が2と、非常に優秀であることがわかります。

次に、パソコンへの負荷について見てみます。いくら性能が高くても、パソコンに大きな負荷がかかって快適に使えないようだと困ります。AV-

マイクロソフトの「Defender」はかなり優秀

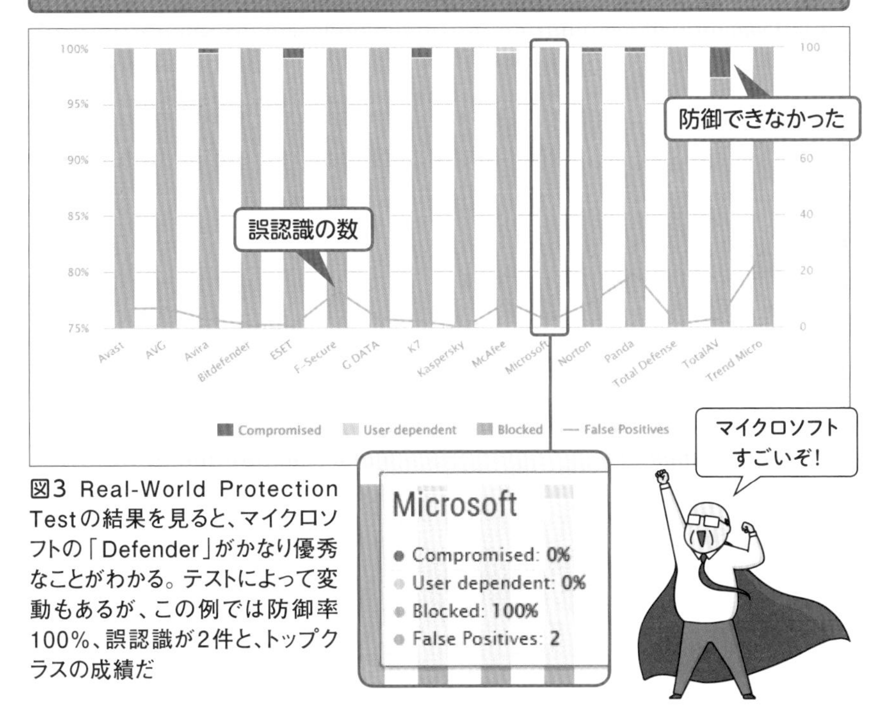

図3 Real-World Protection Testの結果を見ると、マイクロソフトの「Defender」がかなり優秀なことがわかる。テストによって変動もあるが、この例では防御率100%、誤認識が2件と、トップクラスの成績だ

Comparativesでは、そんなパフォーマンスに関するテストも実施しています。次ページの**図4**がその1つです。

このテストでは、Defenderが高い負荷をかけているという結果となりました。これを見ると、「ダメじゃん」と思うかもしれませんが、ほかのテストでは、もっとマシな結果になっていることもあります。図3で見た脅威に対する防御力など、さまざまなテスト結果を基に総合的に判断すれば、マイクロソフトのDefenderは、十分な性能を備えたソフトだということがわかります。

そしてうれしいことに、マイクロソフトのDefenderは、Windowsに標準で装備されています。無料で搭載されているDefenderが、数あるセキュリティソフトの中でも、かなり優秀だということです。それなら、別途セキュリ

パソコンへの負荷は?

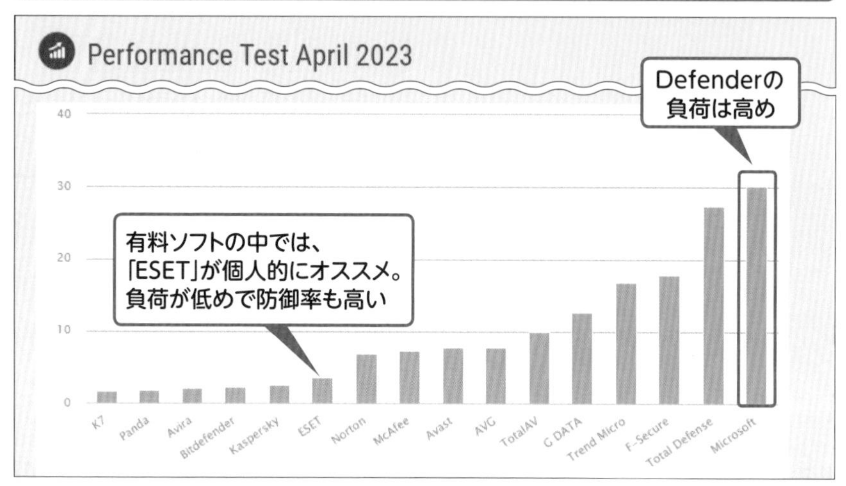

図4 パソコンへの負荷を調べる「Performance Test」(2023年4月)では、対象16製品中、Defenderの負荷が最も高かった。とはいえ、評価は「標準(STANDARD)」で、防御率や誤認識率などを総合的に見れば、高性能なセキュリティソフトといえる

ティソフトを購入してパソコンに入れる必要などありませんよね。「セキュリティソフトは買うな!」というのは、そういうことなんです。

性能の低いソフトを入れるとかえって危険になる

また、市販のセキュリティソフトを入れると、かえってパソコンが危険にさらされることもあるので注意してください。Windowsにほかのセキュリティソフトをインストールすると、Defenderは機能をオフにして動かなくなってしまいます(**図5**)。そのため、Defenderよりも性能が低いソフトを買ってインストールすると、かえってパソコンの防御率が低くなる恐れがあります。これでは本末転倒ですね。

このようにDefenderが優秀であることは、実は有料ソフトのメーカーも知っています。そのため、ウイルス対策以外にも迷惑メール対策やウェブ

ほかのソフトを導入すると、Defenderは無効になる

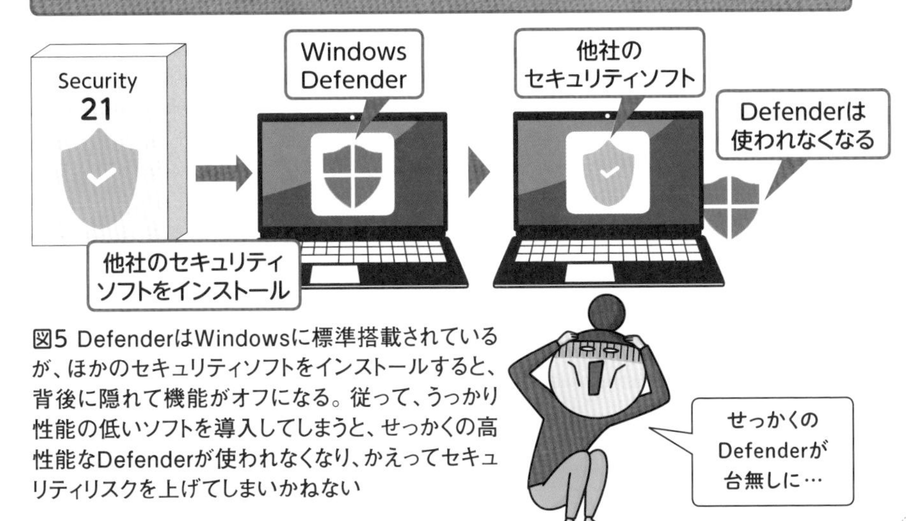

図5 DefenderはWindowsに標準搭載されているが、ほかのセキュリティソフトをインストールすると、背後に隠れて機能がオフになる。従って、うっかり性能の低いソフトを導入してしまうと、せっかくの高性能なDefenderが使われなくなり、かえってセキュリティリスクを上げてしまいかねない

有料のソフトは付加機能やサポートが充実

	Defender	有料ソフト
ウイルス対策	○	○
スケジュールスキャン	△	○
迷惑メール対策	×	○
ウェブサイトの安全性評価	×	○
マルチデバイス対応	×	○
サポート	×	○

図6 有料のセキュリティソフトは、迷惑メール対策のほか、ウェブの検索結果に対して安全なサイトかどうかを表示するなどの付加機能が充実。万一のときはサポートを受けられるなどの利点がある

サイトのチェック機能など、さまざまな付加機能を付けて、Defenderとの差別化を図っているのが実情です（**図6**）。そのため、こうした付加機能に魅力を感じるのであれば、有料ソフトを購入しても構いません。

とはいえ、Gmailを使っていれば、Gmail自体に優秀な迷惑メール対策

Defenderでランサムウエア対策をする

図7 Defenderには、ファイルやフォルダーを勝手に暗号化して利用できなくする「ランサムウエア」の対策機能もある。「ドキュメント」や「ピクチャ」などのユーザーフォルダーに、見知らぬアプリが勝手にアクセスすることを防ぐ機能だ

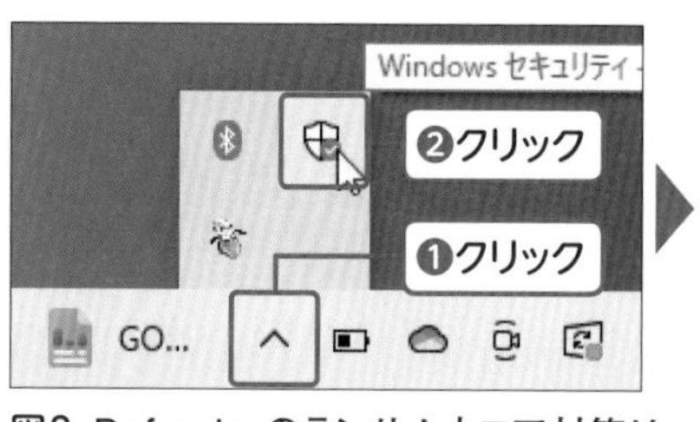

図8 Defenderのランサムウエア対策は、標準で無効になっている。利用するには、タスクバーにある「∧」をクリックして盾の絵柄の「Windowsセキュリティ」アイコンをクリック（❶❷）。開く画面で「ウイルスと脅威の防止」を選ぶ（❸）

機能が備わっています。ウェブサイトの安全性についても、後述する「SmartScreen」機能などで確保することができます。メーカーサポートに頼る必要のない人なら、有料ソフトの付加機能もあまり気にする必要はなくなっています。

Defenderを使うなら、この2つの設定をしておこう！

さて、「Defenderがそんなに優秀ならDefenderだけでいいや」と思った人は、次の2つの設定を追加で行っておくことをオススメします。

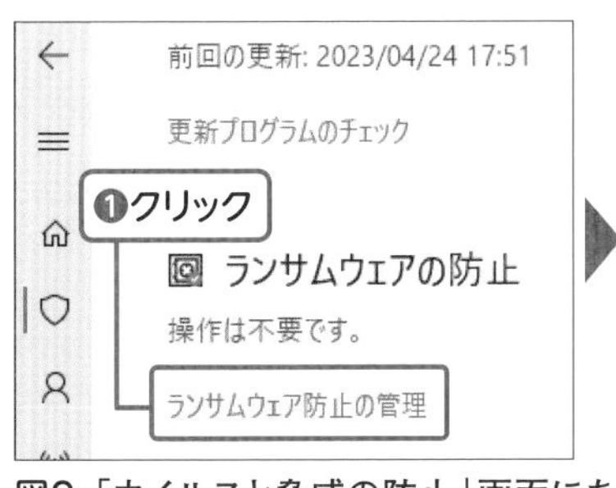

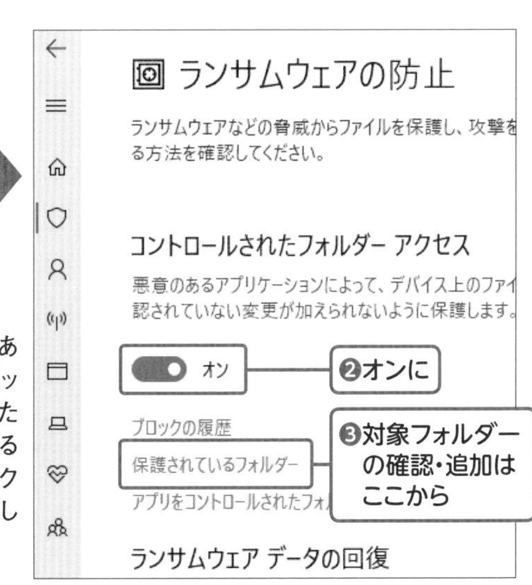

図9 「ウイルスと脅威の防止」画面にある「ランサムウェア防止の管理」をクリック（❶）。開く画面で「コントロールされたフォルダーアクセス」を「オン」にする（❷）。「保護されているフォルダー」をクリックすると、対象のフォルダーを確認したり追加したりできる（❸）

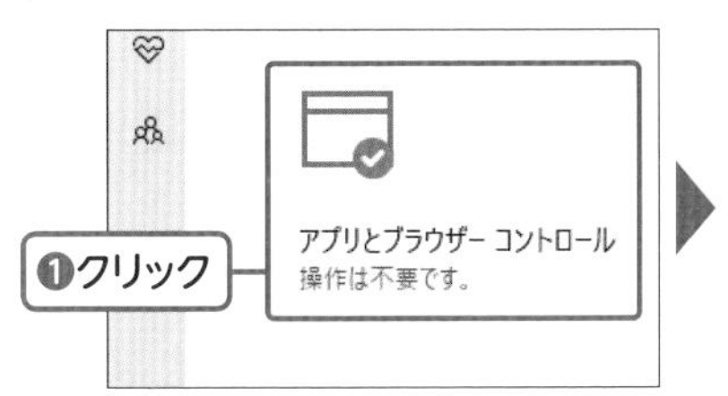

図10 図8右の画面で「アプリとブラウザーコントロール」を選択（❶）。開く画面で「評価ベースの保護設定」をクリックすると（❷）、「Microsoft EdgeのSmartScreen」という機能がある。これが「オン」になっていることを確認しよう（❸）。Edgeで危険なサイトにアクセスしようとしたときに、事前に警告してくれる機能だ

1つは「ランサムウエア」の対策機能です（**図7、図8**）。ランサムウエアは、「身代金要求型ウイルス」とも呼ばれるもので、パソコンの中のファイルを勝手に暗号化して利用不可能にして、「元に戻したければ金を払え！」と脅すウイルスです。Defenderの設定は、「Windowsセキュリティ」という画面

ChromeでSmartScreenを使う

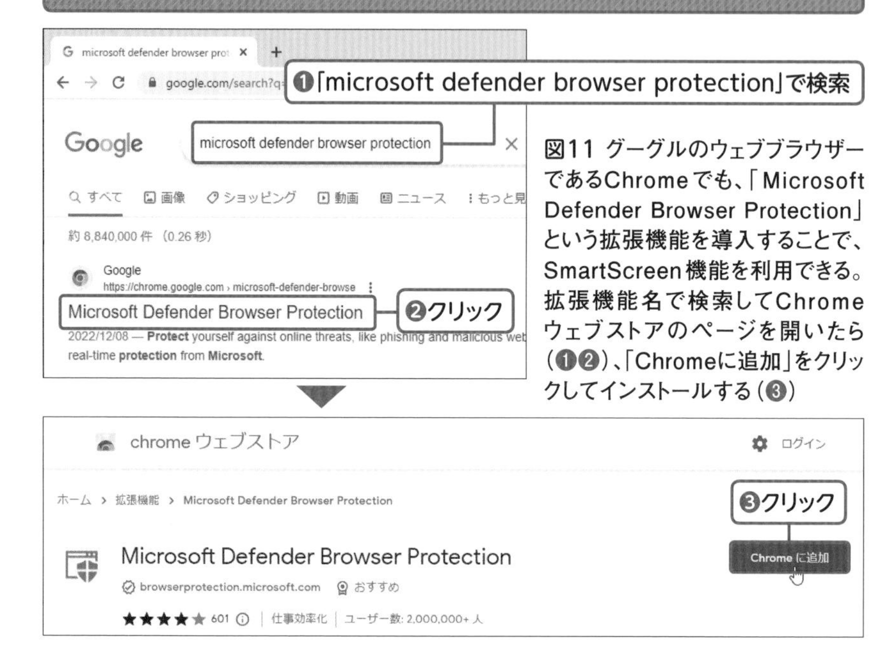

図11 グーグルのウェブブラウザーであるChromeでも、「Microsoft Defender Browser Protection」という拡張機能を導入することで、SmartScreen機能を利用できる。拡張機能名で検索してChromeウェブストアのページを開いたら(❶❷)、「Chromeに追加」をクリックしてインストールする(❸)

で行うのですが、前ページ**図9**の設定をしておくと、「ドキュメント」などの指定したフォルダーに、ランサムウエアがアクセスすることを防止できるようになります。

もう1つは、悪質なウェブサイトから身を守るための設定です。Windowsの標準ブラウザーであるEdgeの場合、「Windowsセキュリティ」の画面にある「アプリとブラウザーコントロール」で、「SmartScreen」という保護機能がオンになっています(**図10**)。詐欺などの報告があった悪質なウェブサイトにアクセスしようとしたときに、直前で警告してくれる機能です。

グーグルのChromeも同様の保護機能を備えていますが、WindowsのSmartScreenを使うための拡張機能も提供されています。普段Chromeを使っている人は、この拡張機能も入れておくとよいでしょう。

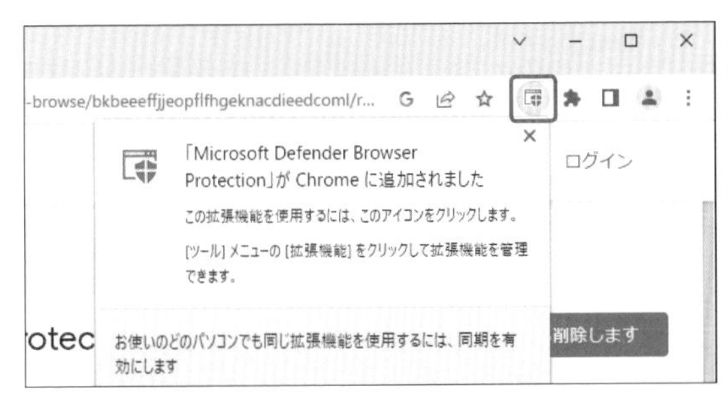

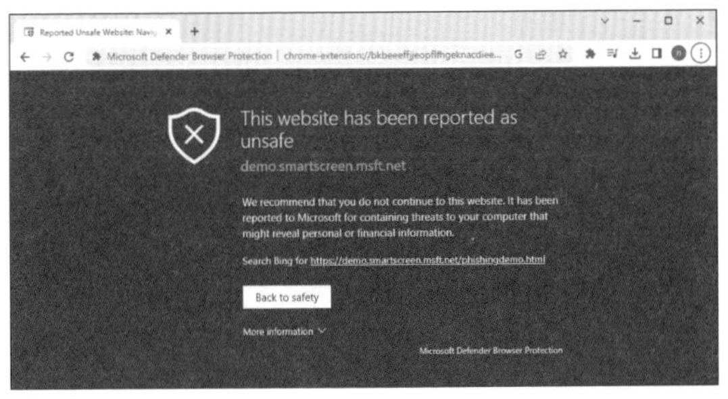

図12 ChromeにDefenderの拡張機能がインストールされる。設定によっては、アドレスバーの右側にアイコンが表示される（上）。検索結果やメールに記載されたリンクなどをクリックしたとき、アクセス先のウェブサイトに危険性がある場合は、下のような真っ赤な警告画面が表示される。「Back to safety」ボタンを押すと、前のページに戻れる

それには、グーグルで検索するなどして、「Chromeウェブストア」の「Microsoft Defender Browser Protection」のページを開きます。そこで「Chromeに追加」をクリックすると、拡張機能としてChromeに追加され、アクセスしたウェブサイトを監視するようになります（**図11**）。そして危険性のあるウェブサイトにアクセスすると、Edgeの場合と同様、SmartScreenが作動して、真っ赤な画面を表示して警告します（**図12**）。

よく、「アカウントを確認してください」などと有名サイトを装ったメールを送り付けてURLをクリックさせ、詐欺サイトに誘導する手口があります。SmartScreenを導入すれば、そのようなケースの多くで、サイトを開く前に警告が表示され、アクセスを止められるので安心です。

YouTubeで動画による解説を見る
https://www.youtube.com/watch?v=4abg4t0Vmj8

詐欺の手口を知って自分を守る

その被害、実はウイルスじゃありません

パソコンやインターネットを使っているとき、不安に思うことはありますか? ネットショッピングやネットバンキングを利用している場合、自分のアカウントを使って勝手に買い物をされたり、自分の銀行口座からお金を奪われたりすることを心配している人は非常に多いようです。

「被害を防ぐために、ウイルス対策ソフトを導入している」という人をよく見かけますが、実はこういった被害の多くは、ウイルスが原因ではありません。「ネット詐欺」によるものがほとんどです。もちろん、怪しいサイトを開い

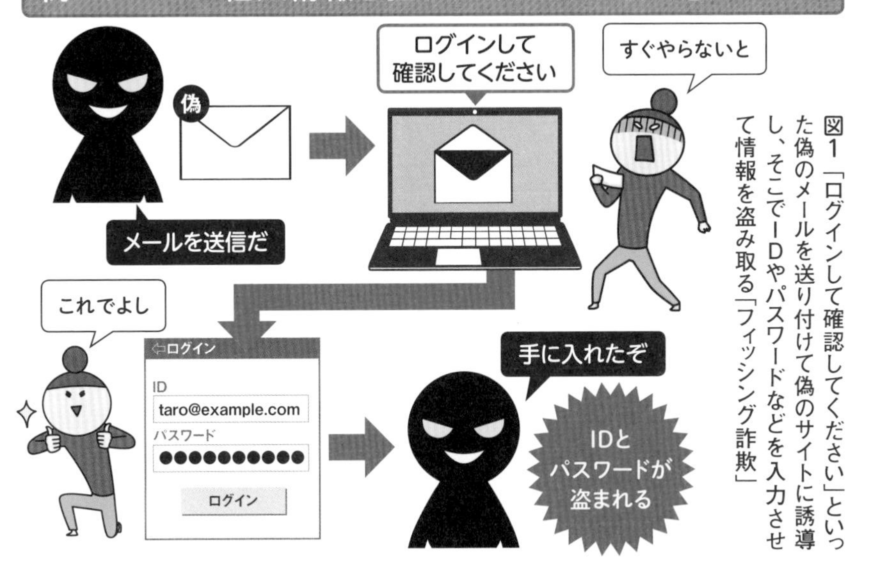

図1 「ログインして確認してください」といった偽のメールを送り付けて偽のサイトに誘導し、そこでIDやパスワードなどを入力させて情報を盗み取る「フィッシング詐欺」

たときに警告してくれるセキュリティソフトもありますが、その機能はオマケ程度と考えてください。ネット詐欺は、セキュリティソフトを入れているからといって防衛しきれるものではないと考えてください。

では、どうやって被害を防げばよいかというと、あなた自身の知恵で回避するしかありません。オレオレ詐欺の手口を知っていれば、そのような電話がかかってきたときに、詐欺だと気付いて未然に防げるのと同じです。

「フィッシング詐欺」にだまされない

まず知っておきたい、基本的な詐欺の手口が「フィッシング詐欺」です。これは、悪意のある第三者があなたのログインIDやパスワードを盗もうと、あの手この手でわなを仕掛けてくる詐欺です（**図1**）。

例えば、「不正なログインを検知したので、下記URLからすぐにログインして確認してください」といった趣旨のメールを送り付けてきます。「えっ、そ

本物そっくりのウェブページでだます

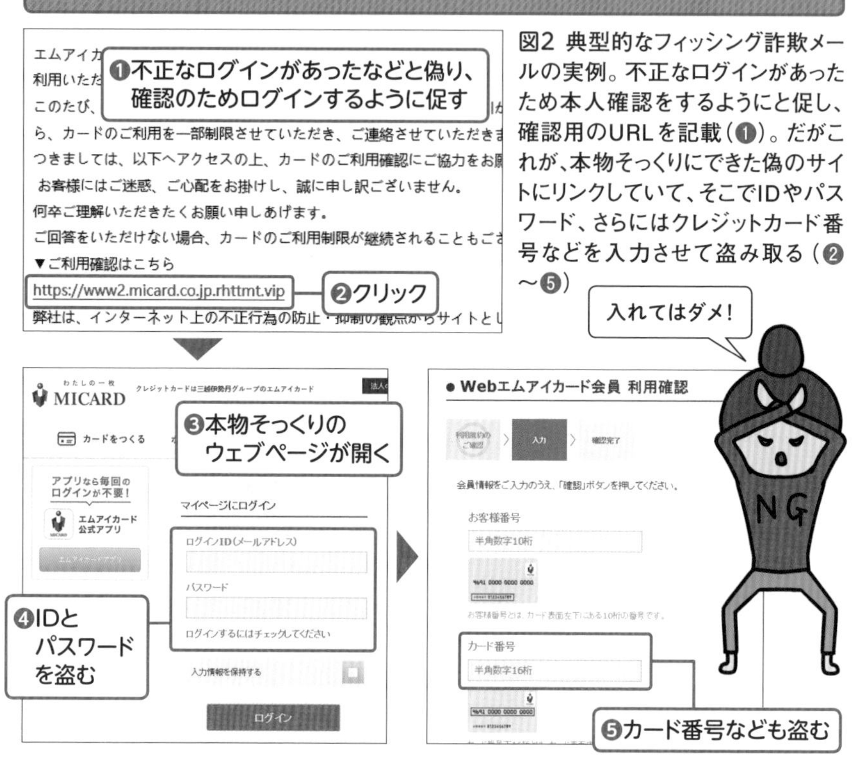

図2 典型的なフィッシング詐欺メールの実例。不正なログインがあったため本人確認をするようにと促し、確認用のURLを記載（❶）。だがこれが、本物そっくりにできた偽のサイトにリンクしていて、そこでIDやパスワード、さらにはクレジットカード番号などを入力させて盗み取る（❷～❺）

うなの？ 確認しないと！」と思ってURLをクリックしてウェブサイトを開き、そこでIDとパスワードを入れてログインしてしまうと、相手の思うツボです。本物だと思ってログインしたウェブサイトは、実は偽物のサイト。そこで入力したIDとパスワードが詐欺師の手に渡ってしまうというカラクリになっています。住所や電話番号、クレジットカード番号などまで入力させて情報を奪うケースも少なくありません（**図2**）。

本物そっくりに作られた詐欺サイトを見破るには、URLを確認すればよいと思うかもしれません。しかし、URLが偽装されていて、すぐには見分けられないケースもあります（**図3**）。URLだけで判断するのは危険です。

URLが本物かどうかを確認する

図3 よく使うウェブサイトなのに、URLがめちゃくちゃだったり、一部が異なっていたりしたら詐欺サイトを疑おう（左）。一見、正しいURLのように見えても、文字をよく見ると「a」が「o」だったり、「r」と「n」をつなげて「m」に見せかけていたりすることもあるので要注意（右）

そもそも、銀行などから「ログインがありました」といった通知が届くことはあっても、「このURLにアクセスしてIDとパスワードを入れて確認してください」と指示されることは通常はありません。このようなメールが届いたら、すぐに詐欺だと思って相手にしないほうが賢明です。

どうしてもサイトにログインして状況を確認したいときは、メールに記載されたURLをクリックして開くのではなく、普段お使いのブックマークからサイトを開いたり、公式サイトのURLを自分で入力してサイトを開いたりしてください。あるいは、銀行に直接電話をして確認するのが安心ですね。

なお、複数のウェブサイトやサービスで、IDやパスワードを使い回さないことも大切です。たくさんのIDやパスワードを覚えるのが大変だからと、複

ワンクリック詐欺は、とにかく「無視」

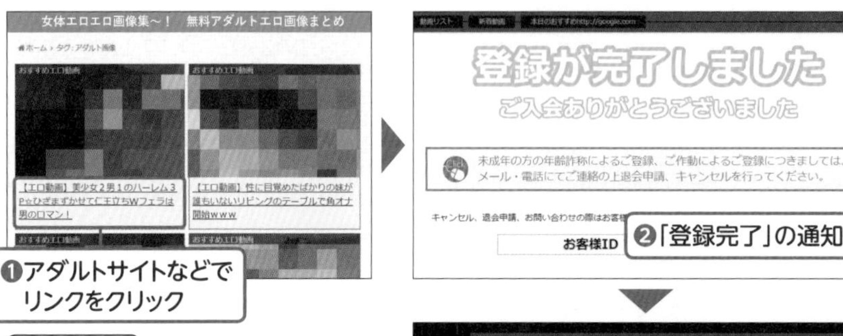

図4 アダルトサイトなどでリンクをクリックしたところ、「登録が完了しました」と表示されて、高額な料金を請求された……（❶～❸）。こんなとき、慌ててサイトにメールしたり、記載されていた電話番号に連絡したりすると詐欺師の思うツボだ。こうした「ワンクリック詐欺」は無視してまったく問題ない

数のサイトで共通のIDとパスワードを使っている人がいますが、これは非常に危険です。というのも、一見怪しいところのない無料サービスのサイトで、悪意のある運営者がIDとパスワードを狙っているケースがあるからです。

例えば、「フリー素材の無料ダウンロード」などとうたったサイトで、「会員登録すればダウンロードできます」としてIDとパスワードを登録させる手口があります。よくある素材サイトのように見せかけて、実はIDとパスワード欲しさに運営しているのです。そして詐欺師は、手に入れたIDとパスワードで、ショッピングサイトや銀行サイトなど、ほかのサービスにログインを試みます。このとき、あなたがIDとパスワードを使い回していると、すべてのサイトに簡単にログインされてしまいます。サイトごとに異なるIDとパスワードを使っていれば、このような危険を回避することができますね。

偽のセキュリティ警告にだまされない

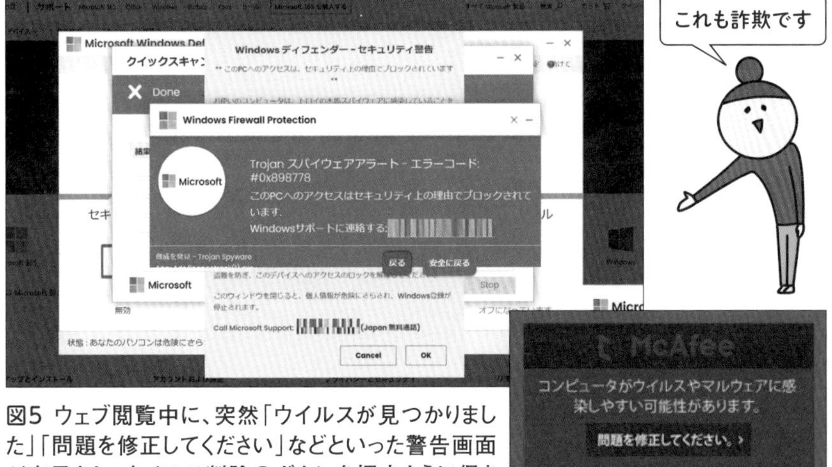

図5 ウェブ閲覧中に、突然「ウイルスが見つかりました」「問題を修正してください」などといった警告画面が表示され、ウイルス削除のボタンを押すように促されたり、対策ソフトをインストールするように勧められたりすることがある（上）。Windowsの通知機能を利用して、画面の右下にそのような警告が表示されることも（右）。こうしたウソのセキュリティ警告にもだまされてはいけない

「ワンクリック詐欺」や「偽セキュリティソフト」は無視せよ

次に、「ワンクリック詐欺」について説明しましょう。これは、アダルトサイトを見ているときなどによく遭遇する詐欺の手口です（**図4**）。

例えば、「マル秘の動画を見るにはクリック」などと誘います。それをクリックした途端、「ご契約ありがとうございます。あなたは月額制のアダルトサイトに登録しました。10日以内に指定の口座に利用料をお振り込みください」などと表示します。そして、振り込みを確認できないときは裁判所に連絡するなどと脅します。1回のクリックでお金を奪い取ろうとする詐欺なので、ワンクリック詐欺と呼ばれます。

画像提供：日本マイクロソフト、情報処理推進機構（IPA）

データを暗号化して身代金を要求するランサムウエア

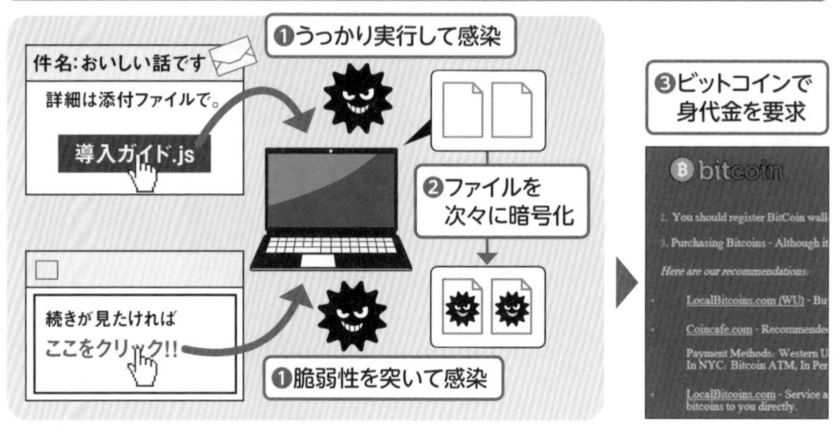

図6 「ランサムウエア」は、添付ファイルに潜ませたりパソコンの脆弱性を突いたりして侵入し(❶)、パソコン内にあるファイルを次々に暗号化して利用できなくするウイルス(❷)。そのうえで、暗号化を解いて元に戻すには金銭を支払えと脅す。そのため「身代金要求型ウイルス」とも呼ばれる。支払いはビットコインなどの仮想通貨で要求されることが多い(❸)。支払ったとしても、データを元に戻してくれる保証はない

このような事態に陥ったとき、「裁判所からの督促が家族にバレたらどうしよう……」と焦ってお金を支払ってはいけません。まったく心配無用だからです。そもそも個人情報を入力していなければ、こちらの住所や名前が詐欺師に知られることはないですし、法律上、ワンクリックで契約が成立してはいけないという規定もあります。こうした詐欺は、無視するのが一番。ウインドウを閉じれば解決です。電話やメールで問い合わせるのも厳禁。かえってこちらの情報を伝えてしまい、繰り返し脅される結果を招きます。

似たような詐欺の手口に、「偽セキュリティソフト」があります。「あなたのパソコンにウイルスが見つかりました」などと偽の警告を表示して、有料のセキュリティソフトを購入させようとする詐欺です(前ページ**図5**)。これも、画面上にウソの警告を表示して恐怖心をあおり、金銭を奪おうとしているだけ。無視して画面を閉じれば解決です。

Windowsやセキュリティソフトは最新に保つ

図7 ランサムウエアの侵入を防ぐには、Windowsを常に最新の状態にアップデートしておくことが重要。またセキュリティソフトも最新の状態にしておく必要がある。Windowsを最新に保つには、スタートメニューから「設定」を選び、「Windows Update」の画面(Windows 10では「更新とセキュリティ」の中にある)で「更新プログラムのチェック」ボタンをクリックする

最後に「ランサムウエア」について触れておきましょう。パソコン内のファイルを暗号化して利用不可能にしたうえで、「元に戻したければ金銭を支払え」と脅します(**図6**)。これは詐欺というよりはウイルスの一種なのですが、もしも被害に遭ってしまった場合、絶対にしてはいけないのは、お金を支払うことです。お金を払ってもパソコンが元に戻ることは本当にまれです。残念ですがデータは諦めて、パソコンを初期化するのがオススメです。

ランサムウエアの被害を防ぐには、Windowsを常に最新の状態にしておくことが大切です(**図7**)。セキュリティソフトや、そのウイルス定義ファイル(ウイルスのデータベース)も、常に最新の状態にしておきましょう。

YouTubeで動画による解説を見る
https://www.youtube.com/watch?v=JedqmDlATQ8

スマホを乗っ取るSIMスワップ
注意！ 世界的サイバー犯罪が日本上陸

これまでネットバンキングは、送金などの操作をするときに「2段階認証」をすることで、安全性を担保してきました。2段階認証とは、ログイン時のIDとパスワードとは別に、そのとき限りの確認コード（ワンタイムパスワード）をスマホのSMSなどに送信し、それを入力できるかどうかで2段階目の認証を行う仕組みです（**図1**）。仮にIDとパスワードを知る第三者が不正にログインできた場合も、送金などを行う際には、本人が所有するスマホに確認コードが届きます。そのコードを第三者は知ることができないので、認証を

「2段階認証」は安全性が高い

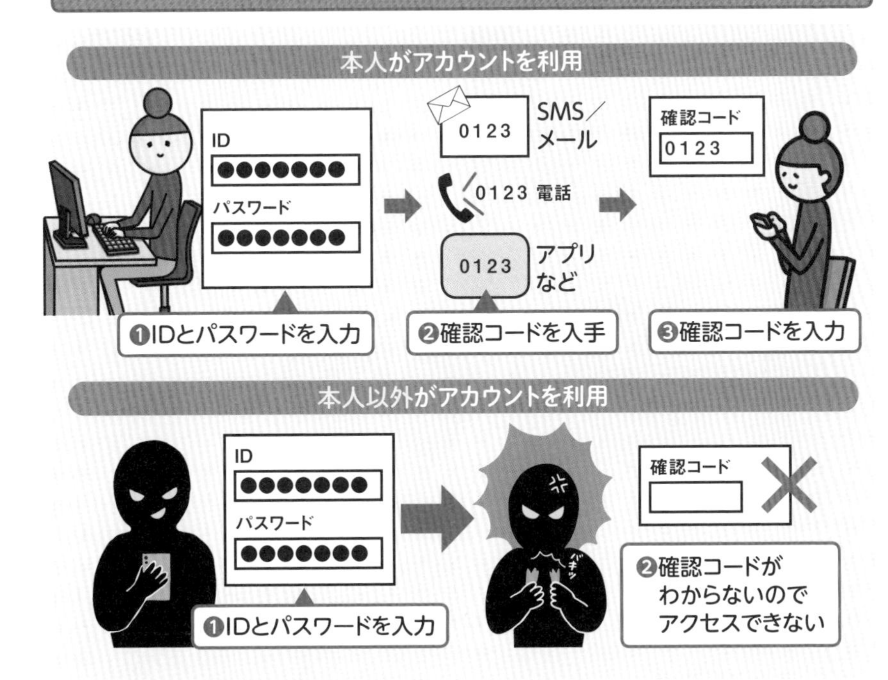

図1 2段階認証はIDとパスワードに加え、スマホのアプリやSMS（ショートメッセージサービス）などで二重に本人確認をする仕組み。IDとパスワードが正しくても、本人のスマホに送信した確認コードを入力しないと先へ進めない。仮に悪者がIDとパスワードを不正に入手してログインし、勝手な操作をしようとしても、本人のスマホが手元になければ、確認コードがわからないので何もできない

突破して送金などを完了することはできません。

ところが、新たに登場した「SIMスワップ」の手口では、この2段階認証も突破されてしまいます。というのも、スマホを乗っ取られてしまうからです。

どうやって乗っ取るかというと、攻撃者はまず、あなたの個人情報を手に入れます。ネット口座のIDやパスワードはもちろん、氏名や住所、電話番号などもです。その情報を基に、攻撃者はあなたの身分証明書を偽造します。と同時に、実働隊となる“闇バイト”を雇って、闇バイトの顔写真を身分証明

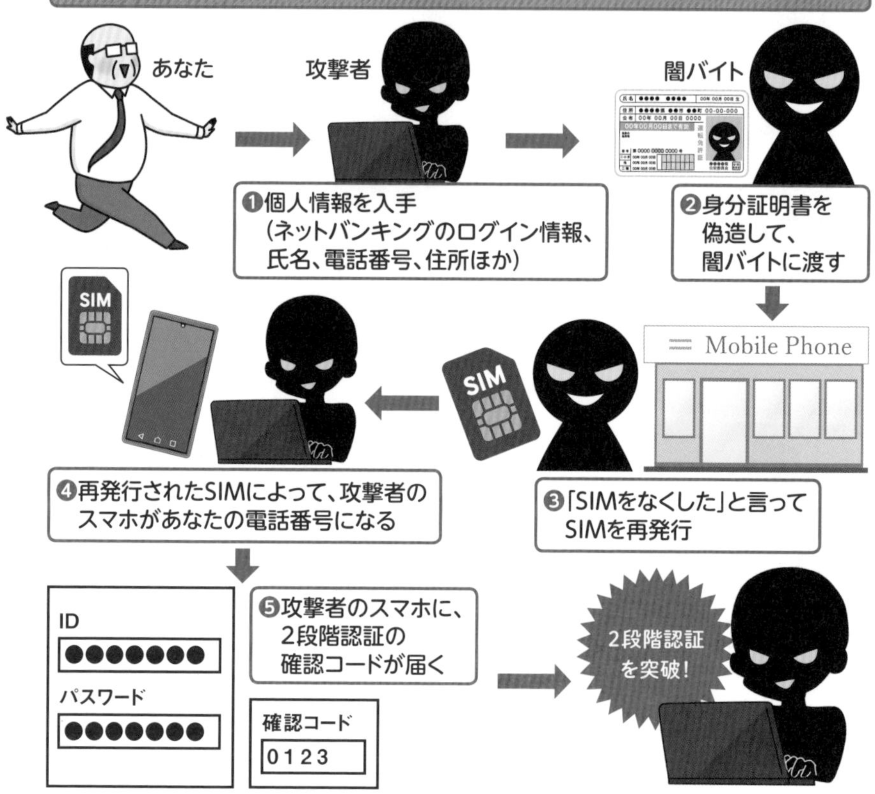

図2 SIMスワップの手口では、あらかじめ個人情報を入手した攻撃者が、その情報を基に偽の身分証明書を作成して闇バイトに渡す（❶❷）。闇バイトはそれを使ってあなたになりすまし、携帯ショップでSIMを再発行してもらう（❸）。このSIMをスマホに挿せば、そのスマホがあなたの携帯電話番号を持つことになるため（❹）、2段階認証の確認コードも、そのスマホに届いてしまう（❺）。これにより、2段階認証も突破される

書に合成します。これで、闇バイトはあなたになりすますことができるようになります。そして闇バイトは、携帯ショップに行って「SIMをなくしたので再発行してください」と申請します。偽造した身分証明書で本人確認を済ませれば、簡単にSIMの再発行を受けられます。このタイミングで、あなたのスマホに入っているSIMは無効化され、再発行したSIMを入れた攻撃者のス

なぜ攻撃者は個人情報を知っていたのか？

図3 インターネットの裏側には「ダークウェブ」と呼ばれる闇の世界がある。そこには特殊な方法を使わないと入ることができず、個人情報やID/パスワード、クレジットカード情報などが大量に取引されている

https://www.youtube.com/watch?v=BMlVFu8A-J4

図4 違法取引が横行しているダークウェブについては、左記の動画で解説している

マホが、あなたの電話番号になります。あとは、攻撃者のやりたい放題です。事前に入手したIDとパスワードでネット口座にログインすると、送金時に送られる確認コードも、攻撃者の手元にあるスマホに届きます。これで2段階認証を突破し、あなたの口座からお金を奪います（**図2**）。

個人情報の流出を防ぐことが最重要

それでは、どうしたらSIMスワップの被害を防ぐことができるでしょうか。ポイントは、攻撃者がなぜ、ターゲットの個人情報を知っていたかという点です。逆に、名前や電話番号などを知られていなければ、身分証明書は偽造されませんし、SIMを再発行されることもありません。

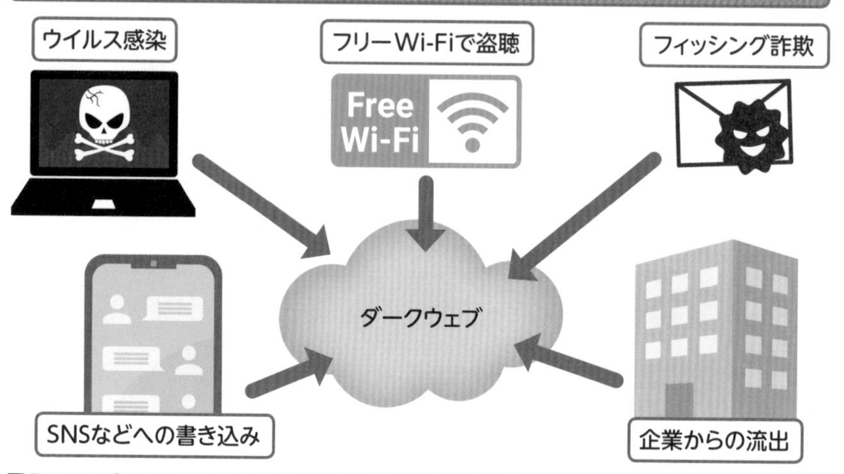

図5 IDやパスワードなどの個人情報がダークウェブに流出する経路はいろいろだ。ウイルスに盗まれて送信されたり、フリー Wi-Fiスポットなどで通信を盗聴されて奪われたり。フィッシング詐欺やSNSでの書き込みのように、ユーザーが自ら入力して情報を提供してしまうこともある。個人情報を扱っている企業から漏洩するケースも少なくない

実は、攻撃者は「ダークウェブ」と呼ばれる闇のネットワークから個人情報を購入しています（前ページ**図3**、**図4**）。インターネットには、特殊な方法を使わないと入れない裏の社会があり、そこでは薬物や武器、クレジットカード情報や個人情報など、一般の社会では買えないようなものが大量に売買されています。つまり、あなたの個人情報がダークウェブにおいて売り出されてしまったら、SIMスワップのターゲットにされるなど、さまざまな危険にさらされることになります。

ダークウェブに個人情報が流れるルートとしては、ウイルス感染、フリーWi-Fiスポットでの盗聴、フィッシング詐欺、企業からの流出など、さまざまなものがあります（**図5**）。フィッシング詐欺については、前のパートでも解説しました。意外と知られていないのが、フリーWi-Fiスポットで通信を盗聴して、情報を抜き取る手口です。攻撃者は、飲食店などが提供するWi-Fi

フリーWi-Fiスポットでの盗聴にも注意

https://www.youtube.com/watch?v=HlRRXdcn5ho

図6 街中のフリーWi-Fiスポットの中には、悪意のある攻撃者が情報を奪う目的で設置したアクセスポイントもある。無料だからといって安易に利用すると、その情報を盗聴され、個人情報が漏洩する可能性もある。その手法について実際に試した様子や、盗聴を防ぐ方法については、右の動画で解説している

スポットの近くに、よく似た名前の偽のアクセスポイントを設置します。この偽のアクセスポイントに接続してインターネットを利用すると、攻撃者からは、その通信の内容が丸見えになる可能性があるのです（**図6**）。通信が暗号化される「SSL」対応のウェブサイトであれば、盗聴される危険性はないのですが、インターネット上にはまだまだSSLに対応していないウェブサイトがあります。その被害を防ぐには、「VPN」という技術を利用する方法がオススメです。これについては図6の動画を参照してください。

確かに、企業が顧客データを流出させるといった、自分では防ぎようがないケースもあります。しかし、ネット詐欺やウイルスなどによる漏洩、フリーWi-Fiスポットでの盗聴などは、自分のIT知識を向上させて、日ごろから注意を払うことで防ぐことができるでしょう。自分の個人情報をいかに流出させないようにするかが最も大切です。

YouTubeで動画による解説を見る

https://www.youtube.com/watch?v=vaa2UkPxe-k

セキュリティ編 04

パソコンを初期化して再利用

個人情報を完全削除！ 中古で売るのも安心

不要になったパソコンを人に譲ったり、オークションで売ったりするときに注意したいのが、中に入っているデータです。そのままにしておくと、仕事のファイルや個人的な写真、さらにはメールの中身まで、新しいユーザーに丸ごと渡ってしまいます。「あらかじめ削除したから大丈夫」と思っていても、安心はできません。通常の方法で削除したデータは、専用の復元ソフトを使うことで、元の状態に戻すことができてしまうからです。

こんなときに実行したいのが、パソコンの「初期化」です。パソコンの中身

データをすっかり削除して、初期状態に戻す

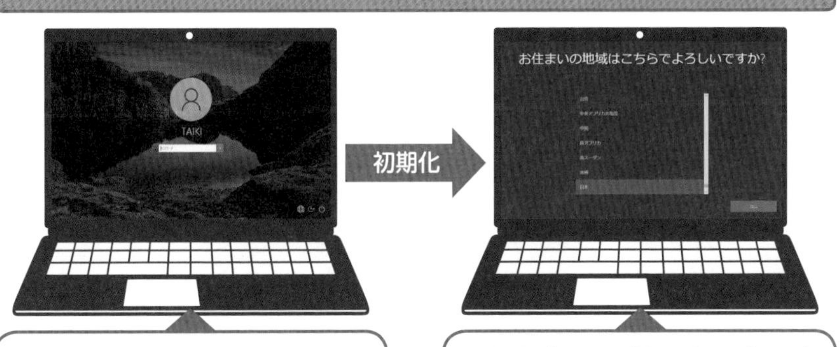

- 不要になったので人に譲ったり売ったりしたい
- パソコンの調子が悪いので、出荷時の状態に戻したい
- ウイルスに感染して元に戻せない
- パスワードがわからないので、すべてリセットしたい

- 個人データや追加したアプリはすべて削除（痕跡も残さない）
- Windowsをまっさらな状態にして、新品気分で使い始められる
- 電源を入れると初期セットアップが始まる

図1 Windowsには「初期化」と呼ばれる機能がある。パソコンを譲ったり売ったりするときや深刻な不調やトラブルに陥ったときに、すべてのデータを削除して、買ったばかりのような状態に戻す機能だ。初期化後に電源を入れると、Windowsのセットアップ画面が表示され、元の個人データはもちろん、アカウント情報もない状態から再スタートできる

を一度すっかり削除し、Windowsをインストールし直します。こう聞くと、なんだか大変な作業のように思えますが、実際の操作は非常に簡単です。誰でもすぐに行うことができます。

使用不能なパソコンを再利用可能に！ パスワード不明でもOK

パソコンを売るとき以外にも、初期化が威力を発揮する場面は少なくありません（**図1**）。例えば、だいぶ前から使用していないパソコンを久しぶりに開いたときに、Windowsのパスワードを忘れていてサインインできないケースがあるでしょう。会社などでは、退職した人のパソコンにパスワードがかかっていて、誰も使えなくなることがよくあります。こういった場合も、パ

「Shift」+「再起動」でオプション画面を表示

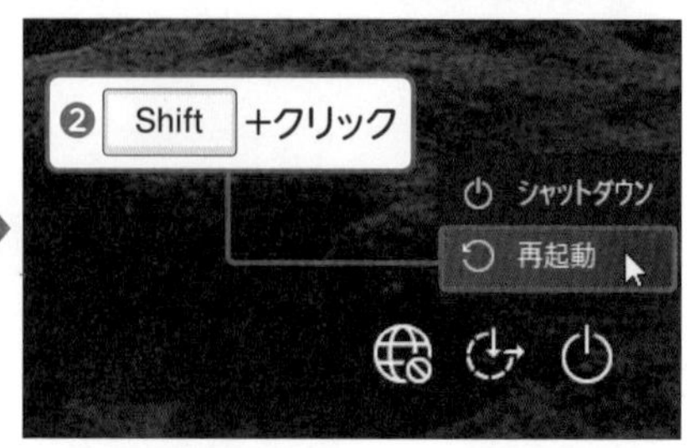

図2 パスワードがわからないパソコンでも、電源を入れた直後のサインイン画面から初期化が可能だ。それには、画面右下にある電源アイコンをクリックし（❶）、開いたメニューにある「再起動」を、「Shift」キーを押しながらクリックする（❷）

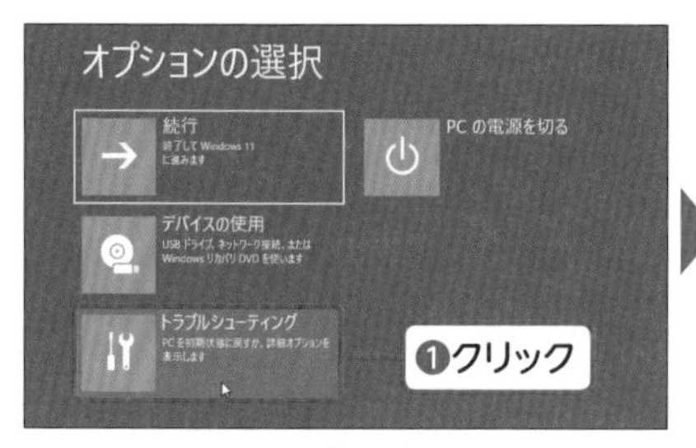

図3 再起動すると、「オプションの選択」という青い画面が開く。「トラブルシューティング」を選ぶと（❶）、「このPCを初期状態に戻す」という項目があるので、クリックする（❷）

ソコンを初期化してしまえば、新品のパソコンと同様に、まっさらな状態から再利用することができます。ウイルスに感染し、普通に使えない状況に陥ってしまったパソコンも、初期化すれば問題解決です。もちろん、データはすべて消えてしまいますが、使えなくなったパソコンを再び利用できる状態に戻すには、初期化が最も簡単で効果的な手段といえます。

サインイン画面で「Shift」+「再起動」

初期化の手順を具体的に見ていきましょう。前述の通り、この操作を行うとデータはすべて削除されますので、本当に初期化していいパソコンでの

ドライブを完全にクリーンアップ

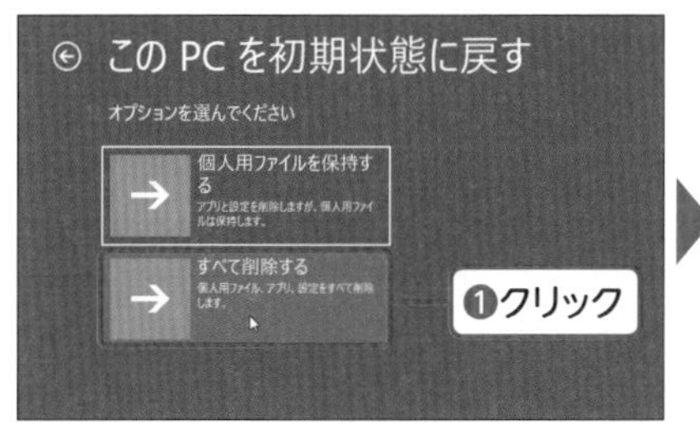

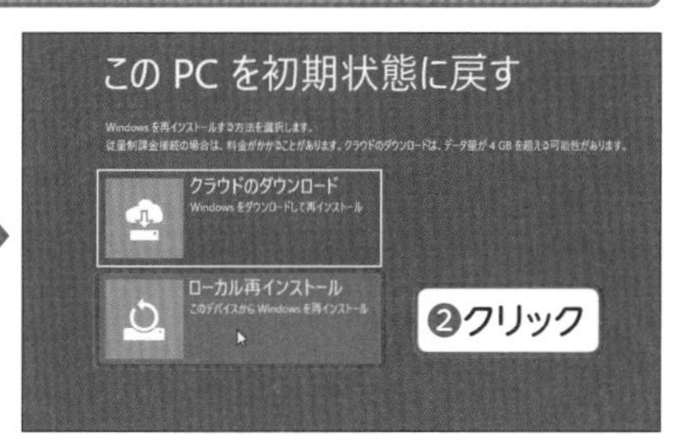

図4 個人のデータなどを残したまま初期化することもできるが、今回はデータを完全に削除したいので、「すべて削除する」を選ぶ（❶）。続く画面では、「ローカル再インストール」を選べば通常は問題ない（❷）。それがうまくいかない場合や、最新のWindowsをダウンロードして初期化したい場合は「クラウドのダウンロード」を選ぶ

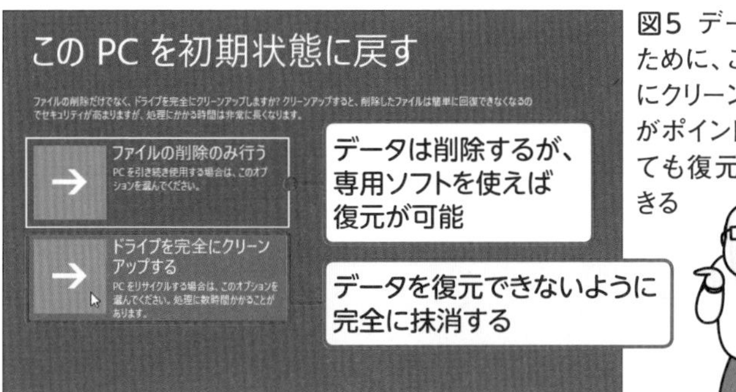

図5 データを完全に抹消するために、ここで「ドライブを完全にクリーンアップする」を選ぶのがポイントだ。専用ソフトを使っても復元が不可能な状態にできる

こっちを選んでね

み、実行してください。

まずパソコンの電源を入れて、Windowsのサインイン画面を表示します（**図2**）。パスワードはわからなくてもOKです。画面右下にある電源アイコンをクリックしてメニューを開いたら、「Shift」キーを押しながら「再起動」をクリックします。すると、再起動後に「オプションの選択」という青い画面が表示されるので、「トラブルシューティング」→「このPCを初期状態に戻す」とたどります（**図3**）。さらに、「すべて削除する」→「ローカル再インストール」と進んだら、次の画面がポイントです（**図4、図5**）。そこで「ドライブを完全にク

初期セットアップ画面が表示されても電源は切るな!

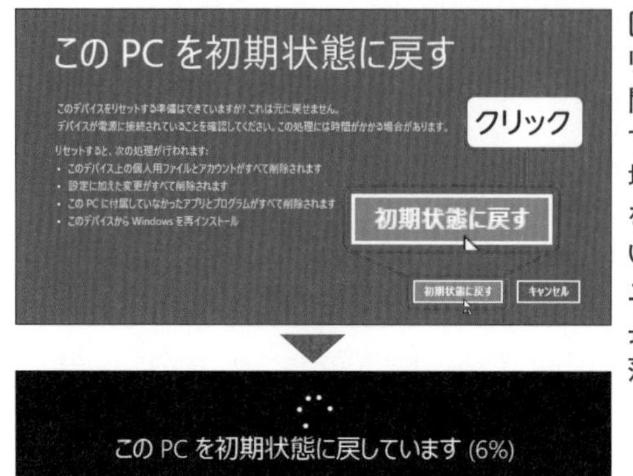

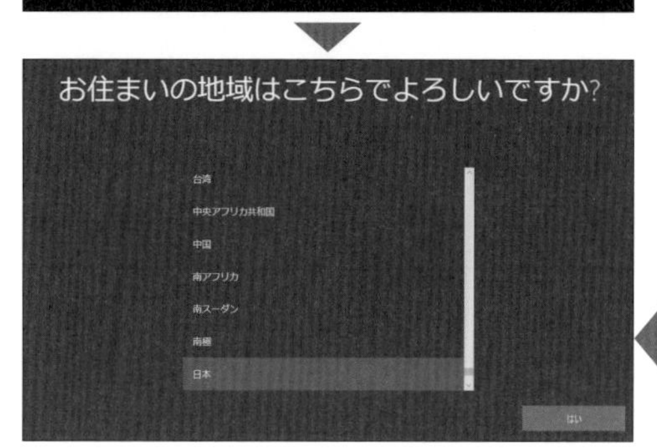

図6 最後に「初期状態に戻す」をクリックすると、作業が始まる。かなり時間がかかるので覚悟して待とう。終了すると、初期セットアップが起動し、地域を選択する画面になる。パソコンを売る場合、ここでシャットダウンしたいところだが、この画面に電源のメニューはない。しかし、電源ボタンを長押しする方法で、強制的に電源を落とすのは控えたほうがよい

リーンアップする」を選んでください。こちらを選ぶことで、データを完全に抹消して、専用ソフトを使っても復元できない状態にできます。

最後の確認画面で「初期状態に戻す」をクリックすると、初期化の作業が始まります(**図6**)。「… 完全にクリーンアップする」を選んだ場合は、かなり時間がかかりますので覚悟してください。

セットアップ画面では、いきなり電源を落とさない

こうして初期化が完了すると、パソコンが自動で再起動し、Windowsの初期セットアップ画面が開きます。このパソコンを自分で再利用する場合

コマンドプロンプトを起動し、シャットダウンを実行

図7 地域選択の画面が開いたら（図6下）、「Shift」キーを押しながら「F10」キーを押す（❶）。すると、「コマンドプロンプト」という黒い画面が起動する（❷）

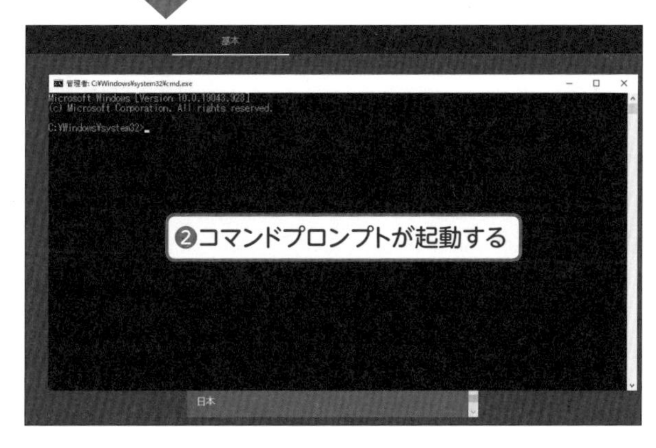

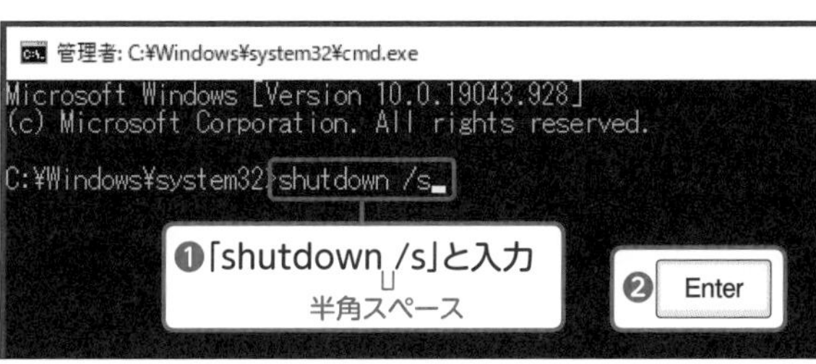

図8 コマンドプロンプトの画面で、キーボードから「shutdown /s」というコマンドをすべて半角で入力して「Enter」キーを押す（❶❷）。スラッシュの前には半角スペースを入れること

は、そのままセットアップを続けて、ユーザー名や新しいパスワードなどを設定していけばOKです。

一方、パソコンを人に譲ったり売ったりする場合、この初期セットアップを行わない状態で、そのまま電源を切りたいところです。そうすれば、新しいユーザーが自分の思い通りにセットアップできるので親切でしょう。

ところが、このセットアップ画面には、電源を切るためのアイコンやメニューがありません。いったいどうすればよいでしょうか？

「パソコン本体にある電源ボタンを長押しすれば強制終了できるよ」と思

適切な状態でシャットダウンできる

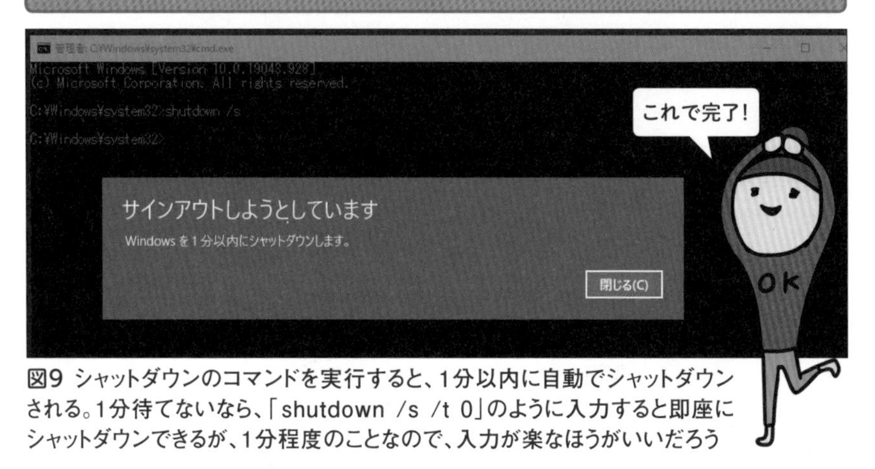

図9 シャットダウンのコマンドを実行すると、1分以内に自動でシャットダウンされる。1分待てないなら、「shutdown /s /t 0」のように入力すると即座にシャットダウンできるが、1分程度のことなので、入力が楽なほうがいいだろう

うかもしれませんが、それはありがちなミスです。電源ボタンの長押しで強制終了すると、次回、電源を入れたときにエラーチェックが始まってしまうことがあるからです。そうなれば、新しいユーザーが「故障しているではないか!」と怒ってしまうかもしれません。

エラーが発生しないように適切に終了させるには、セットアップ画面で「Shift」+「F10」キーを押し、「コマンドプロンプト」を起動します(前ページ**図7**)。そして「shutdown /s」というコマンド(命令)を入力して「Enter」キーを押してください(**図8**)。すると、1分程度待たされますが、安全にシャットダウンすることができます(**図9**)。

これで、パソコンを受け取った新しいユーザーが電源を入れたときには、新品のパソコンと同様、問題なく初期セットアップ画面が開きます。そして任意のユーザー名などを付けて、パソコンを使い始めることができます。

YouTubeで動画による解説を見る

https://www.youtube.com/watch?v=9w2XerkLhS8

アプリ活用 編

アプリ活用編 01

Excel操作の超時短術！

便利なショートカットキーで爆速化

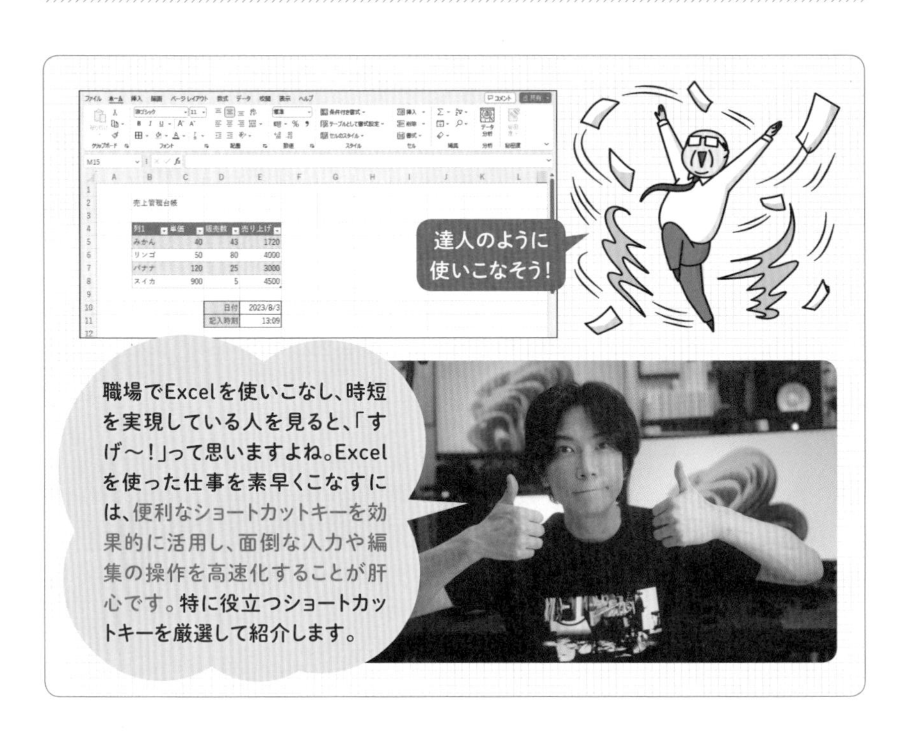

Excelで効率良く作業するには、普段あまり使わないような関数をたくさん覚えるよりも、よく使う操作を一発で実現する“ショートカットキー”を覚えるほうが近道です。ショートカットキーとは、マウスでメニューやボタンを選ぶ方法ではなく、キーボードだけでパソコンを操作するテクニックのこと。「Ctrl」キーと何か別のキーを一緒に押すパターンが多く、Excelでもさまざまな操作を実現するショートカットキーが用意されています。

まずオススメしたいのは、「Ctrl」+「D」というショートカットキーです。表

上のセルと同じデータを一発でコピー

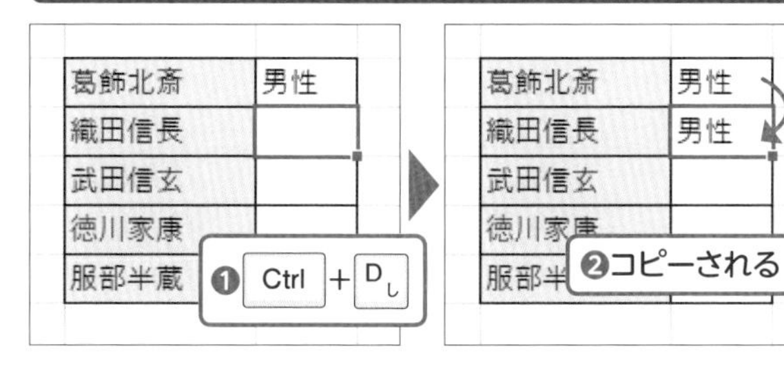

図1 表を作成するとき、すぐ上のセルと同じデータを入力する機会は多い。そんなときは、入力セルを選択して「Ctrl」キーを押しながら「D」キーを押そう(❶)。すると一発で上のセルをコピーできる(❷)

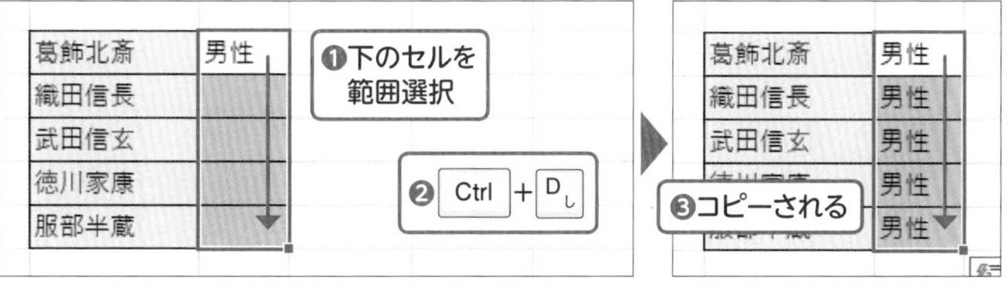

図2 先頭のセルに入力したデータを、その下の複数のセルにコピーしたいときは、先頭セルを含む形でセル範囲を選択し(❶)、「Ctrl」+「D」を押せば(❷)、選択範囲にまとめてコピーできる(❸)

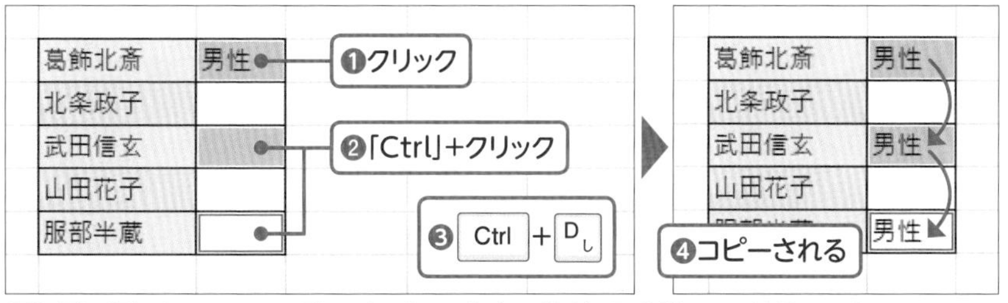

図3 飛び飛びのセルに一発コピーすることも可能だ。入力済みの先頭セルをクリックして選択した後(❶)、その下にある目当てにセルを「Ctrl」キーを押しながらクリックして選択(❷)。「Ctrl」+「D」を押せば、選択中のセルにだけコピーできる(❸❹)

を作成するときなど、上のセルと同じデータを入力する機会は意外と多いですよね。そんなときは「Ctrl」+「D」を押してください。それだけで、上のセルを瞬時にコピーできます(**図1**)。セルを範囲選択すれば、範囲内のすべてのセルにまとめてコピーすることも可能です(**図2**)。同じ列にあるセルな

複数のセルに同時入力

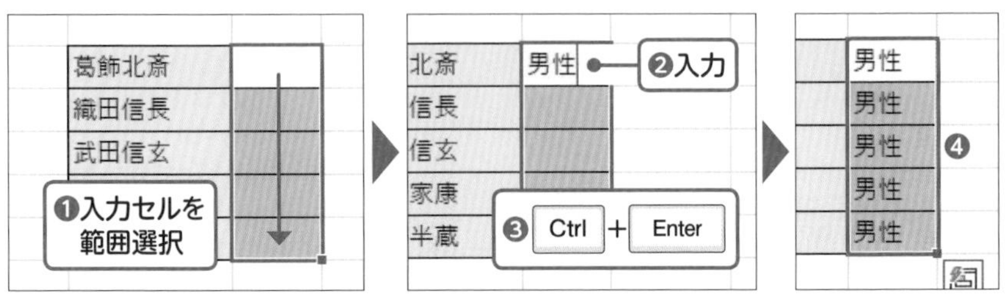

図4 同じデータを入力することが最初からわかっている場合は、入力対象のセルを先に範囲選択する（❶）。そのままデータを入力し（❷）、「Ctrl」キーを押しながら「Enter」キーを押して確定すると（❸）、選択した範囲すべてに同時入力できる（❹）

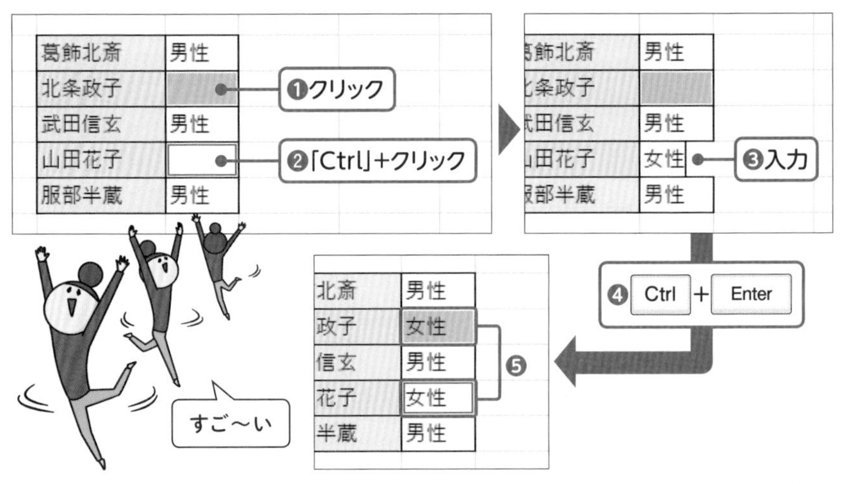

図5 飛び飛びのセルに同時入力することも可能だ。1つめのセルをクリックして選択し（❶）、2つめ以降は「Ctrl」+クリックで選択（❷）。そのままデータを入力し（❸）、「Ctrl」+「Enter」を押せば（❹）、選択中のすべてのセルに同時入力できる（❺）

ら、離れた場所にある複数のセルを同時に選択して「Ctrl」+「D」を実行することもできます（前ページ**図3**）。なぜ「D」のキーを使うかというと、上のセルを「下（Down）」にコピーするからです。「Down」の「D」だとわかれば、覚えやすいですね。これと一緒に、「Ctrl」+「R」も覚えておきましょう。「R」は「Right」の「R」です。そう、左のセルを「右（Right）」にコピーするための

セル内の改行を一発で置換

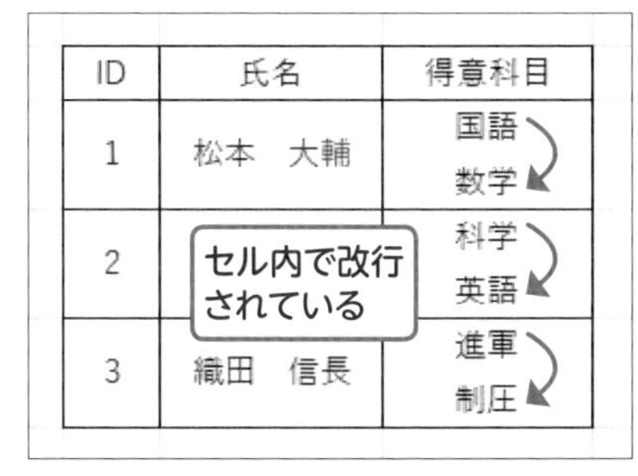

図6 Excelでは「Alt」+「Enter」を押すことでセル内で改行できる。しかし、セル内改行を含むデータは、集計や分析に活用しにくいため、削除が必要になるケースが少なくない

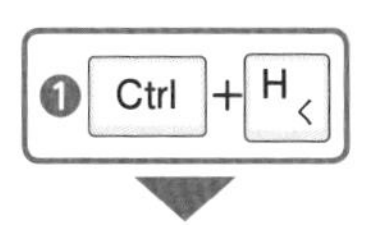

図7 「Ctrl」+「H」を押して「置換」機能を呼び出す(❶)。「検索する文字列」欄で「Ctrl」キーを押しながら「J」キーを押すと、画面上は何も見えないが、「セル内改行」を検索対象にできる(❷)。「置換後の文字列」欄にスペース(空白)を指定して(❸)、「すべて置換」を押せば(❹)、すべてのセル内改行を空白に置き換えられる(❺)

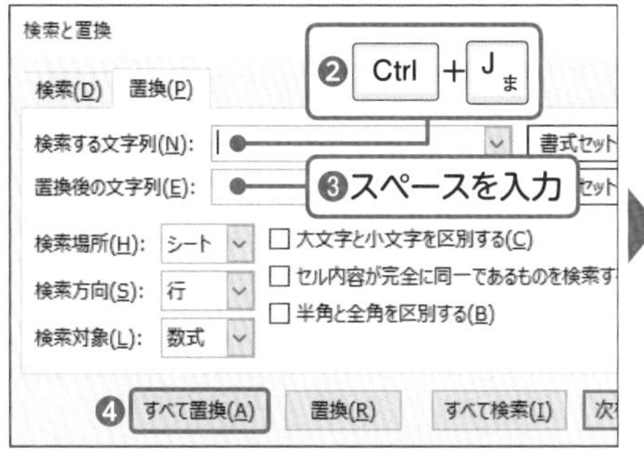

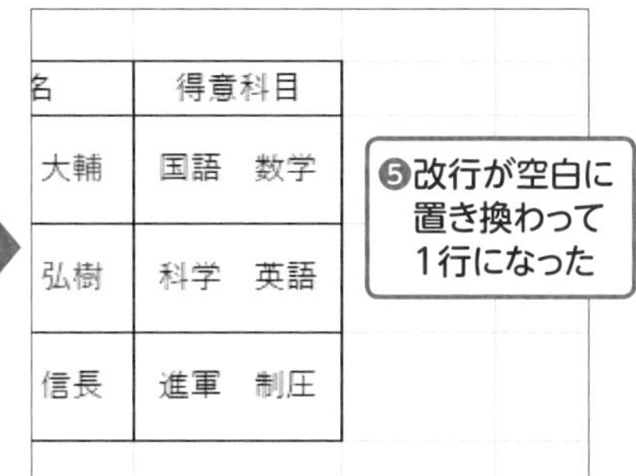

アプリ活用編❸ 01 Excel操作の超時短術!

ショートカットキーになります。

入力済みのデータをコピーするのではなく、最初から複数のセルに一括入力する方法もあります。これに使うのが「Ctrl」+「Enter」です。複数のセルを選択した状態でデータを入力し、「Ctrl」+「Enter」を押すと、選択中のすべてのセルに同じデータが入ります(**図4、図5**)。

表の編集に便利なテクニックも紹介しましょう。ありがちなのが、「セル内の改行」を含む表から、改行を削除しなければならないケース(**図6**)。セル

セルの“端”まで一気にジャンプ

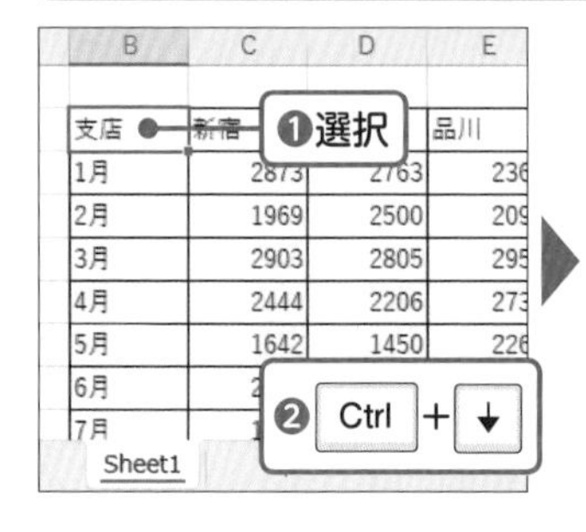

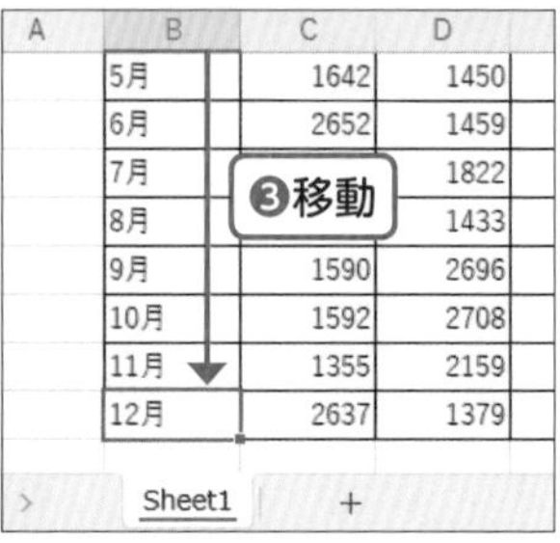

図8 表内のセルをクリックして選択し(❶)、「Ctrl」キーを押しながら「↓」キーを押すと(❷)、表の下端まで一発で移動できる(❸)

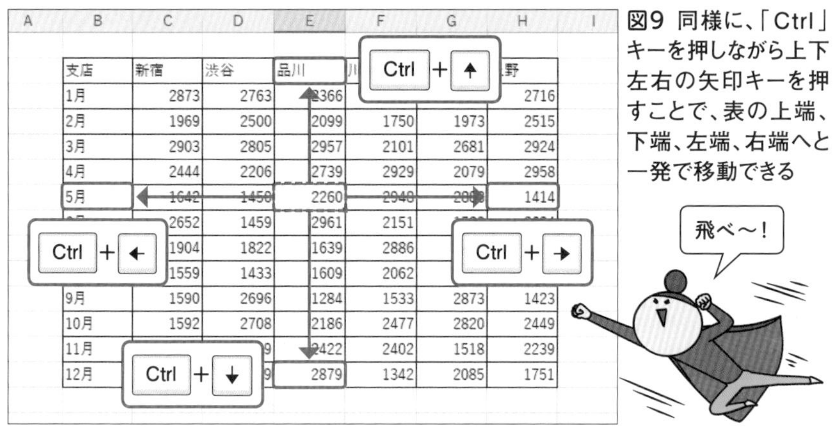

図9 同様に、「Ctrl」キーを押しながら上下左右の矢印キーを押すことで、表の上端、下端、左端、右端へと一発で移動できる

をダブルクリックして改行位置を選択し、「Delete」で削除する――なんて操作を1セルずつ行うのは途方もなく面倒です。

こんなときに使いたい“裏ワザ”のショートカットキーが「Ctrl」+「J」です。まずは「Ctrl」+「H」を押して「置換」機能を呼び出します。「検索する文字列」欄で「Ctrl」+「J」を押すと、見た目にはわかりにくいですが、「セル内の改行」を検索対象に指定できます。「置換後の文字列」欄にスペースなどを指定して「すべて置換」を押せば、すべてのセル内改行を一気に置き換えることができます(前ページ**図7**)。

大きな表を編集するときには、目的の場所まで移動する操作も効率化し

セルの"端"まで一気に範囲選択

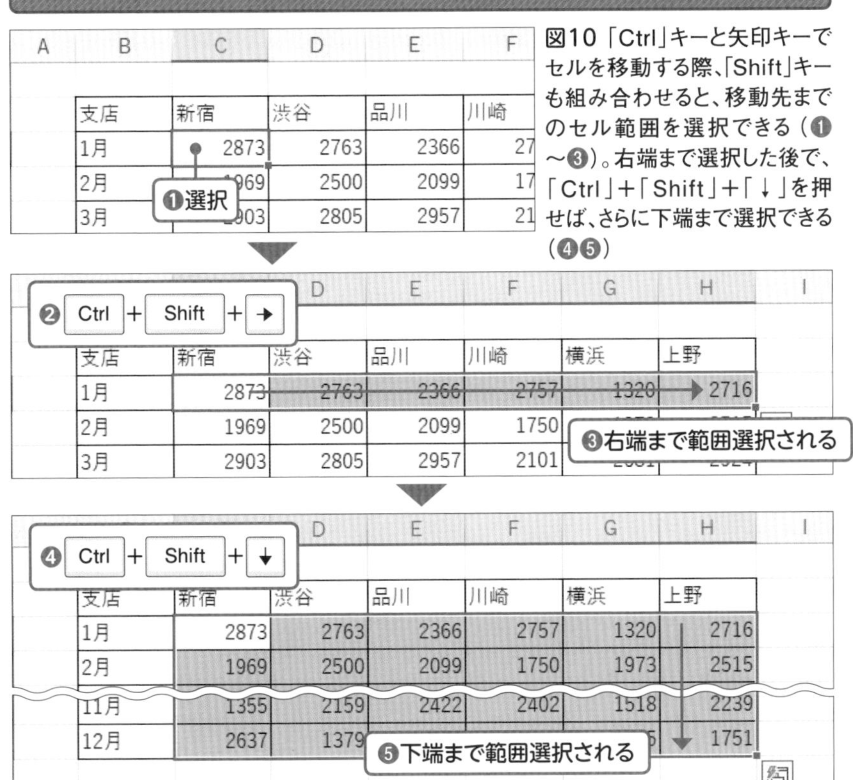

図10 「Ctrl」キーと矢印キーでセルを移動する際、「Shift」キーも組み合わせると、移動先までのセル範囲を選択できる（❶～❸）。右端まで選択した後で、「Ctrl」＋「Shift」＋「↓」を押せば、さらに下端まで選択できる（❹❺）

ましょう。例えば、表の一番下まで移動したければ、「Ctrl」+「↓」を押すのが速いです（**図8**）。「Ctrl」を押しながら上下左右の矢印キーを押すと、その方向に並ぶデータの"端"まで一気にジャンプすることができます（**図9**）。表の下端や右端に新たにデータを追加したいときなどに、瞬時に移動できます。

また、「Ctrl」と「Shift」を押しながら矢印キーを押すと、その方向に並ぶデータの"端"までを範囲選択できます（**図10**）。行単位や列単位で選択したいときに便利です。さらに「Ctrl」+「Shift」+「→」で表の右端まで選択し、

「セルの書式設定」を一発で開く

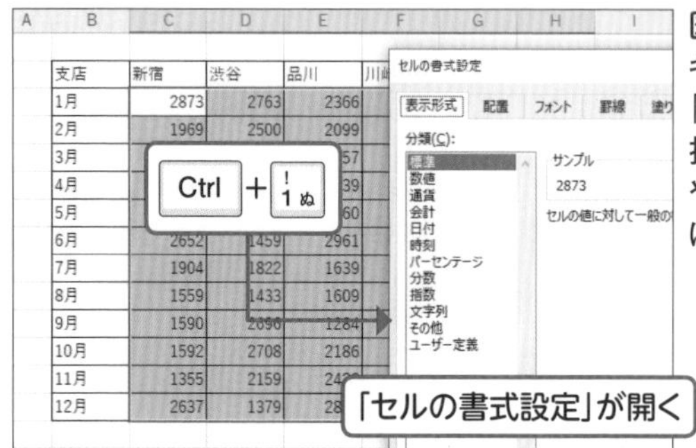

図11 セルを選択した状態で「Ctrl」キーを押しながら「1」キーを押すと、「セルの書式設定」画面が開く。選択範囲の表示形式を変えたり、罫線や塗りつぶしを設定したりするときに、ワンタッチで設定画面を開ける

数値の「桁区切り」を一発で設定

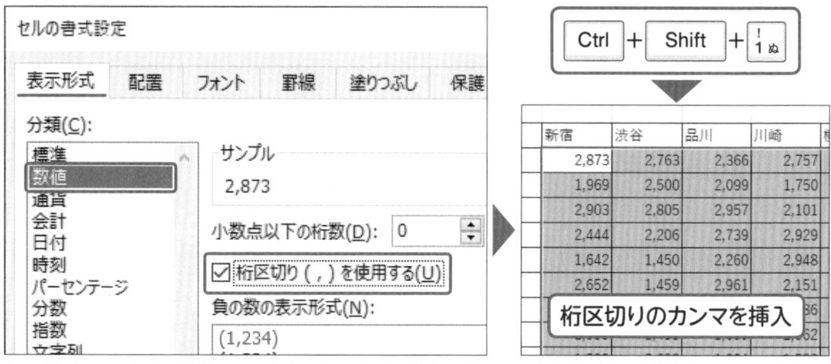

図12 「セルの書式設定」画面の「表示形式」タブにある「分類」欄を「数値」にし、「桁区切り(,)を使用する」にチェックを入れると、数値に3桁ずつカンマを挿入できる(左)。だが、いちいち設定画面を開くのは面倒だ。実は、「Ctrl」キーと「Shift」キーを押しながら「1」キーを押す方法でも、桁区切りを設定できる(右)

続けて「Ctrl」+「Shift」+「↓」で表の下端までをすべて選択するといった操作を覚えると、達人のレベルにかなり近づきます。大きな表では、マウスでドラッグするよりはるかに簡単で効率的です。

このようにして選択したセル範囲に対して、表示形式を変更したり、罫線や塗りつぶしなどの書式を設定したりするときは、「Ctrl」+「1」を押しましょ

円表示やパーセント表示もワンタッチ

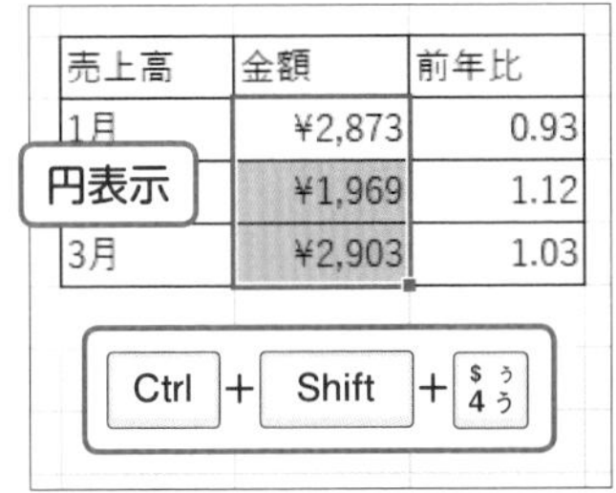

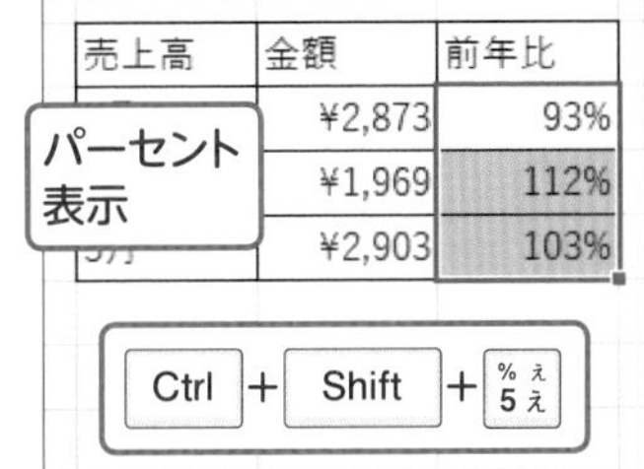

図13 「Ctrl」キーと「Shift」キーを押しながら、「$」キーを押すと円の通貨表示、「%」キーを押すとパーセント表示に変更できる

今日の日付や現在時刻を自動入力する

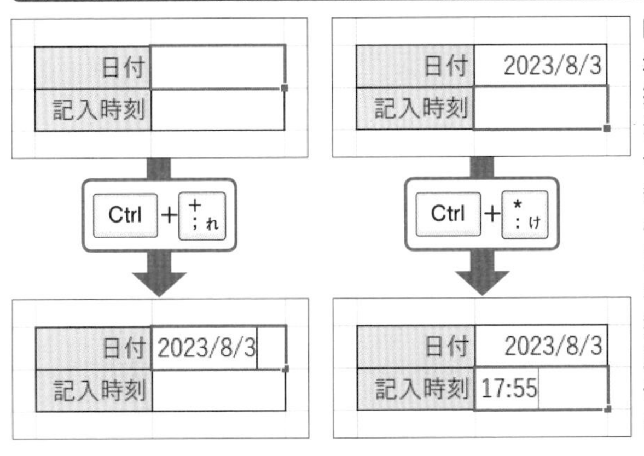

図14 「Ctrl」キーを押しながら「;」(セミコロン)キーを押すと、パソコンに設定されている日時情報を基に、今日の日付を自動入力できる。入力されたら「Enter」キーで確定すればよい。同様に、「Ctrl」キーを押しながら「:」(コロン)キーを押すと、現在の時刻を自動入力できる。時と分を区切る記号である「:」のキーを使うと覚えればよい

う。すると、「セルの書式設定」画面を一発で開けます(**図11**)。

ただし、数値を3桁ずつカンマで区切る「桁区切り」に関しては、「セルの書式設定」画面で設定するよりも簡単な方法があります。「Ctrl」+「Shift」+「1」というショートカットキーがそれ(**図12**)。「Ctrl」+「1」で設定画面が開き、これに「Shift」を加えれば「桁区切り」になると覚えましょう。

ちなみに、「¥」や「%」の表示を一発で設定するショートカットキーも用意されています(**図13**)。

日付や時刻の入力も、ショートカットキーが便利です(**図14**)。請求書や日

「フラッシュフィル」でデータを自動分割

氏名	苗字	名前
織田 信長		
上杉 謙信		
徳川 家康		
山田 花子		

氏名を
苗字と名前に
分割したい

図15 「氏名」列に入力されたデータを、「苗字」列と「名前」列に分割したい。苗字と名前がスペースで区切られていれば、1つずつ手作業で編集しなくても、あっという間に分割が可能だ

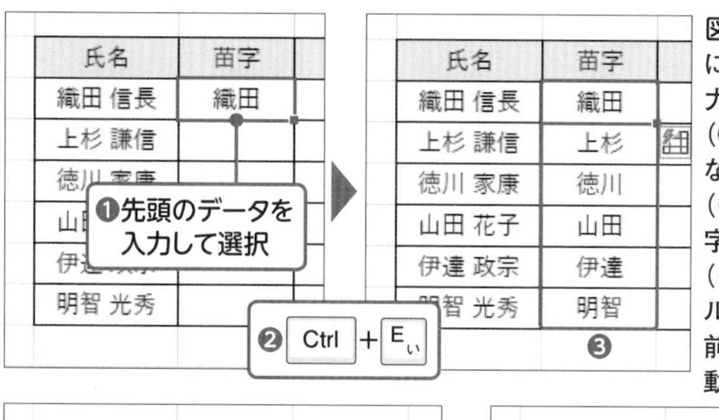

氏名	苗字	名前
織田 信長	織田	信長
上杉 謙信	上杉	
徳川 家康		
山田 花子		
伊達 政宗	伊達	
明智 光秀	明智	

❹先頭のデータを入力して選択

❺ Ctrl + E

氏名	苗字	名前
織田 信長	織田	信長
上杉 謙信	上杉	謙信
徳川 家康	徳川	家康
山田 花子	山田	花子
伊達 政宗	伊達	政宗
明智 光秀	明智	光秀

❻

図16 「苗字」列の先頭に1つめの苗字を手入力し、そのセルを選択（❶）。「Ctrl」キーを押しながら「E」キーを押せば（❷）、すべての行で苗字を自動分割できる（❸）。「フラッシュフィル」という機能だ。「名前」列も同じ要領で自動分割できる（❹～❻）

報などの書類に今日の日付や現在時刻を入力するとき、いちいちカレンダーや時計を確認していませんか。Excelでは「Ctrl」+「；」（セミコロン）で今日の日付、「Ctrl」+「：」（コロン）で現在時刻を自動入力できます。これを使わないのは損です。時刻を入れるときは時と分を区切る「：」を使い、日付を入れるときは「：」の左隣にある「；」を使うと覚えておいてください。

名簿に記入された「織田 信長」といった氏名を、「織田」という苗字と、「信

郵便番号にハイフンを自動挿入

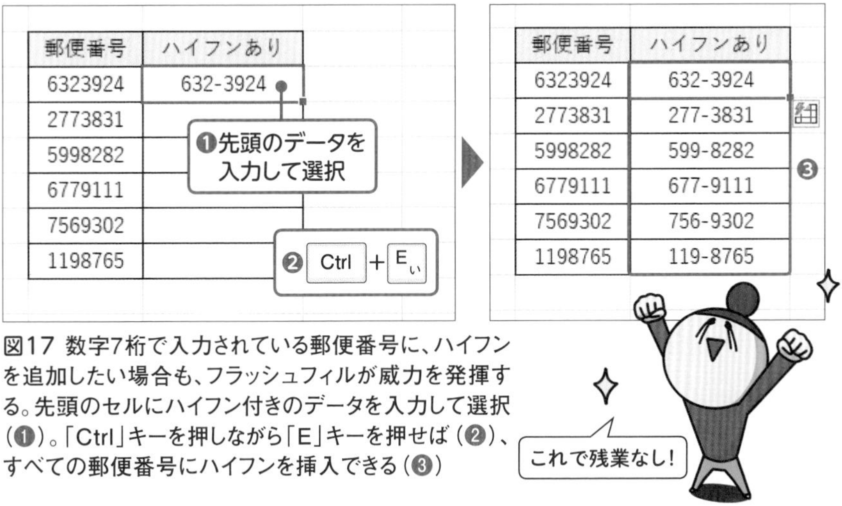

郵便番号	ハイフンあり
6323924	632-3924
2773831	
5998282	
6779111	
7569302	
1198765	

❶先頭のデータを入力して選択
❷ Ctrl + E

郵便番号	ハイフンあり
6323924	632-3924
2773831	277-3831
5998282	599-8282
6779111	677-9111
7569302	756-9302
1198765	119-8765

❸

これで残業なし!

図17 数字7桁で入力されている郵便番号に、ハイフンを追加したい場合も、フラッシュフィルが威力を発揮する。先頭のセルにハイフン付きのデータを入力して選択(❶)。「Ctrl」キーを押しながら「E」キーを押せば(❷)、すべての郵便番号にハイフンを挿入できる(❸)

長」という名前に分割したい——。こんなとき、1人ずつ手作業で編集していたら、日が暮れてしまいます。「関数を使えばできそうだけど、難しくてわからない……」という方もご安心を。そのような操作を全自動でやってくれる「フラッシュフィル」という機能がExcelにはあります(**図15**)。

大量のデータを全自動で整形してくれる「フラッシュフィル」

具体的にはまず、先頭のセルに「織田」と苗字だけを入力します(**図16**)。分割の仕方をExcelに教えるために、"例"として入力するのです。次に、そのセルを選択して「Ctrl」+「E」を押します。これだけで、残りの行にも苗字だけが自動で切り出されます。名前も同じ要領で分割できるので、データが何百件、何千件あっても一瞬です。めちゃくちゃ便利ですね。

このフラッシュフィルは、ユーザーが先頭に入力したデータを基に、「こういう操作をしたいんだな」とExcelが推測し、残りを自動処理してくれる機能です。図16の場合は、苗字と名前の間がスペースで区切られているので、

新規ブックを一発で作成

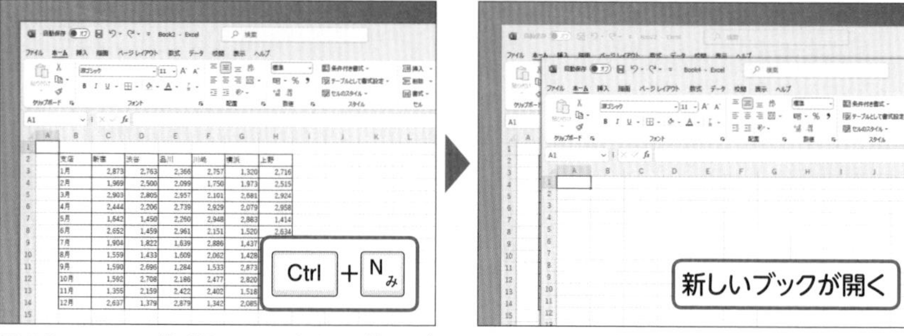

図18 Excelで作業しているときに、「Ctrl」キーを押しながら「N」キーを押すと、新しいブックを作成できる。ウインドウはその新規ブックに切り替わる

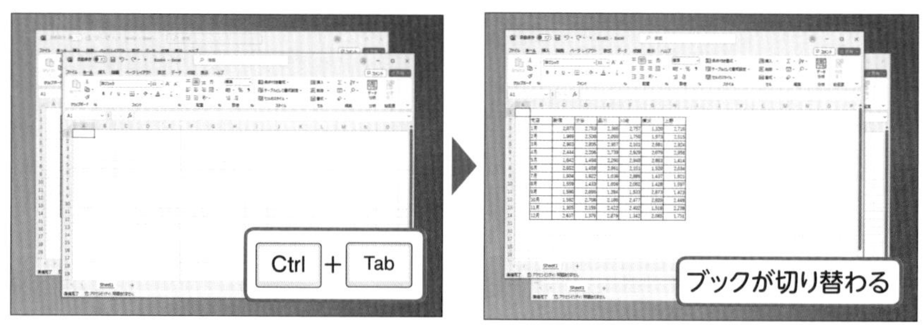

図19 Excelで複数のブックを開いているとき、「Ctrl」キーを押しながら「Tab」キーを押すと、ブックを切り替えて表示できる。ウインドウを全画面表示にしている場合でも、簡単に切り替えられる

「スペースの前（後）にある文字列を切り出したいんだな」とExcelが認識し、残りも同じように処理してくれるわけです。

このような仕組みなので、分割だけでなく、データを追加したり結合したりすることも可能です。例えば、数字7桁で入力された郵便番号にハイフンを挿入したければ、先頭に「632-3924」のように例を入力して「Ctrl」+「E」を押せばOK。残りのデータも同様に処理されます（前ページ**図17**）。

ブック（ファイル）の操作をするショートカットキーも身に付けておきましょう。Excelが起動した状態で「Ctrl」+「N」を押すと、新しいブックを作成でき

このキー操作は覚えておこう

右隣のセルに移動	Tab	「フィルター」を設定	Ctrl + Shift + L り
全角カタカナに変換	F7	表を「テーブル」に変換	Ctrl + T か
半角カタカナに変換	F8	行や列を挿入する	Ctrl + + (テンキー)
全角英数字に変換	F9	行や列を削除する	Ctrl + −
半角英数字に変換	F10	グループ化する	Alt + Shift + →
左のセルをコピー	Ctrl + R す	グループ化を解除する	Alt + Shift + ←
検索ダイアログを開く	Ctrl + F は	シートを追加する	Shift + F11

図20 ほかにも、Excelには便利なショートカットキーがたくさんある。本書で紹介したもの以外に、YouTubeで公開中の動画では上記のショートカットキーも紹介しているのでチェックしてほしい

ます（図18）。「New（新しい）」の「N」ですね。

複数のブックを開いて作業しているとき、別のブックに画面を切り替えたいなら「Ctrl」+「Tab」を押してください（図19）。すると、ブックが順番に切り替わります。これなら、Excelを全画面表示にして作業しているときも、ワンタッチで画面の切り替えが可能です。ウインドウを切り替えるショートカットキーとして「Alt」+「Tab」を思い出す人がいるかもしれませんが、「Ctrl」+「Tab」ならExcelのウインドウだけを切り替えの対象にできます。

以上、特にオススメしたいExcelのショートカットキーを紹介してきました。下記URLで視聴できるYouTubeの動画では、ここで解説していないショートカットキーもたくさん紹介しています（図20）。ぜひ動画のほうもチェックして、参考にしてください。

YouTubeで動画による解説を見る

https://www.youtube.com/watch?v=O6YicntQ6Og

アプリ活用編 02

無料でPDFを編集する方法

文字入力も修正も電子印鑑も簡単！

請求書や契約書などのビジネス文書をはじめ、学校や自治体が配布する案内状や申請書なども、「PDF」でやり取りするケースが増えました。PDFは「Portable Document Format」の略で、アドビという会社が開発した文書ファイル形式です。PDFファイルを開いて閲覧する際は、アドビが無料配布するソフト「Acrobat Reader」を使うのが一般的ですね［注］。

Acrobat Readerは、「Reader」という名前が示すように、基本的には“読み取り専用”で、文書を作成したり編集したりする機能は付いていません。

［注］Acrobat Readerは、以下のウェブページからダウンロードできる。
https://get.adobe.com/jp/reader/

無料のAcrobat Readerには編集機能がない？

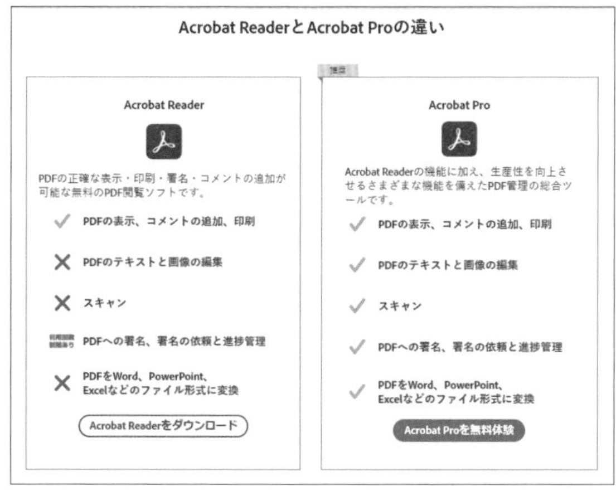

図1 PDF閲覧ソフトの定番は「Acrobat Reader」。無料で入手して使えるが、基本的には表示専用だ。編集したければ、月または年単位で利用料を支払う「Acrobat Pro」または「Acrobat Standard」が必要になる

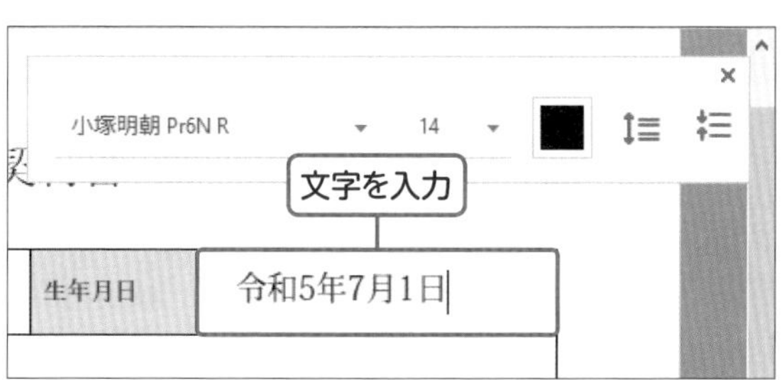

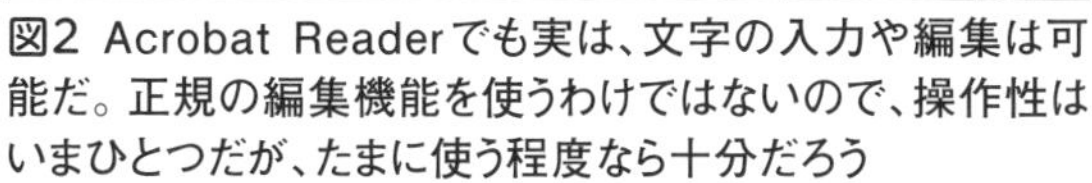

図2 Acrobat Readerでも実は、文字の入力や編集は可能だ。正規の編集機能を使うわけではないので、操作性はいまひとつだが、たまに使う程度なら十分だろう

PDFを編集したい場合は、「Acrobat Pro」（年間プランで月額1980円）などの有料ソフトを購入（契約）する必要があります（**図1**）。

でも実は、Acrobat Readerを使ってPDFを編集する裏ワザがあります。PDFの編集が、無料でできてしまうのです。もちろん、正規の編集機能を使うわけではないので、機能や操作性には限界があります（**図2**）。ですが、ちょっと編集する程度なら、Acrobat Readerで十分といえます。

Acrobat Readerを起動したら、画面右側に表示されるツールの一覧を

「コメント」と「入力と署名」を裏ワザ的に使う

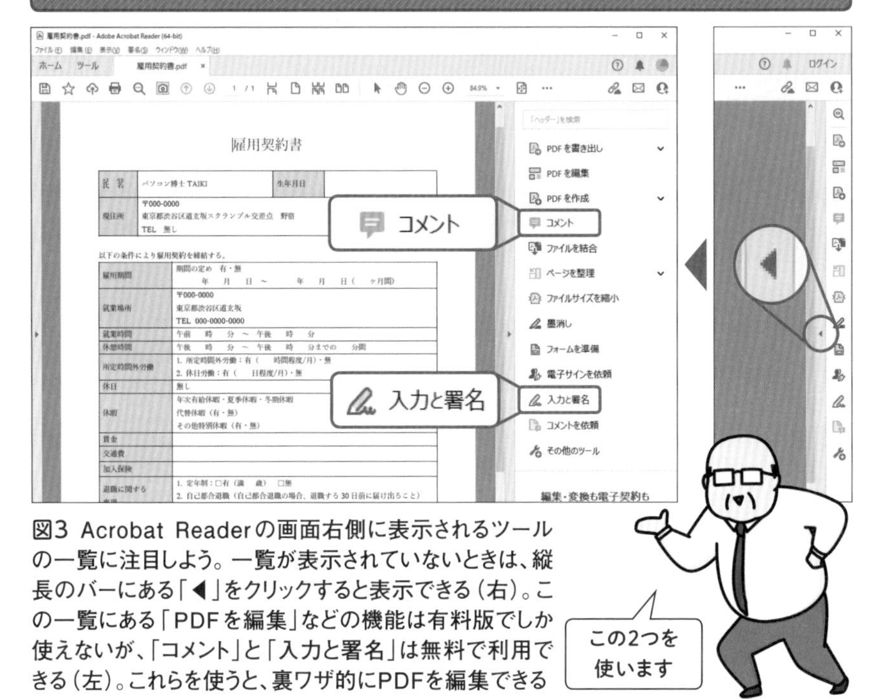

図3 Acrobat Readerの画面右側に表示されるツールの一覧に注目しよう。一覧が表示されていないときは、縦長のバーにある「◀」をクリックすると表示できる（右）。この一覧にある「PDFを編集」などの機能は有料版でしか使えないが、「コメント」と「入力と署名」は無料で利用できる（左）。これらを使うと、裏ワザ的にPDFを編集できる

見てください（**図3**）。上から2番目にある「PDFを編集」という項目は、有料版の機能です。選択すると、有料版へのアップグレードを促されます。今回利用するのは、「コメント」と「入力の署名」という2つのツールです。この2つを使うと、PDFに文字を入力したり、文字を編集したりできてしまいます。

「コメント」機能を使って文字を入力する

早速、文字を入力してみましょう。右側の一覧で「コメント」をクリックすると、上部に「コメント」ツールバーが表示されます。そこにある「T」のマークの「テキスト注釈を追加」ボタンを押して、文字を入れたい場所をクリックすると、カーソルが現れて文字を入力できます（**図4**）。

新たに文字を追加する

図4 図3で「コメント」を選ぶとツールバーが表示されるので、「T」のマークの「テキスト注釈を追加」ボタンを押す(❶)。入力したい場所をクリックすると(❷)、カーソルが現れるので、そのまま文字を入力する(❸)

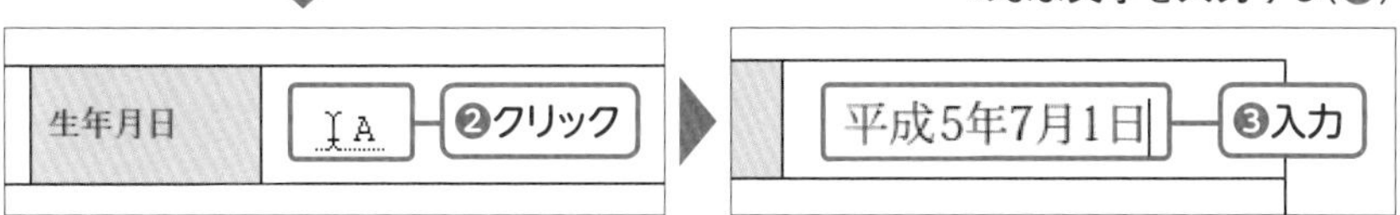

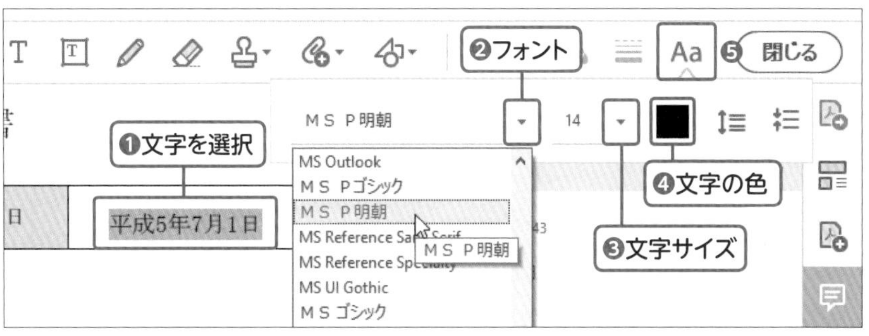

図5 入力した文字を選択すると(❶)、文字専用のメニューでフォント(書体)や文字サイズ、文字の色などを変更できる(❷～❹)。このメニューが表示されていないときは、「コメント」ツールバーの右端のほうにある「Aa」と書かれたボタンを押すと表示される(❺)

入力した文字をドラッグして選択すると、文字の書式を設定するメニューが開き、フォントやサイズ、色などを変えられます(図5)。元の文書になじむように、適当な書式に変更するとよいでしょう。PDF内のほかの部分をクリックすれば、その部分の編集を終了できます。

なお、入力した文字の位置を動かすには、その文字の周囲にマウスポインターを合わせて、表示される枠をドラッグします。枠の選択が難しいときは、画面の右側に開くコメントの一覧にも同じ文字が表示されているので、

「テキストボックス」で文字を上書きする

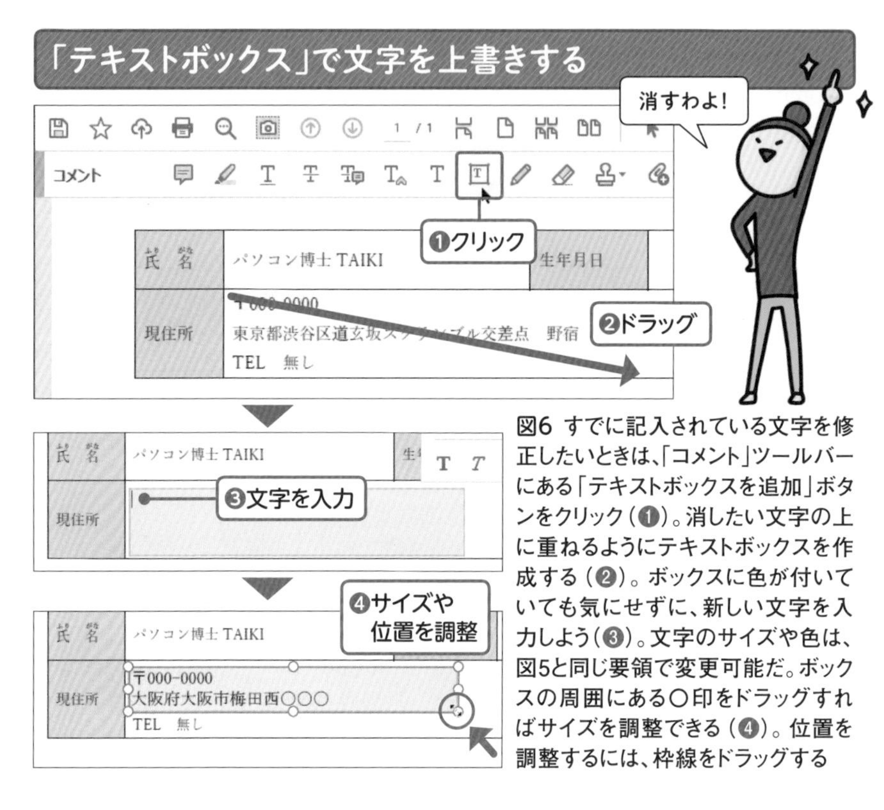

図6 すでに記入されている文字を修正したいときは、「コメント」ツールバーにある「テキストボックスを追加」ボタンをクリック（❶）。消したい文字の上に重ねるようにテキストボックスを作成する（❷）。ボックスに色が付いていても気にせずに、新しい文字を入力しよう（❸）。文字のサイズや色は、図5と同じ要領で変更可能だ。ボックスの周囲にある○印をドラッグすればサイズを調整できる（❹）。位置を調整するには、枠線をドラッグする

それをクリックしてください。すると枠が表示され、選択しやすくなります。マウスポインターが十字矢印になったときにドラッグするのがポイントです。

既存の文字を消して、別の文字を入力する

すでにある文字を消して、新たに別の文字を入力するには、「コメント」ツールバーにある「テキストボックスを追加」ボタンを使います。

ボタンをクリックしたら、消したい文字のある場所を斜めにドラッグして、テキストボックスを作成します（**図6**）。標準では、背景や枠に色が付いていますが、そのまま新しい文字を入力しましょう。文字のフォントやサイズ、色は、先ほど見た図5の要領で変更できます。枠の周囲にある○印をドラッグ

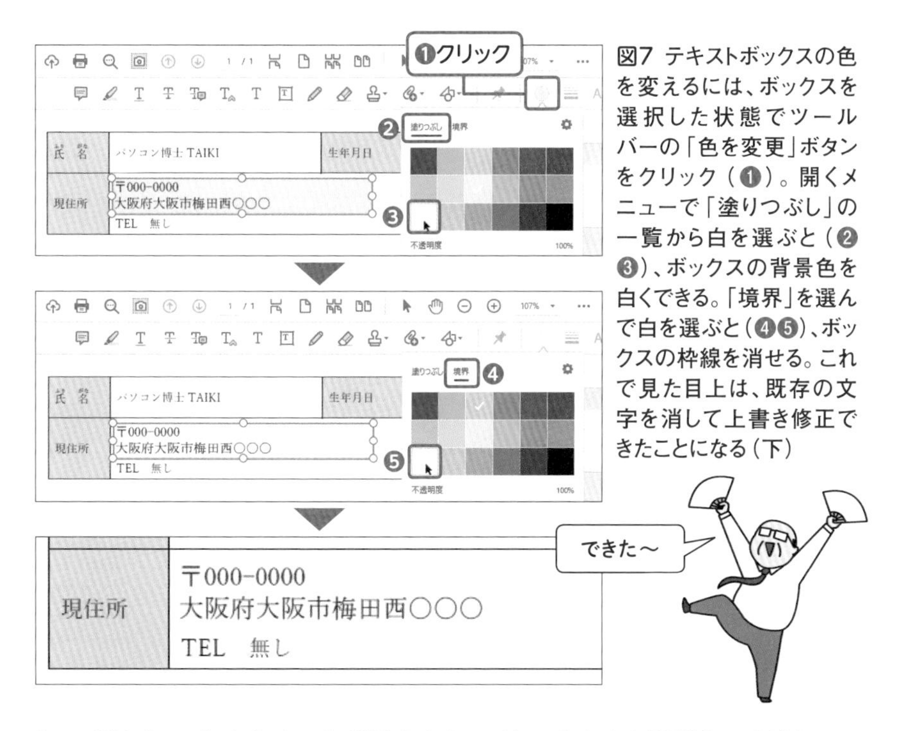

図7 テキストボックスの色を変えるには、ボックスを選択した状態でツールバーの「色を変更」ボタンをクリック（❶）。開くメニューで「塗りつぶし」の一覧から白を選ぶと（❷❸）、ボックスの背景色を白くできる。「境界」を選んで白を選ぶと（❹❺）、ボックスの枠線を消せる。これで見た目上は、既存の文字を消して上書き修正できたことになる（下）

して、消したい文字をすっかり隠すように、枠の大きさを調整してください。

続いて、テキストボックスの背景と枠線を白くします。それには、枠をクリックしてテキストボックスを選択し、ツールバーにある「色を変更」ボタンを押します（**図7**）。開くメニューで白色をクリックして選択すると、背景が白くなりますが、それだけでは枠に色が付いたままです。メニューの上部にある「境界」をクリックして選択し、その色を白にすることで、枠線も白くなり、文字だけが表示される状態になります。これで、既存の文字をすっかり消して、新しい文字に編集できたことになりますね。「コメント」ツールによる編集が終了したら、ツールバーの右端にある「閉じる」ボタンを押すと、ツールバーや画面右側のコメント一覧を閉じることができます。

もう1つ、「入力と署名」機能を使って文字を入力する方法も覚えておきましょう。「入力と署名」ツールバーにある「テキストを追加」ボタンを使って文

「入力と署名」で文字を入力する

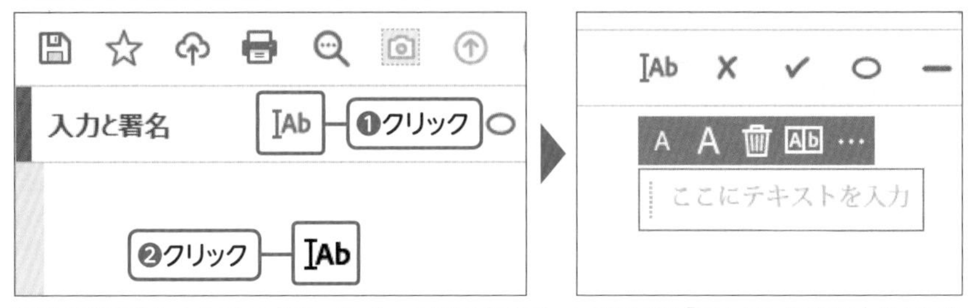

図8　図3で「入力と署名」ツールバーを表示させて、左端にある「テキストを追加」ボタンをクリック（❶）。PDF上の適当な場所をクリックすると（❷）、右のような入力欄が現れる

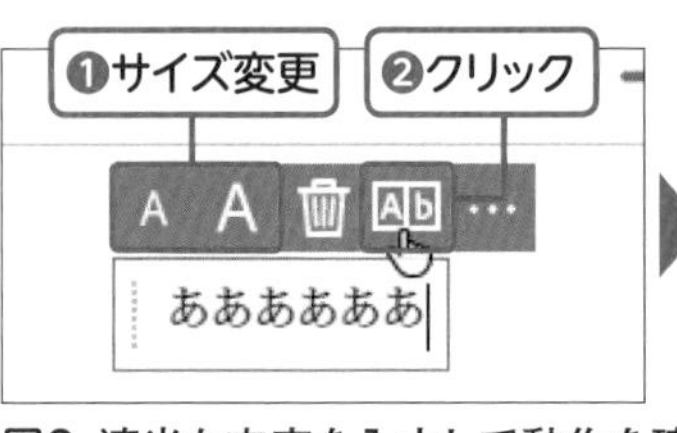

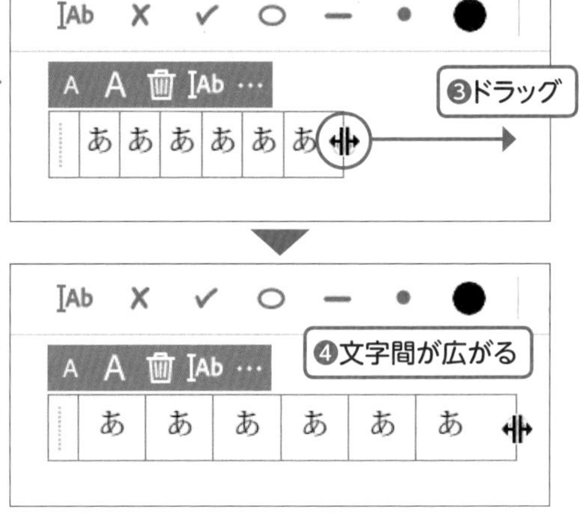

図9　適当な文字を入力して動作を確認してみよう。大小の「A」が描かれたボタンをクリックすると、文字のサイズを簡単に変えられる（❶）。Aとbが枠に囲まれた絵柄のボタンをクリックすると（❷）、文字が1文字ずつ枠に囲まれる。右端にあるハンドルをドラッグすると、枠が均等に広がって、文字の間隔を自由自在に調整できる（❸❹）

字を入力すると、文字の間隔を自由に調整できるのが利点です（**図8**、**図9**）。文字の入力位置があらかじめ決まっている書類に、ピッタリ合わせて文字を配置したいときに重宝します（**図10**）。チェックボックスにチェックマークを付けたり、選択肢の〇印を塗りつぶす機能などもあるので、申請書のひな型に入力する用途には、「入力と署名」が向いています（**図11**、**図12**）。ただし、文字のフォントは変更できません。周りの文字と書体をそろえたいときなど、見た目にこだわる場合は「コメント」ツールがオススメです。

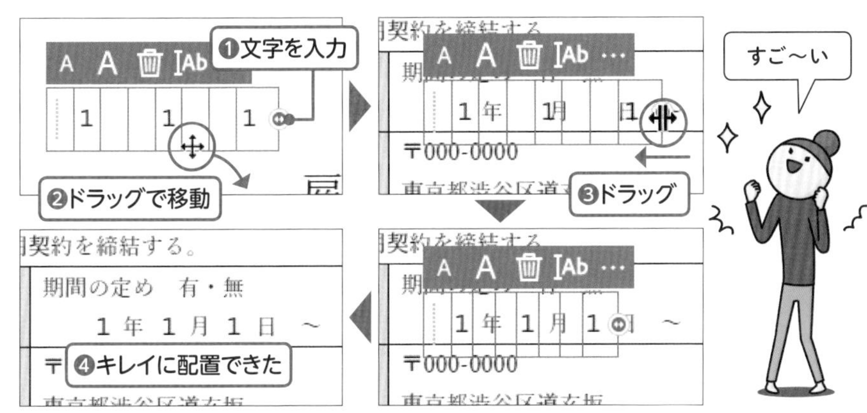

図10　例えば年月日の入力欄に数字を入れるとき、あらかじめ等間隔に数字を入力しておくと（❶）、目当ての位置に移動して（❷）、枠の横幅を調整するだけで（❸）、等間隔にキレイに配置できる（❹）。記入欄がマス目状になっている場合も、この機能を使えばピッタリ合わせて配置できる

チェックマークも簡単に付けられる

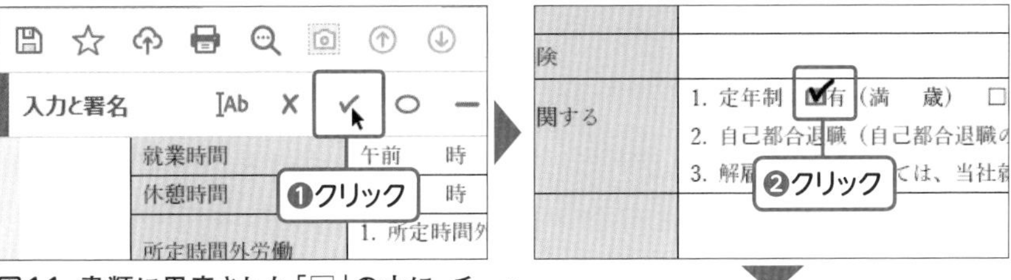

図11　書類に用意された「□」の中に、チェックマークを付けることもできる。ツールバーにあるチェックマークのボタンをクリックし（❶）、「□」のある場所をクリックすればよい（❷）。すると「□」に合わせてチェックマークが挿入される（❸）。サイズは後から変更もできる。取り消す場合はごみ箱のボタンを押して削除する

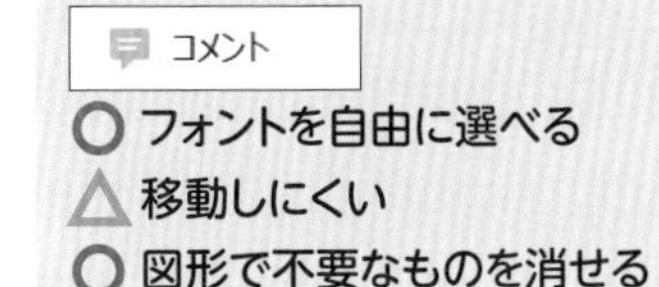

図12　「コメント」ツールと「入力と署名」ツールには、それぞれ長短があるので、場面に応じて使い分けよう

「電子印鑑」を利用する

図13 「コメント」ツールバーにある「スタンプを追加」ボタンをクリックし（❶）、「電子印鑑」を選ぶと（❷）、日付印のバリエーションがメニュー表示される。適当なものを選び（❸）、PDF上をクリックすると押印される（❹）。あらかじめ自分なりの印鑑を登録しておくこともできる

「電子印鑑」の機能も便利なので紹介しておきましょう。「コメント」ツールバーにある「スタンプを追加」ボタンを押すと、「電子印鑑」のメニューから部署名や名前などを入れた日付印を押すことができます（**図13**）。名前などの情報は、「編集」メニューから「環境設定」を選び、開く画面の左側で「ユーザー情報」を選ぶと設定できます。

オリジナルの印影を電子印鑑のメニューに追加することも可能です。それには、まず印影だけのPDFファイルを作成し、「スタンプを追加」メニューで「カスタムスタンプ」→「作成」を選びます。開く画面で「参照」を押し、そのPDFファイルを選択。適当な名前を付けるとメニューに追加されます。

追加した文字などを編集できなくするには？

さて、このように文字を入力したり印鑑を押したりして編集したPDFですが、人に渡したり公開したりする際は注意が必要です。紙に印刷して渡す

最後は「印刷」してPDFを作り直す

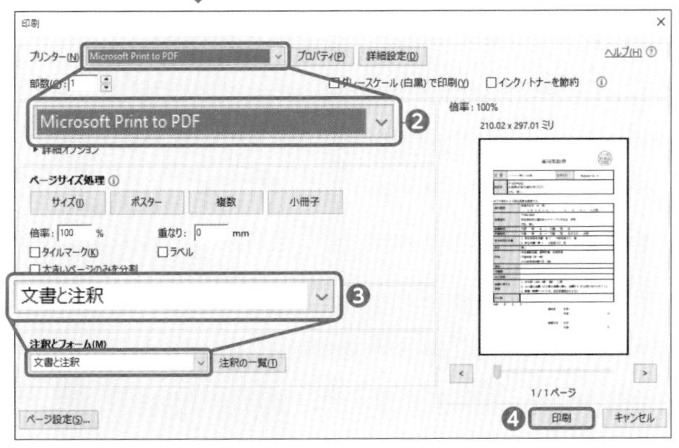

図14 編集した内容を他の人が触れないようにするには、「印刷」ボタンをクリック（❶）。「プリンター」欄で「Microsoft Print to PDF」を選択し（❷）、印刷対象が「文書と注釈」になっていることを確認して（❸）、「印刷」ボタンを押す（❹）。するとPDFの保存画面が開くので、適当なファイル名を付けて保存する

のなら問題ありませんが、ファイルをそのまま人に渡したりすると、編集した内容を相手も触ることができてしまいます。テキストボックスを重ねて文字を隠した部分も、ボックスをドラッグして動かせば見えてしまいます。元の情報を隠して上書きしたつもりでも、簡単にバレてしまうのです。

これを防ぐには、「印刷」の画面で「Microsoft Print to PDF」を選び、新しいPDFを作り直します（**図14**）。すると、文字や印影などをすべて1枚の画像のようにした、再編集できない状態のPDFになります。それでも、専用のソフトを使うと元のデータが見えてしまう場合があるので、個人情報や機密情報を含むPDFの編集には、有料のAcrobatを使うのが安心です。

YouTubeで動画による解説を見る

https://www.youtube.com/watch?v=2w6fYrwObB4

アプリ活用編 03

凄い！スマホ版ChatGPT
無料で使えてマイクやカメラでも入力可能

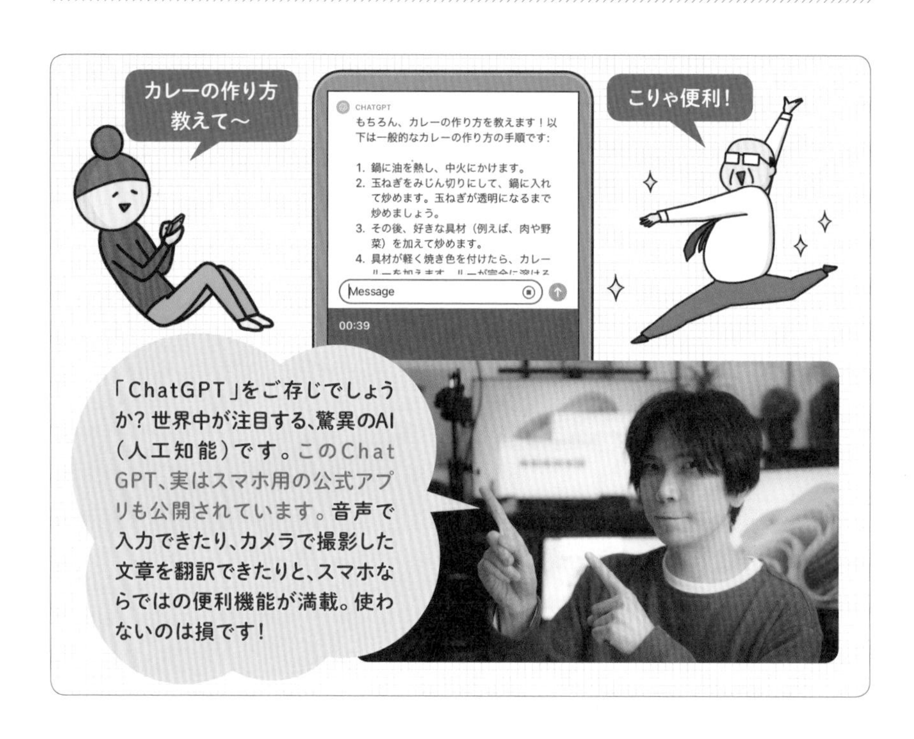

「ChatGPT（チャットジーピーティー）」は、米国のベンチャー企業OpenAIが開発した“対話型AI”と呼ばれる人工知能です。チャットで対話するように質問や要望を入力すると、AIが文章を生成して回答してくれます。驚くべきは、その性能です。これからの時代、このChatGPTを使う人と使わない人では、ビジネスにおいても学問においてもプライベートにおいてまでも、大きな差がついてしまうといわれています。

そして便利なことに、ChatGPTにはスマホ用の公式アプリもあります。こ

まずは「ChatGPT」のアカウントを作成

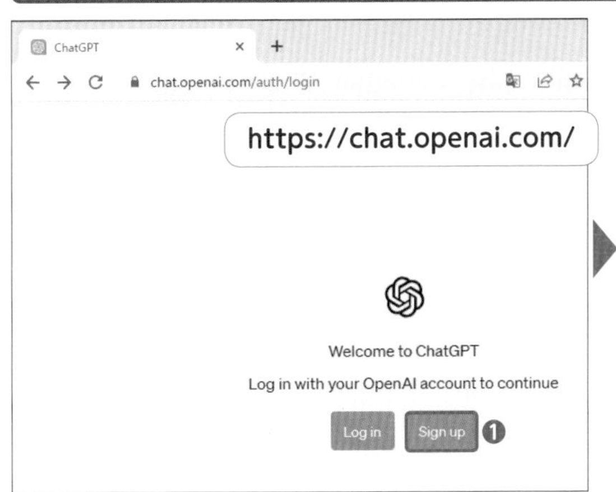

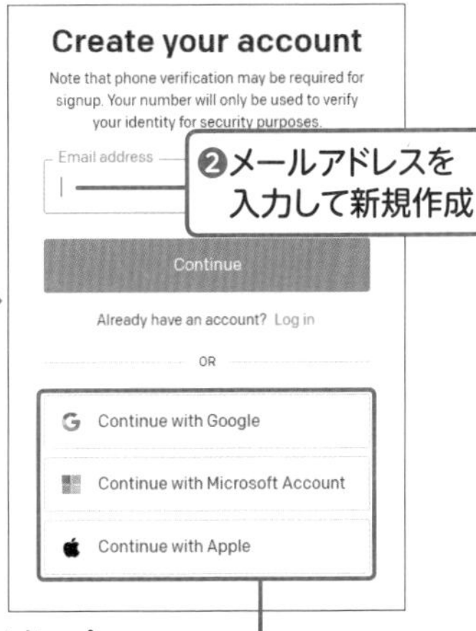

図1 「ChatGPT」を使うために、まずはアカウントを作成しよう。パソコンのブラウザーで上記URLを開き、「Sign up」ボタンをクリック（❶）。続く画面でメールアドレスを入力して「Continue」を押すと、新規に作成できる（❷）。そのほか、Googleアカウントなどを使ってログインすることも可能だ（❸）。この後、携帯電話番号を入力し、ショートメッセージによる認証を済ますと登録が完了する

れをスマホに入れて持ち歩けば、いつもそばにいてくれるアシスタントのように、わからないことを教えてくれたり、アドバイスしてくれたりします。

ここでは、ChatGPTの基本的な使い方を確認しつつ、スマホアプリを使った便利な活用法を紹介していきます。

パソコンではウェブサイトにアクセスして利用する

ChatGPTを利用するには、まずウェブサイトにアクセスして、アカウントを作成します（**図1**）。メールアドレスを登録して新規に作成してもいいですし、GoogleアカウントやApple IDを使ってログインすることもできます。

ログインすると、次ページ**図2**のような画面が開きます。右側がチャット用の画面で、一番下の入力欄に質問や要望を入力して送信します。挨拶など

チャットをする感覚で、質問や要望を入力

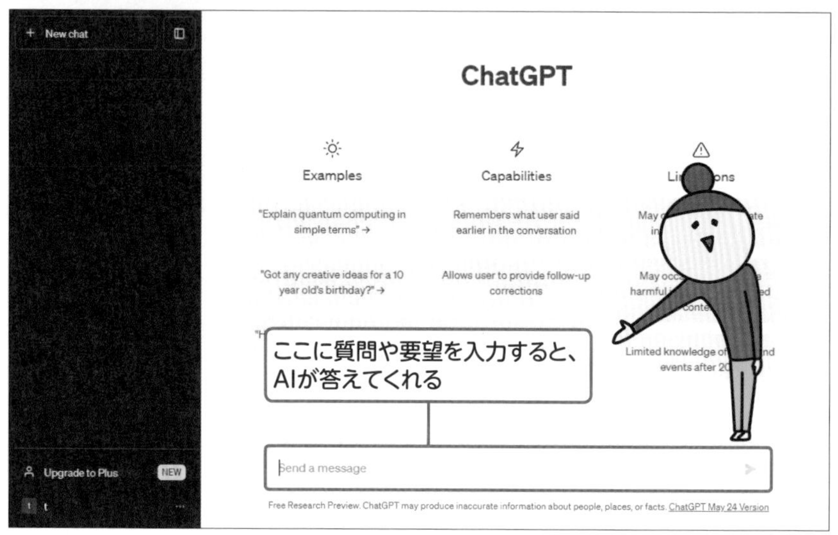

図2 ChatGPTのメイン画面。左側がメニューで右側がチャット画面になっている。一番下にあるメッセージの入力欄に質問や要望を入れて「Enter」キーを押すと、AIが回答してくれる。なお、入力の途中で改行する場合は「Shift」+「Enter」キーを押す

をして普通の会話を楽しむこともできますが、豊富な知識を持つAIなので、わからないことを聞いてアドバイスを求めると非常に役立ちます。

例えば、「ExcelでA列に氏名が入っています。B列に苗字、C列に名前を振り分けるにはどうすればいい?」と聞くと、質問の意味をくみ取ったうえで、それを実現するための数式や機能を提示してくれます(**図3**)。「日本の少子化問題について、どのように取り組めばよいですか?」といった難しい質問にも、情報を整理してわかりやすく回答してくれます(**図4**)。

もちろん、ChatGPTは万能ではありません。2021年9月までの情報しか学習していないので、最新の情報を反映した答えは期待できません。また、歴史的な事実などについても誤った答えをする場合があります。さらに、仕組み上の理由で、数値の計算も苦手となっています。過信は禁物です。

ExcelでA列に氏名が入っています。B列に苗字、C列に名前を振り分けるにはどうすればいい？ 

t　ExcelでA列に氏名が入っています。B列に苗字、C列に名前を振り分けるにはどうすればいい？

ExcelでA列に氏名が入っていて、B列に苗字、C列に名前を振り分けるには、次の手順を実行することができます。

1. B列のセルに、苗字を抽出するための式を入力します。例えば、B2のセルに以下の式を入力します：`=LEFT(A2, SEARCH(" ", A2) - 1)`
この式は、A2のセルの文字列から最初のスペースまでの部分文字列を抽出します。
2. C列のセルに、名前を抽出するための式を入力します。例えば、C2のセルに以下の式を入力します：`=MID(A2, SEARCH(" ", A2) + 1, LEN(A2) - SEARCH(" ", A2))`

図3 例えば、上のようなExcelに関する質問をしたところ、左のような回答を得られた。ここでは関数式を使った解決法を示してくれたが、毎回同じ答えになるわけではない

凄くない??

t　日本の少子化問題について、どのように取り組めばよいですか？

日本の少子化問題に対処するためには、以下のような取り組みが考えられます。

1. 出生率の向上: 出生率の低下が少子化の主な要因ですので、出産を促進する施策が必要です。例えば、育児支援や教育支援の充実、出産手当の増額、保育施設の整備などが重要です。
2. ワーク・ライフ・バランスの改善: 働く親が子育てと仕事を両立しやすい環境を整えることが重要です。柔軟な働き方や育児休業制度の充実、職場の子育て支援などが含まれます。
3. 若者の結婚・出産の支援: 結婚や出産に関する負担や
支援策が必要です。住宅支援や結婚資金の支援、婚
す。

図4「日本の少子化問題」といった難しい質問にも、整然とまとめて回答してくれる。そのほか、文章の要約や翻訳、物語の作成など、いろいろな要望にも応えてくれるので試してみよう。パソコンでChatGPTを使う方法については、右図の動画でも解説している

https://www.youtube.com/watch?v=fgbUYtWzx7A

スマホ用の「ChatGPT」アプリを入手

図5 スマホ用の「ChatGPT」アプリが公開されている。「App Store」や「Playストア」で「ChatGPT」を検索し、OpenAIが提供する公式アプリを入手しよう（左）。似た名前やアイコンの他社製アプリも多いので、間違わないように注意。起動したら、あらかじめ作成しておいたChatGPTのアカウントでログインする（右）

とはいえ、多くの場合は役立つ情報を提供してくれますので、ChatGPTを使わない手はありません。冒頭で述べた通り、スマホ用のアプリもありますので、活用していきましょう。

スマホなら音声やカメラで入力して質問できる

ここでは、iOS版のChatGPTアプリを使ってみます。ストアには似たような名前のアプリが多数ありますので、ニセモノに注意してください（**図5**）。

基本的な使い方は、ウェブサイトと同様です（**図6**）。スマホならではの機能が、音声による入力（**図7**）。メッセージ入力欄にある音波のマーク［注1］をタップして、声で質問した後に「…stop recording」をタップすると、その内

［注1］Android版ではマイクのマーク

基本的な操作はウェブ版と同じ

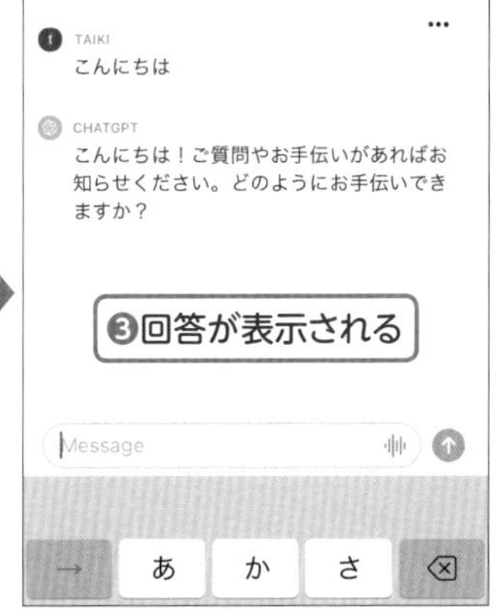

図6 基本的な使い方はパソコンのブラウザー上で使えるウェブ版と同じ。下端にあるメッセージ入力欄に質問などを入れて「↑」ボタンをタップすると（❶❷）、回答が表示される（❸）

スマホ版は音声入力でも質問できる

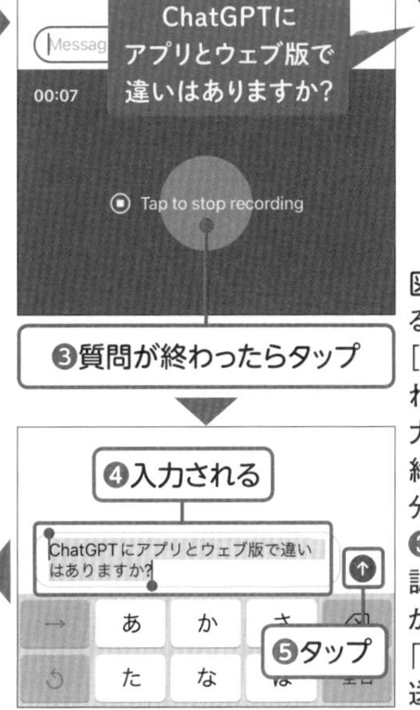

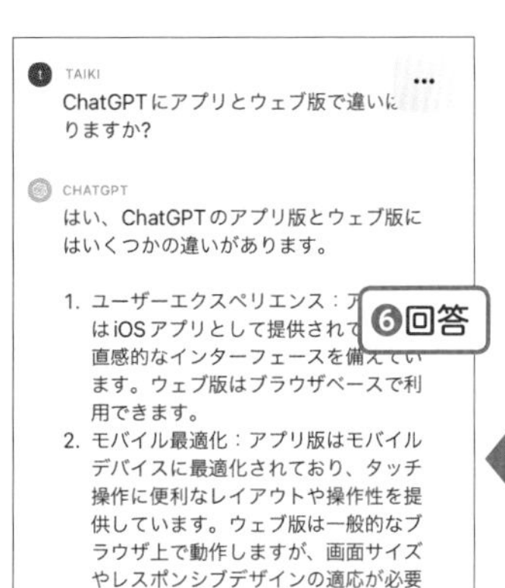

図7 入力欄にある音波のマーク[注1]をタップすれば（❶）、音声入力も可能。質問が終わったら青い部分をタップ（❷❸）。すると音声が認識されて文字が入力される（❹）。「↑」をタップして送信する（❺❻）

話題を変えるときは、新しいチャットに切り替えよう

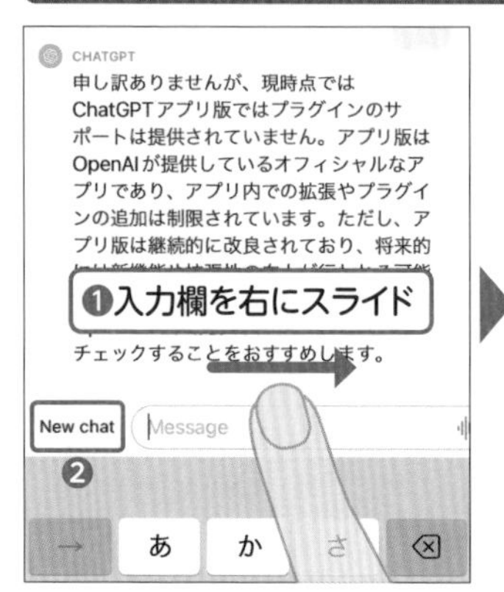

図8 話題を変えて新しいチャットを開始するときは、メッセージ入力欄を右へとスライドさせる(❶)。左側に「New chat」と表示されたら指を離そう(❷)[注2]。すると新しいチャットの画面になる(❸)

容が文字として自動入力されます。あとは送信ボタンを押すだけです。

なおChatGPTは会話の流れを記憶しているので、前の質問や答えを前提として、追加の質問をすることができます。半面、急に別の話題を振ると、それまでの会話の影響を受けて適切な答えを得にくくなることもあります。そのため、話題を変えるときは新規のチャットに切り替えるほうがいいでしょう。それには、メッセージ入力欄を右方向にスライドすればOKです(**図8**)。

カメラで文字を読み取って質問できる点も、スマホならではの便利機能です[注3]。紙の書類や本などの文章を読み取った後、「この文章を50字程度で要約して」などと追加入力して送信すると、指定した文字数で要約してくれます(**図9**)。同様に、外国語の文章をカメラで読み取った後、「この文章を翻訳してください」などと追加入力して送信すれば、日本語に翻訳した結果を表示してくれます(次々ページ**図10**)。この便利さには感動しますね。

最後に、過去に尋ねた質問やその回答を見直す方法を見ておきましょう。右上の「…」をタップしてメニューを開き、その中から「History」を選ぶと

[注2]Android版では、スライドで表示されるメニューから「New Chat」を選ぶ
[注3]Android版には、カメラで文章を読み取る機能は搭載されていない(2023年8月上旬時点)

カメラを使って文字を認識

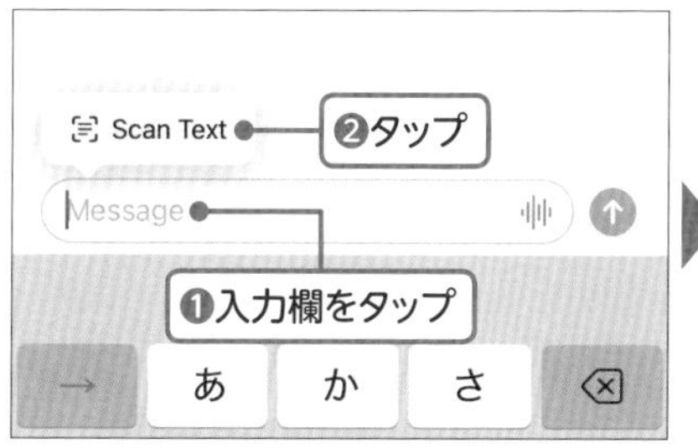

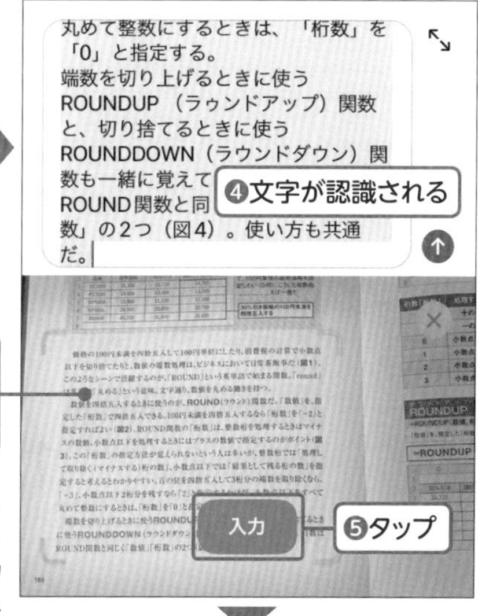

❸カメラの映像が表示されるので、
読み取りたい文章が
黄色の枠に収まるように調整する

図9 メッセージ入力欄をタップすると（❶）、「Scan Text」というメニューが現れる［注3］。これをタップすると（❷）、キーボード部分がカメラの映像に変わり、書類などの文章を読み取って入力することが可能だ（❸❹）。「入力」をタップすると（❺）、キーボードに戻るので、必要に応じて質問や要望を書き加えよう（❻）。「↑」をタップすると送信され、回答が表示される（❼❽）

ROUND関数と同じく「数値」「桁数
2つ（図4）。使い方も共通だ。

この文章を50字程度で要約して ❽回答

CHATGPT
数値の端数処理はビジネスでよく使われる。その中でも「ROUND」関数が活躍する。ROUND関数は数値を指定した桁数で四捨五入することができる。また、ROUNDUP関数は切り上げ、ROUNDDOWN関数は切り捨てに使用される。これらの関数は数値と桁数の2つの引数を持つ。

Message

こんなことまで
できるなんて！

カメラで英文を読み取り、すぐさま翻訳

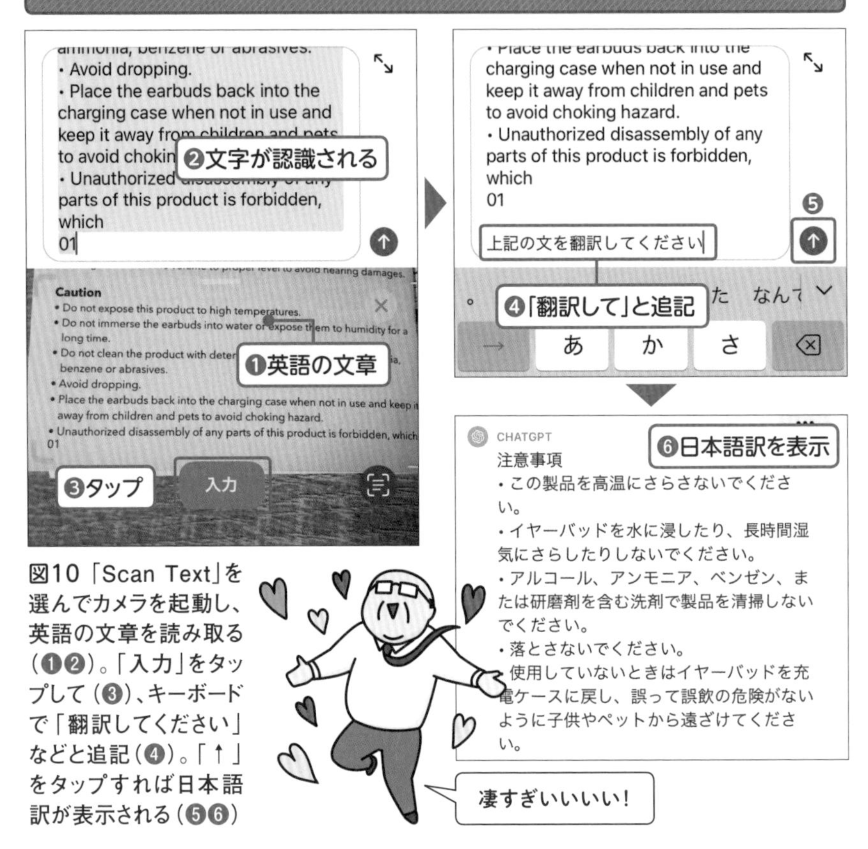

図10「Scan Text」を選んでカメラを起動し、英語の文章を読み取る（❶❷）。「入力」をタップして（❸）、キーボードで「翻訳してください」などと追記（❹）。「↑」をタップすれば日本語訳が表示される（❺❻）

履歴が一覧表示され、過去のチャットを再表示できます（**図11**）[注4]。

また、同じメニューにある「Settings」を選ぶと、設定画面が開きます。そこで「Data Controls」を選ぶと、チャットの履歴を管理する画面が開きます。

注目したいのは「Chat History & Training」という項目です。これは「チャットの履歴を保存して、その内容をAIの学習に使わせてもらうよ」という設定で、標準でオンになっています。実は、ChatGPTに投げかけた質問の内容は、ChatGPTの学習に使われるため、個人情報や機密情報を入力

[注4]Android版では、左上の「≡」をタップするとメニューが開く

チャットの履歴や、データの保存設定を確認

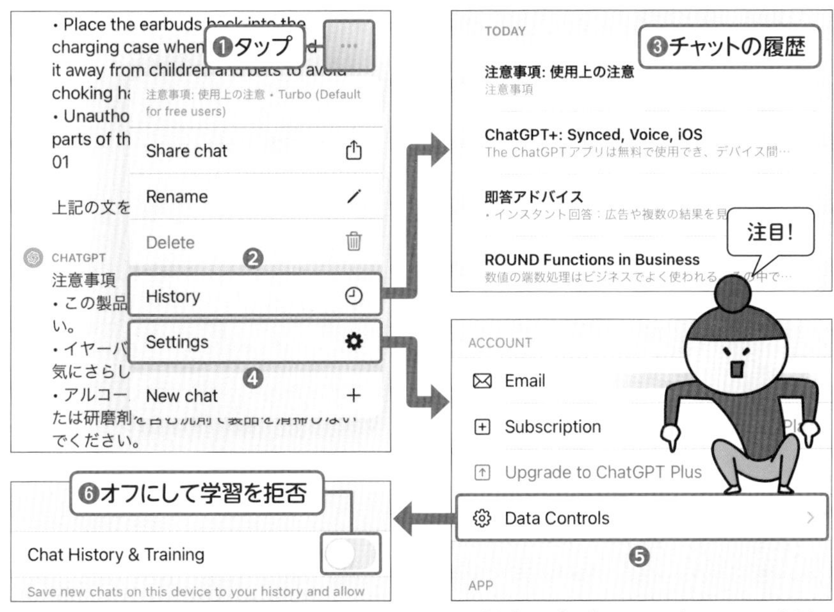

図11　右上の「…」をタップするとメニューが開く（❶）［注4］。「History」を選ぶと（❷）、チャットの履歴が一覧表示され、タップで再表示できる（❸）。履歴の保存を停止し、AIの学習に個人データを利用されないようにするには、「…」のメニューから「Settings」を開いて「Data Controls」を選択（❹❺）。「Chat History & Training」をオフにする（❻）

すると、ChatGPTを通じて外部に漏洩してしまう恐れがあります。

そこで、情報の漏洩を防ぎたい場合は「Chat History & Training」の設定をオフにします。するとメッセージ入力欄が黒色に変わり、チャットの内容や履歴が保存されなくなります。

同じ設定画面に過去の履歴やアカウント自体を削除するメニューもあります。不要になったら削除するとよいでしょう。

YouTubeで動画による解説を見る
https://www.youtube.com/watch?v=f9K93zZp_Tk

アプリ活用編 04

OneDriveの強制同期を解除

余計なアラートを止めてパソコンを快適に

パソコンを使っているとき、画面右下に「ストレージがいっぱいです」というメッセージが表示されて驚いた——という声をよく耳にします。青い雲(クラウド)のマークが付いているなら、それは「OneDrive」の通知です。

OneDriveとは、マイクロソフトが提供するクラウドストレージのこと。クラウド上にファイルを保存できるサービスで、無料で5GBまで利用できます。この5GBがいっぱいになり、もうクラウドにデータを保存できませんよ、と教えてくれているのが、上記のメッセージです。「アップグレード」を選択する

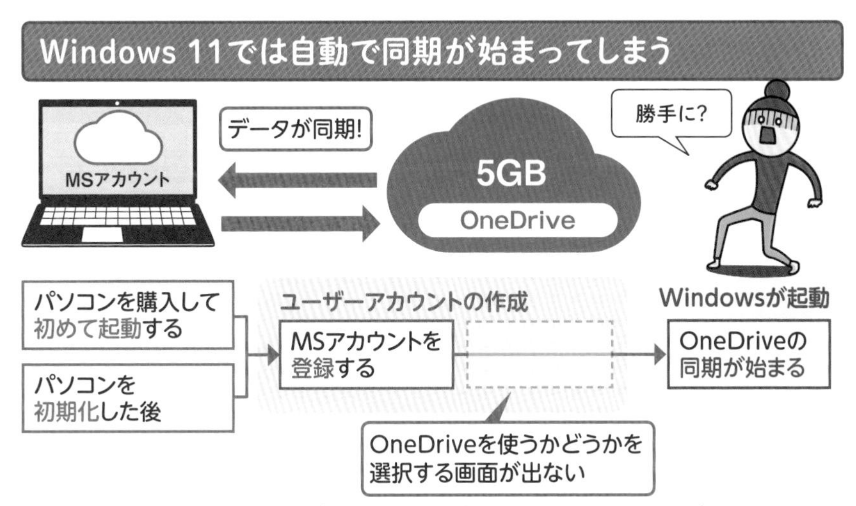

図1 Windows 11のHomeエディションでは、パソコンの初期セットアップにMicrosoftアカウント(以下、MSアカウント)が必須になっている。そして、MSアカウントでWindowsにサインインすると、自動的にOneDriveとのデータ同期が始まる。つまり、OneDriveを強制的に使用するような設定になっているのだ

と、OneDriveの容量を追加する有料プランへの加入を促されます。

「いやいや、自分はOneDriveなんて使っていないし、そんな設定していないんだけど……」という人もいるでしょう。ところが、ユーザーが意識していないところで、パソコンが勝手にOneDriveにデータを保存していることもあるので注意が必要です。

Windows 11にMSアカウントでサインインすると自動同期

実はWindows 11を搭載したパソコンを買うと、最初のセットアップ時に、Microsoftアカウント(以下、MSアカウント)でサインインするように求められます。MSアカウントでサインインしないと、セットアップを進めることができません[注1]。そして、MSアカウントを登録してサインインすると、自動でOneDriveとの同期が開始され、パソコン内のデータをクラウドにも保存するようになります(**図1**)。以前のWindowsでは、OneDriveを使うかどう

[注1]Homeエディションの場合。Proエディションでは、ローカルアカウントを選ぶこともできる

いきなり同期を止めるのは混乱のもと

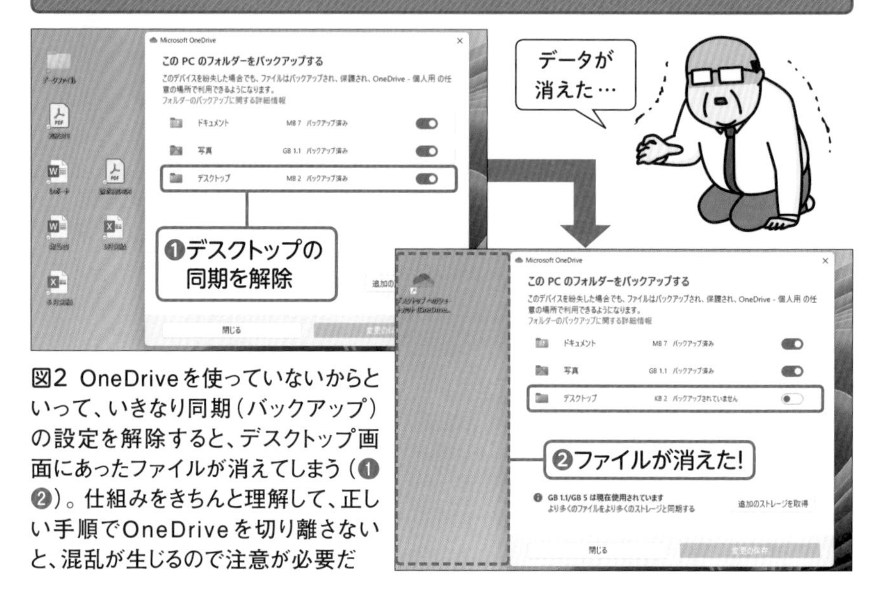

図2 OneDriveを使っていないからといって、いきなり同期(バックアップ)の設定を解除すると、デスクトップ画面にあったファイルが消えてしまう(❶❷)。仕組みをきちんと理解して、正しい手順でOneDriveを切り離さないと、混乱が生じるので注意が必要だ

かを選択する画面が表示されたのですが、Windows 11では強制的にOneDriveを利用させられるわけです。なんだか悪意を感じますよね。

OneDriveには「デスクトップ」「ドキュメント」「ピクチャ」にあるデータが自動で保存されるので、5GBの無料枠はすぐいっぱいになります。そして容量がなくなると、冒頭のメッセージが表示され、有料プランに誘導されます。OneDriveのことを理解していないと、よくわからないままお金を払ってしまうかもしれません。そうでなくても、余計な通知は邪魔でしかないですね。

もちろん、同期を解除してOneDriveを消せば、通知を止めることはできます。しかし、いきなり同期を解除すると、デスクトップ画面にあったデータが消えてしまうなど、混乱やトラブルのもとです(**図2**)。データのある場所や、解除の手順を正しく理解したうえで、慎重に対処する必要があります。

まずは、自分のパソコンでOneDriveの設定がどうなっているのかを確認

まずは現在の状態を確認しよう

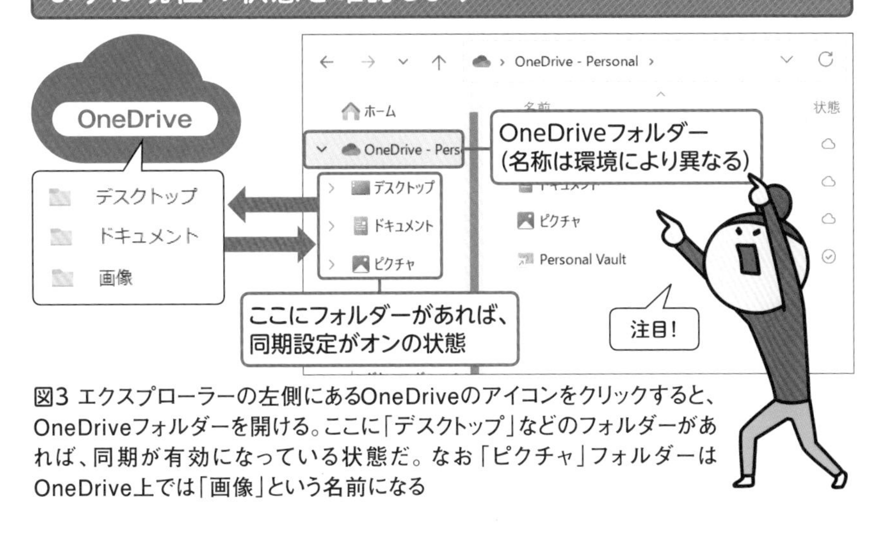

図3 エクスプローラーの左側にあるOneDriveのアイコンをクリックすると、OneDriveフォルダーを開ける。ここに「デスクトップ」などのフォルダーがあれば、同期が有効になっている状態だ。なお「ピクチャ」フォルダーはOneDrive上では「画像」という名前になる

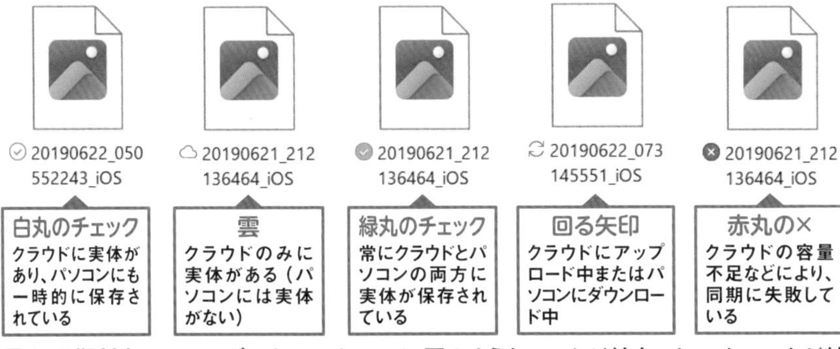

図4 同期対象のフォルダーやファイルには、図のようなマークが付く。チェックマークが付いたものは、パソコンとクラウドの両方に実体がある。雲マークのものはクラウドにのみ実体があり、パソコン上にあるのは単なるリンク。これをダブルクリックするとクラウドからダウンロードされ、白丸のチェックマークに切り替わる。白丸のチェックマークのものは、一定期間が過ぎるとパソコンから実体が消えて雲マークの状態に移行する

しましょう。エクスプローラーを起動して、左側にある「OneDrive」フォルダーを選択してください（**図3**）。「OneDrive」ではなく、MSアカウントの名前がフォルダー名になっている場合もあります。青い雲のアイコンが目印です。

同期を解除する前に、クラウド上のデータをダウンロード

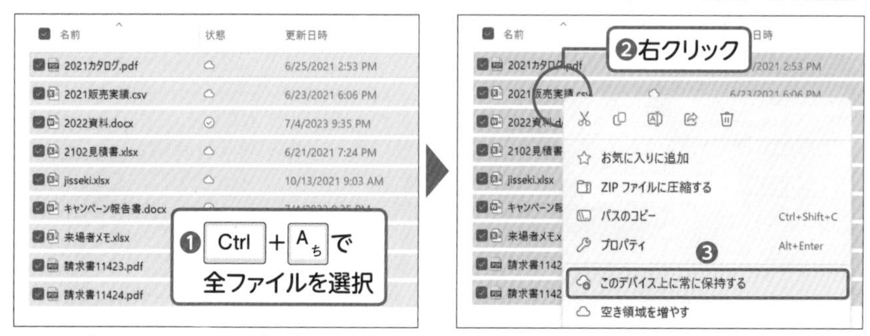

図5 同期しているフォルダー内のファイルを「Ctrl」＋「A」キーですべて選択（❶）。そのいずれかを右クリックし（❷）、「このデバイス上に常に保持する」を選ぶ（❸）。すると、クラウド上にしかないファイルもすべてダウンロードされて、緑丸のチェックマークに変わる

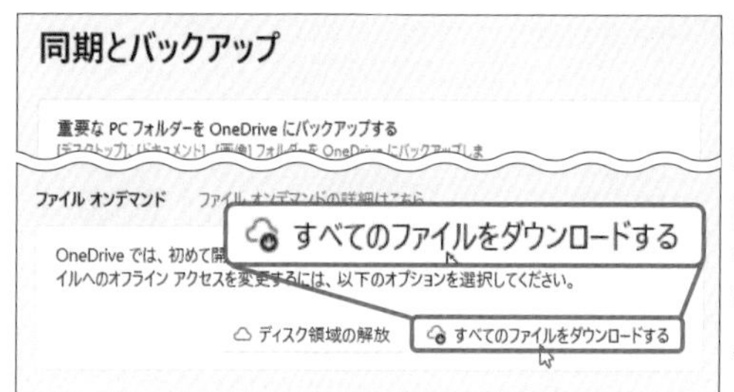

図6 右ページ図7の要領でOneDriveの設定画面を開き、左側で「同期とバックアップ」を選択。画面を下にスクロールして「詳細設定」を開き、「ファイルオンデマンド」の「すべてのファイルをダウンロードする」をクリックすると、クラウド上のファイルを一括ダウンロードできる

その下に「デスクトップ」「ドキュメント」「ピクチャ」の3つがぶら下がっている場合は、OneDriveとの同期が有効になっています。

同期中のフォルダーやファイルには、前ページ**図4**のようなマークが付いています。白丸や緑丸のチェックマークが付いているものは、パソコンの中にデータがあるフォルダーやファイルです。注意したいのは雲のマークのフォルダーやファイル。それらはアイコンだけがパソコンの中にあって、その実体はクラウドにしかありません。ダブルクリックして開こうとしたときに初めて、パソコンにダウンロードされる仕組みになっています。

ここまで理解すると、いきなりOneDriveの同期を止めてはいけない理由

①OneDriveをパソコンから消してしまいたい！

図7 タスクバーにある雲マークのOneDriveアイコンをクリック（❶）。開くパネルの右上隅にある歯車をクリックし、「設定」を選ぶ（❷❸）。すると設定画面が開くので、左側で「アカウント」を選択（❹）。「このPCからリンクを解除する」をクリックし（❺）、確認画面で「アカウントのリンク解除」を押すと、OneDriveとの同期を完全に解除できる

がわかりますね。雲マークのものはクラウドにしか実体がないので、そのままOneDriveの同期を切ると、パソコンからデータが消えてしまいます。

そのため、OneDriveの同期を切る前に、クラウドのファイルをすべてパソコンにダウンロードしておく必要があります。それにはファイルをすべて選択して右クリックし、「このデバイス上に常に保持する」を選びます（**図5**）。OneDriveの設定画面から一括ダウンロードすることもできます（**図6**）。

OneDriveの同期を止めて、完全におさらば

ファイルをすべてダウンロードできたら、OneDriveを今後どうするか決めましょう。OneDriveは使わないので消してしまいたいという場合は簡単です。まずタスクバーのアイコンからOneDriveの設定画面を開いて、「このPCからリンクを解除する」を選びます（**図7**）。サインイン画面に切り替わっ

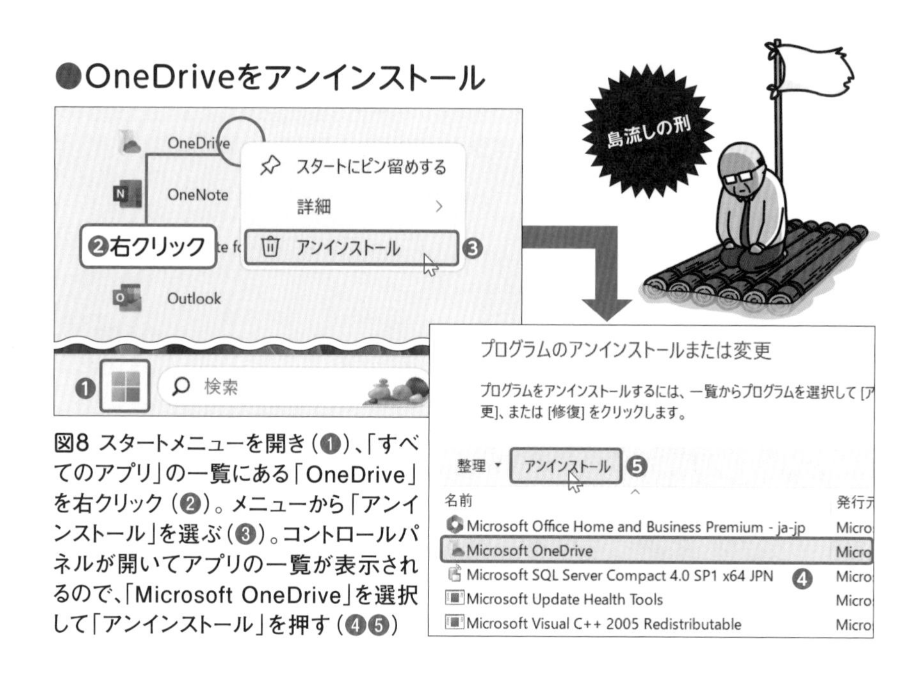

図8 スタートメニューを開き（❶）、「すべてのアプリ」の一覧にある「OneDrive」を右クリック（❷）。メニューから「アンインストール」を選ぶ（❸）。コントロールパネルが開いてアプリの一覧が表示されるので、「Microsoft OneDrive」を選択して「アンインストール」を押す（❹❺）

たら、閉じてしまって結構です。そのうえで、OneDriveをアンインストールしましょう。コントロールパネルの「プログラムのアンインストールまたは変更」の画面で、OneDriveを選択して「アンインストール」を押してください（図8）。これでスッキリ完了です［注2］。

同期のみ解除して、必要なときだけOneDriveを使う

次に、データの同期だけを解除して、クラウドストレージとしてのOneDriveは使い続けたい場合の対処法を紹介します。「デスクトップ」などを自動で保存する機能は止めつつ、必要なデータを必要なときにクラウドに保存する使い方です。データをクラウドに置いておけば、ほかのパソコンやスマホなどからもアクセスして利用できます。職場から自宅へデータを持ち帰るときも、USBメモリーなどを使わずに、クラウド経由で移動できます。めちゃくちゃ便利なので、僕はこの使い方をオススメしています。

［注2］OneDriveを再び使いたくなったら、以下のウェブページからダウンロードして再インストールできる
https://www.microsoft.com/ja-jp/microsoft-365/onedrive/download

②同期設定は解除して、OneDriveは引き続き使いたい

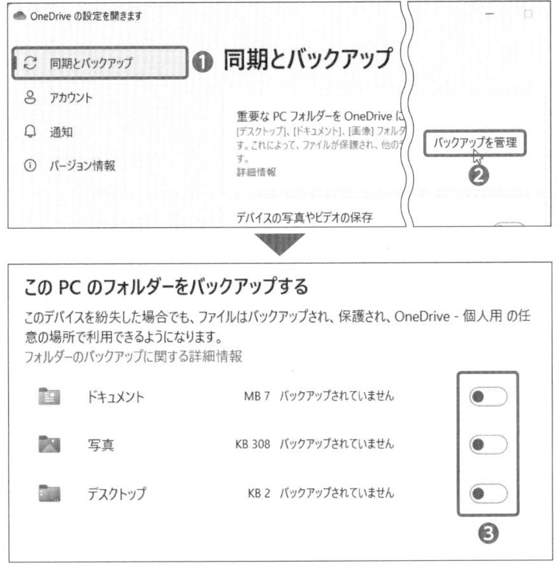

図9 図7の要領でOneDriveの設定画面を開き、「同期とバックアップ」にある「バックアップを管理」をクリックする（❶❷）。開く画面で「ドキュメント」「写真」「デスクトップ」の同期設定を1つずつオフにしよう（❸）。そのつど確認画面が開くので、「バックアップの停止」をクリックすること。3つともオフにしたら、設定画面を閉じる

まずは同期の設定を解除しましょう。OneDriveの設定画面にある「バックアップを管理」を開いてください（**図9**）。「ドキュメント」「写真」「デスクトップ」という3つの設定がありますので、それぞれオフにします。

すると、図2で触れていた通り、デスクトップ画面や「ドキュメント」「ピクチャ」のフォルダーから、データが消えてしまいます（次ページ**図10**）。でも安心してください。ものすごく不親切でわかりにくい仕組みなのですが、データはちゃんと残っています。どこにあるのかというと、エクスプローラーを起動して、画面左側にある「OneDrive」フォルダーにぶら下がった「デスクトップ」などをクリックしてみてください。すると、右側に元のデータが表示されてくるはずです（**図11左**）。

一方、その下にあるもう1つの「デスクトップ」などをクリックすると、OneDriveアイコンのショートカット以外、何も入っていません（**図11右**）。こ

●データはどこへ?

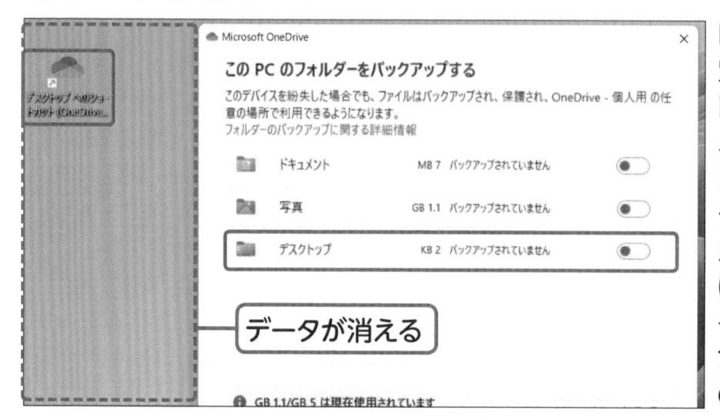

図10 バックアップの設定をオフにすると、デスクトップ画面にあったファイルやフォルダーが消える。「ドキュメント」や「ピクチャ」も同様にデータが消えるが、心配無用。代わりに用意されるOneDriveアイコンのショートカットをダブルクリックすると、データのある場所が開く

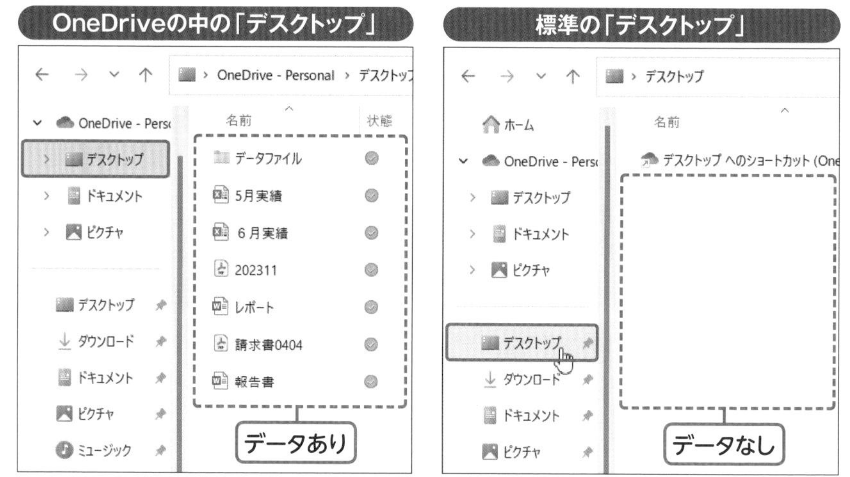

図11 エクスプローラーの左側でOneDriveにぶら下がった「デスクトップ」などのフォルダーを開くと、そこにはデータが入っている（左）。一方、標準で用意されている「デスクトップ」などを開くと、データは入っていない（右）。図10でデスクトップ画面からデータが消えたのは、デスクトップ画面の実体がOneDriveの中の「デスクトップ」から、何も入っていない右図の「デスクトップ」に切り替わったからだ

の何も入っていない「デスクトップ」が実は、現時点でのデスクトップ画面になっています。だから、デスクトップ画面からデータが消えたのです。

詳しく解説すると、OneDriveの同期がオンの状態では、OneDriveフォルダーの中にある「デスクトップ」などが、標準のデスクトップ画面などに

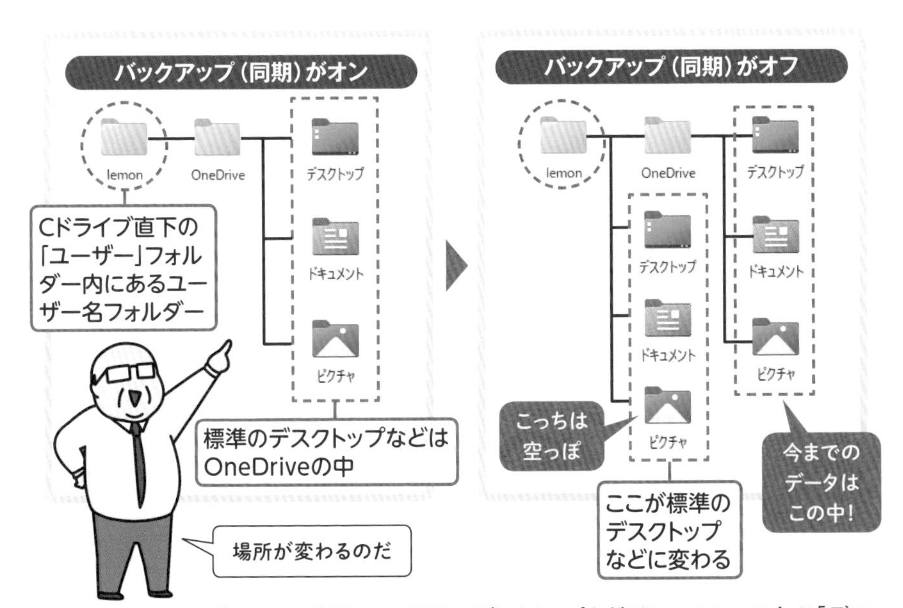

図12 バックアップがオンの状態では、標準のデスクトップなどがOneDriveの中の「デスクトップ」になっている（左）。ところが、バックアップをオフにすると、OneDriveの中の「デスクトップ」などはそのままの状態で、ユーザー名のフォルダーの中に別の「デスクトップ」などができて、そこが標準のデスクトップ画面などに割り当てられる

なっています（**図12左**）。このときはエクスプローラー上でも、OneDriveフォルダーにぶら下がった「デスクトップ」と、その下にあるもう1つの「デスクトップ」は同じ場所を表しています。ところが、OneDriveの同期をオフにすると、OneDriveの中の「デスクトップ」などとは別に、ユーザー名のフォルダーの中に「デスクトップ」などが作成され、そこが標準のデスクトップ画面などになります（**図12右**）。つまり、同期にオフにすると、「デスクトップ」などのフォルダーが、2つずつ存在することになるのです。

このとき、OneDriveで同期していたデータは、OneDriveの中にある「デスクトップ」などにそのまま残ります。そして、新しくできた「デスクトップ」などは空っぽの状態です。そのため、デスクトップ画面からデータが消えたように見えます。しかし実際は、デスクトップ画面として表示されている「デス

●標準のフォルダーにデータを移動する

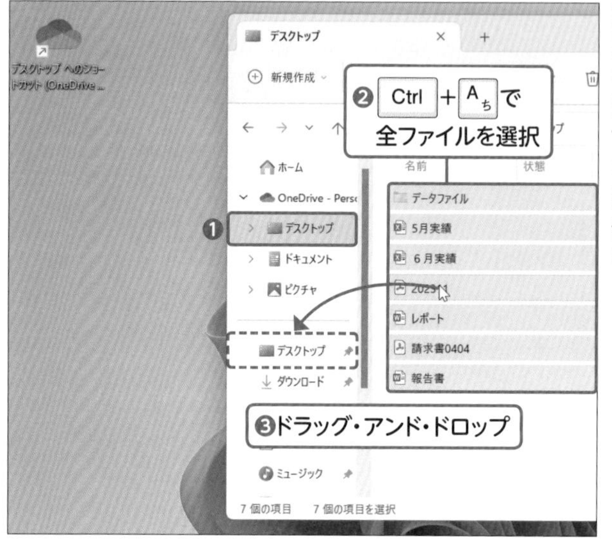

図13 OneDriveの中の「デスクトップ」を開いて(❶)、その中のデータを「Ctrl」+「A」キーを押すなどしてすべて選択(❷)。ドラッグ・アンド・ドロップで、標準のデスクトップに移動する(❸)

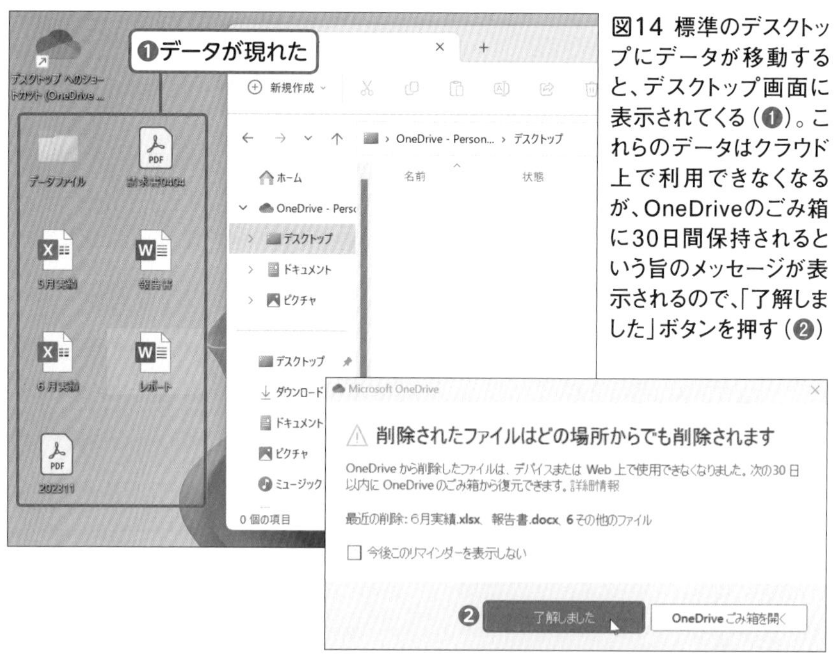

図14 標準のデスクトップにデータが移動すると、デスクトップ画面に表示されてくる(❶)。これらのデータはクラウド上で利用できなくなるが、OneDriveのごみ箱に30日間保持されるという旨のメッセージが表示されるので、「了解しました」ボタンを押す(❷)

●最後の仕上げ！ 余計なフォルダーを削除

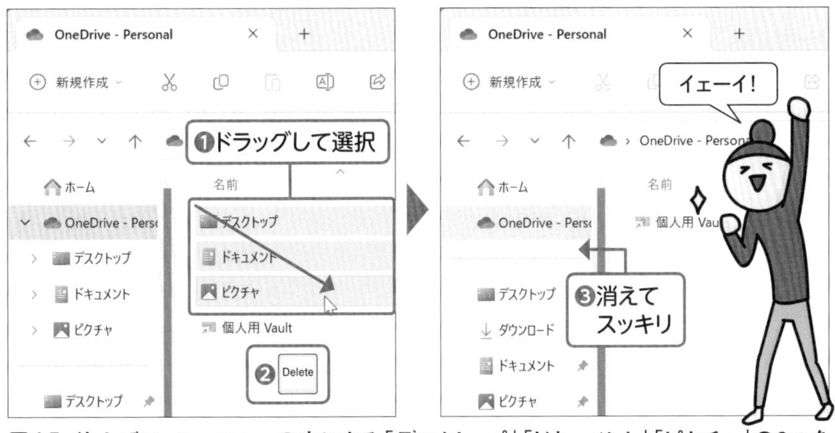

図15 仕上げに、OneDriveの中にある「デスクトップ」「ドキュメント」「ピクチャ」の3つを削除（❶❷）。これで、エクスプローラーの左側からも消えてスッキリする（❸）。残ったOneDriveフォルダーは、クラウドストレージとデータを同期する場所として使い続けることが可能だ

クトップ」フォルダーの場所が切り替わっただけなのです。ちなみに、新しいデスクトップ画面に作られたOneDriveアイコンのショートカットをダブルクリックすると、OneDriveの中にある「デスクトップ」が開きます。

従って、これまで通りのデスクトップ画面に戻すには、OneDriveの中にある「デスクトップ」から、新しくできた標準の「デスクトップ」へと、データをすべて移動します（**図13、図14**）。「ドキュメント」や「ピクチャ」についても同様に、データを移動してください。仕上げに、空っぽになったOneDriveの中の「デスクトップ」などを削除してしまいましょう（**図15**）。残った「OneDrive」フォルダーは、別のパソコンやスマホとデータを共有したい場合など、必要なときに活用するとよいでしょう。

YouTubeで動画による解説を見る
https://www.youtube.com/watch?v=WPQ5EjutFNE

索引

【タ行】

【ナ行】

【ハ行】

【マ行】

【ヤ～ワ行】

パソコン博士TAIKI

「わかりにくいをわかりやすく」をモットーに、人々のPCライフが少しでも快適になるようなお役立ち情報や豆知識をYouTubeで発信中。パソコン、周辺機器、インターネット、セキュリティなど、ITに関わる旬なテーマを幅広く取り上げ、基本から裏ワザまで丁寧に解説している。イラストや図解を交えたユーモアたっぷりの動画は、「わかりやすい!」「目からウロコ!」と感激の声が続出。チャンネル登録者数は50万人を突破。

日経PC21

1996年3月創刊の月刊パソコン誌。WindowsやOfficeをはじめとするパソコンやITの実用情報を、わかりやすい言葉と豊富な図解・イラストで深く丁寧に解説している。

達人だけが知っている!
PC&ネットのずるテク大全

2023年9月11日 第1版第1刷発行
2023年9月22日 第1版第2刷発行

著者 パソコン博士TAIKI
編集 田村規雄(日経PC21)
発行者 中野 淳
発行 株式会社日経BP
発売 株式会社日経BPマーケティング
〒105-8308 東京都港区虎ノ門4-3-12

装丁 小口翔平+奈良岡菜摘(tobufune)
本文デザイン 桑原 徹+櫻井克也(Kuwa Design)
制作 会津圭一郎(ティー・ハウス)
印刷・製本 図書印刷株式会社
ISBN978-4-296-20307-9

本書籍に関するお問い合わせ、ご連絡は下記にて承ります。
https://nkbp.jp/booksQA